Español en marcha

Curso de español como lengua extranjera

Nivel básico (A1 + A2)

Guía didáctica

Francisca Castro Viúdez
Pilar Díaz Ballesteros
Carmen Sardinero Franco
Ignacio Rodero Díez

Español Lengua Extranjera

SOCIEDAD GENERAL ESPAÑOLA DE LIBRERÍA, S.A.

SGEL

Primera edición, 2005
Segunda edición, 2007

Produce SGEL – Educación
Avda. Valdelaparra, 29
28108 Alcobendas (MADRID)

© Francisca Castro, Pilar Díaz, Carmen Sardinero, Ignacio Rodero
© Sociedad General Española de Librería, S. A., 2005
   Avda. Valdelaparra, 29, 28108 Alcobendas (MADRID)

Diseño de cubierta: Fragmenta comunicación S.L.
Maquetación: DAYO 2000
Ilustraciones: Maravillas Delgado
Fotografías: Jesús García Bernardo, Archivo SGEL, Cordon Press, S. L.

ISBN-10: 84-9778-223-2
ISBN-13: 978-84-9778-223-4
Depósito legal: M. 1.418-2007
Printed in Spain – Impreso en España

Impresión: Closas-Orcoyen, S. L.

contenidos

Introducción

Español en marcha básico incluye los contenidos de *En marcha 1 y 2* con el fin de alcanzar el nivel básico del *Marco común europeo de referencia*. Al final de este tomo los estudiantes podrán describir y narrar, en términos sencillos, aspectos de su pasado, describir algunos sentimientos y estados de ánimo, hablar de planes, así como expresar opiniones sencillas sobre temas variados y de actualidad. También se les proporcionan recursos para desenvolverse en situaciones cotidianas, relacionadas con necesidades inmediatas.

Español en marcha está dirigido a estudiantes jóvenes y adultos que estudien en un país de habla hispana o en su propio país.

Este tomo contiene dieciocho unidades completas, un banco de actividades para la práctica oral en parejas, una gramática de referencia y una serie de verbos regulares e irregulares conjugados. Junto con el *Cuaderno de ejercicios* y la *Guía didáctica* del profesor, proporciona material para trabajar unas 120 horas de clase. Por su estructura flexible puede utilizarse tanto en cursos intensivos (de tres o cuatro horas diarias) como en cursos desarrollados a lo largo del año escolar.

Español en marcha está basado en una larga experiencia en clases de español e intenta responder tanto a las necesidades de los profesores como de los alumnos.

Componentes del *Libro del alumno*

El *Libro del alumno* se compone de:

- Una unidad 0, que sirve para introducir al alumno en el estudio del español.
- 18 unidades, de 8 páginas, organizadas en tres apartados (A, B y C) de dos páginas cada uno. Cada apartado constituye una unidad didáctica cuidadosamente graduada desde la presentación variada de muestras de lengua hasta actividades de producción. A lo largo de cada clase el alumno tiene la oportunidad de desarrollar

todas las destrezas: leer, escuchar, vocabulario, gramática, hablar y pronunciación, en una serie de tareas que van desde las más controladas a las más libres.
- El apartado de *Autoevaluación* tiene como objetivo repasar, consolidar y comprobar la asimilación de los contenidos presentados y practicados en los apartados anteriores. El alumno tiene la posibilidad de autoevaluar su progreso mediante los descriptores del *Portfolio europeo de las lenguas*.
- El apartado *De acá y de allá* contiene información del mundo español e hispanoamericano y su objetivo es el desarrollo de las competencias sociocultural e intercultural del estudiante.

A continuación de las unidades encontramos como material complementario:

- Una serie de *Actividades en pareja*, que siguen el principio del "vacío de información" y proporcionan práctica oral complementaria.
- Una valiosa *Referencia gramatical y léxico útil*, en donde se explica la gramática de uso de cada unidad con lenguaje claro y accesible a los estudiantes de este nivel. También se recoge el vocabulario agrupado por temas.
- La transcripción del material audio que no está impreso en la unidad.
- Una tabla con los verbos regulares e irregulares más importantes, conjugados en los tiempos que se presentan y trabajan en este nivel.

Por último, el CD contiene las grabaciones del *Libro del alumno*, con las pistas claramente identificadas. El número que aparece al lado del símbolo de la grabación se corresponde con el número de pista del CD.

Componentes del *Cuaderno de ejercicios*

El *Cuaderno de ejercicios* tiene como objetivo consolidar la lengua presentada y practicada en el *Libro del alumno*. Se puede utilizar bien como trabajo en casa o para practicar más en clase.

Está organizado en tres apartados (A, B y C), siguiendo la misma división de contenidos del *Libro del alumno*. En cada apartado se practican varias destrezas. Además, cada dos unidades hay una doble página de "practica más" con más actividades de refuerzo.

Al final de las unidades aparece un glosario de las palabras que consideramos más útiles de cada unidad.

Componentes de la *Guía didáctica*

La *Guía didáctica* está pensada para proporcionar a los profesores un abanico de técnicas que les permitan hacer la clase más efectiva. A los profesores con experiencia se les ofrece gran cantidad de ideas y material extra de fácil aplicación.

Cada unidad de la *Guía didáctica* empieza con los objetivos de la unidad y una actividad de precalentamiento. Luego siguen las explicaciones metodológicas, que incluyen notas sobre gramática y funciones: cómo utilizar la pizarra, las transcripciones de las grabaciones y la clave de las actividades.

Después de la explotación didáctica de todas las unidades, encontramos una serie de ideas y juegos aplicables a diferentes situaciones, 9 exámenes fotocopiables para evaluar la progresión y, por último, 27 actividades fotocopiables para practicar oralmente en parejas.

Línea metodológica

Los autores de *Español en marcha* somos conscientes de que las necesidades y experiencias de aprendizaje de los estudiantes pueden variar notablemente: desde personas que nunca han aprendido antes una segunda lengua, al lado de otros que tienen experiencia en varias lenguas. También los hay con diversos estilos: unos prefieren analizar cada frase antes de empezar a hablar y hay otros que se lanzan a la producción sin importarles la corrección.

Español en marcha pretende atender a todos los estudiantes, dándoles la información necesaria para que comprendan y construyan el sistema gramatical español y, por otro lado, abundante material para que lleguen a obtener fluidez. En todos los casos el material (tanto de presentación como de práctica) está cuidadosamente graduado, con el fin de que el estudiante no se vea sobrepasado y no se desanime. Es fundamental que el alumno vaya adquiriendo poco a poco confianza en el uso de la lengua.

VOCABULARIO

En este nivel, los estudiantes necesitan aprender el vocabulario básico para desenvolverse en situaciones cotidianas. A lo largo de este tomo el vocabulario se va introduciendo gradualmente a medida que las situaciones comunicativas lo requieren. Se presenta el vocabulario nuevo con ayuda de las imágenes, y se trabaja de forma variada (clasificación, relación) al mismo tiempo que se intenta que el alumno active algunas estrategias (adivinación, memorización) que le permitan un aprendizaje más eficaz.

También se presenta una gran cantidad de lecturas que permitirán a los estudiantes adquirir el vocabulario pasivo.

GRAMÁTICA

En *Español en marcha* la gramática se presenta siempre contextualizada, ya sea en una lectura, en conversaciones, en narraciones o en diferentes tipos de texto, como recetas de cocina o artículos periodísticos.

Después de la presentación, los cuadros azules con los paradigmas de las formas permiten al estudiante observar los sistemas subyacentes de la lengua. A continuación, las actividades de práctica están cuidadosamente graduadas, desde las que son de reconocimiento de formas, hasta las de producción controlada y menos controlada. Esta progresión permite al estudiante asimilar gradualmente y sin esfuerzo el sistema formal español y su uso.

Las explicaciones de la *Referencia gramatical* y las actividades del *Cuaderno de ejercicios* contribuyen a la consolidación.

COMUNICACIÓN

Español en marcha básico presenta las funciones comunicativas correspondientes a este nivel, bien en conversaciones de situación (*consultar a un médico, hablar de las condiciones de trabajo*), o bien a través de la gramática (*subjuntivo para expresar deseos*). Presuponemos que el estudiante quiere aprender la lengua para usarla en cualquier tipo de contextos y, por eso, tratamos de ofrecerle ejemplos y herramientas para que pueda desenvolverse en la vida real.

CONOCIMIENTO SOCIOCULTURAL Y CONCIENCIA INTERCULTURAL

Dada la importancia de la cultura en el aprendizaje de una lengua extranjera, se presenta en un apartado específico como información útil para el alumno. El objetivo es doble: por una parte, que el estudiante conozca algunos aspectos de la realidad sociocultural del mundo español e hispanoamericano, y, por otro lado, que reflexione sobre las diferencias entre su propia cultura y la hispana. Esta reflexión le llevará a la conciencia de que existen otras formas de mirar y de clasificar el mundo, diferentes a las que hemos adquirido de niños. Conocer a los otros nos llevará, en última instancia, a conocernos mejor a nosotros mismos.

LECTURAS

Las lecturas aparecen en el manual con objetivos muy diversos: para presentar la lengua, para practicar la lectura propiamente, para aumentar el vocabulario, para practicar la gramática. Muchas de ellas están grabadas con el fin de proporcionar también práctica de comprensión oral. Algunos textos son de fuentes auténticas y contienen términos desconocidos para este nivel, pero resultan útiles para construir la competencia lectora. De esta manera, se ayuda al estudiante a construir diversas estrategias de aprendizaje: deducir el significado por el contexto, formular hipótesis, usos del diccionario. Habitualmente el profesor puede ayudarles presentando de antemano los términos difíciles.

HABLAR

En todas las unidades didácticas se presentan actividades de práctica oral, algunas muy controladas, otras más libres y con diversas modalidades: en parejas, en grupo, ante toda la clase. Para reforzar esta destreza se han incluido las actividades en pareja del *Libro del alumno* y las de la *Guía didáctica*.

PRONUNCIACIÓN Y ORTOGRAFÍA

La pronunciación y ortografía están sistemáticamente presentadas y practicadas a lo largo de toda la serie, haciendo hincapié en la acentuación y entonación.

A. ¡Hola! Me llamo Maribel

OBJETIVOS

Vocabulario: Gentilicios.
Comunicación: Presentarse y decir la
        nacionalidad. Deletrear.
Pronunciación y ortografía: Sonidos del español.
        La sílaba tónica.

Antes de empezar

- Preséntese usted mismo. Escriba en la pizarra la frase completa: *Me llamo...*
- Luego, pregunte a cada uno: *¿Cómo te llamas?* Dígales que se pregunten entre ellos, en parejas.

1. Los estudiantes escuchan y leen el diálogo individualmente dos o tres veces. La última vez deben tapar el texto.
   - Escriba en la pizarra el gentilicio de sus alumnos. Y pregunte a varios estudiantes *¿De dónde eres?*

2. Los estudiantes se levantan y se mueven por la clase para saludarse y presentarse.

3. Si no está ahí su gentilicio, los estudiantes lo escriben.

B. ¿Cómo se escribe?
¿Cómo se pronuncia?

4. Mirando la página, explique que en español hay cinco vocales y veinticuatro consonantes. Primero escuchan cada vocal y luego la repiten. Repita dos o tres veces toda la serie hasta asegurarse de que lo hacen correctamente. Después siga con las consonantes.

- Lea en voz alta las palabras que sirven de ejemplo a cada fonema (*abuelo*, *bien*) y pida que repitan tantas veces como sea necesario hasta que los estudiantes se encuentren seguros.
   Al mismo tiempo aclare el significado de las palabras que no conocen.

5. Aquí están representadas las sílabas que presentan alguna dificultad. Los estudiantes escuchan y repiten.
   - Se presentan las tres preguntas básicas que se hacen cuando hay dudas sobre la ortografía de estos fonemas.
   - Subraye que en español la *b* y la *v* se pronuncian igual y que la *h* no se pronuncia nunca.

6. Antes de poner la cinta, puede pedir a los estudiantes que deletreen las palabras para practicar.

Erre–o–eme–e–ere–o
De–i–a–zeta.
Ge–o–ene–zeta–a–ele–uve–o
Erre–i–be–e–ere–a.
Ge–i–eme–e–ene–e–zeta.
Pe–a–de–i–ene.

ROMERO
DÍAZ
GONZALVO
RIBERA
GIMÉNEZ
PADÍN

---

7. Muestre a los estudiantes la mecánica de la actividad. Dicte algunas palabras deletreadas para practicar.
   - El cuadro de consulta muestra las reglas necesarias para saber cuál es la sílaba tónica de cada palabra. Lea en voz alta las palabras de los ejemplos enfatizando la sílaba tónica.

8. Los estudiantes hacen la actividad. Puede leer usted las palabras, o pedir que las lean en voz alta a medida que van subrayando la sílaba tónica.

Al**emán** – al**ema**na – japo**nés** – profe**sor**
estu**dian**te – profe**so**ra – brasi**le**ño – hos**pi**tal
estu**diar** – **li**bro – lec**ción** – compa**ñe**ro – **ma**dre

---

9. Ponga la cinta para que los estudiantes comprueben y repitan.

- Se presentan algunas frases útiles para la clase. Explique a los estudiantes la función de cada expresión. Léalas y pida que las repitan con la entonación adecuada las veces que sean necesarias.
- Anímeles a utilizarlas. Pídales, por ejemplo, que le pregunten por el significado de diferentes palabras españolas, que le pregunten cómo se llaman en español algunos objetos de la clase, etc.

C. Mapas de España e Hispanamérica

Presentamos los mapas con el objeto de que el alumno disponga de imágenes del mundo de habla hispana y pueda consultarlas cada vez que lo precise.

IDEAS EXTRA

1. Para presentarse. Haga una copia de la lista de clase para cada estudiante, añadiendo dos nombres inexistentes. Con la lista en la mano, los alumnos se mueven por la clase preguntando el nombre a los compañeros. El objetivo es averiguar cuáles son los dos nombres de los estudiantes inexistentes.

2. Dicte algunas palabras de las que han aprendido en esta unidad, (de la página 10, por ejemplo) deletreándolas: *a-be-u-e-ele-o.* Los alumnos las escriben: *abuelo.*

3. Si la clase es multilingüe, pida a un estudiante que salga a la pizarra. Este pregunta a un compañero/a el nombre y lo escribe en la pizarra. Pueden salir varios estudiantes.

A. ¿Cómo te llamas?
B. Claudette Greiner.
A. ¿Cómo se escribe?
B. C–ele–a–u–de–e–te–te–e.
A. ¿Y de apellido?
B. Ge–ere–e–i–ene–e–ere.

También puede hacerse en parejas.

 ACTIVIDADES EN PAREJA
1. Deletrear, *Guía didáctica,* p.120.

A. ¡Encantado!

OBJETIVOS

Vocabulario: Gentilicios.
Comunicación: Presentar a otros y saludar.
Gramática: Género de los adjetivos de nacionalidad.

Antes de empezar

- Salude a varios alumnos y espere contestación. Si es necesario, escriba el saludo en la pizarra:
  P. *Hola, X, ¿qué tal?*
  A. *Bien, ¿y tú?*
  P. *Muy bien, gracias.*
- Diga a los estudiantes que practiquen en parejas.
- Explique que *¡encantado/a!* se utiliza cuando te presentan a una persona en situaciones formales o semiformales. En la misma situación se utiliza también *mucho gusto*, indistintamente. En caso de situaciones informales, se dice sólo el saludo: *Hola, ¿qué tal?*

1. La actividad sirve para situar los diálogos que vienen a continuación y representan diferentes grados de formalidad.

> a-2. b-1. c-3.

2. Los estudiantes escuchan el primer diálogo completo dos veces. Luego, haga que repitan cada intervención siguiendo la grabación o a usted. Haga lo mismo con el diálogo B.

3. Los estudiantes intentan completar el diálogo. Comprueban con el compañero. Escuchan la cinta y corrigen.

> Luis: ¡Hola, Eva! ¿Qué tal?
> Eva: Bien, ¿y tú?

> Luis: Muy bien. Mira, este es Roberto, un compañero nuevo.
> Eva: ¡Hola, encantada! ¿De dónde eres?
> Roberto: Soy cubano.

- Los estudiantes, en grupos de tres, leen en voz alta los tres diálogos. Compruebe la pronunciación y entonación.
- Cuando realicen esta práctica, indíqueles que, una vez que han leído su parte, deben levantar la vista del libro y mirar al compañero para escuchar lo que éste dice.

COMUNICACIÓN

El cuadro resume las dos formas de dirigirse a otros en español: formal e informal. Aunque las divisiones no están siempre claras, de momento el cuadro le dará al alumno una idea de la situación.

HABLAR

- Explique que *usted* es el pronombre de segunda persona para situaciones formales. *Señor* y *señora (Sr. y Sra.)* son las formas de respeto para dirigirse a alguien de rango superior, y se usan con el apellido. (Ver "referencia gramatical", p. 172).

5 y 6. La práctica tiene como objetivo que los estudiantes tengan conciencia de esas formas, pero deje claro que entre compañeros de clase lo normal es hablarse de *tú*.

GRAMÁTICA

El cuadro de consulta resume las reglas del masculino y femenino. (Ver "referencia gramatical", p. 171).

7. Los estudiantes hacen individualmente la actividad. Al corregirla, escriba en la pizarra las respuestas correctas. Diga cada adjetivo en voz alta enfatizando la pronunciación y, sobre todo, el acento. Dígales que subrayen la sílaba más fuerte. Esta es una actividad que puede realizar frecuentemente.

1. chil<u>e</u>no	chil<u>e</u>na
2. españ<u>ol</u>	españ<u>o</u>la
3. ingl<u>és</u>	ingl<u>e</u>sa
4. iran<u>í</u>	iran<u>í</u>
5. sudafric<u>a</u>no	sudafric<u>a</u>na
6. estadounid<u>ense</u>	estadounid<u>ense</u>
7. brasil<u>e</u>ño	brasil<u>e</u>ña

8. Se presentan una serie de personajes conocidos internacionalmente con el fin de practicar los exponentes presentados. Si sus estudiantes no reconocen a los personajes, ayúdeles a adivinarlos dándoles las pistas que necesiten. Otra posibilidad es que hagan la actividad entre dos o tres estudiantes.

> **2.** Se llama Joanne K. Rowling. Es escritora. Es inglesa.
> **3.** Se llama Shirin Ebadi. Es jurista. Es iraní.
> **4.** Se llama Juan Carlos. Es rey. Es español.
> **5.** Se llama Nicole Kidman. Es actriz. Es australiana.
> **6.** Se llama Pelé. Es futbolista. Es brasileño.

IDEAS EXTRA

1. Diga o escriba el nombre de 5 o 6 personas que sean muy conocidas para sus estudiantes y pídales que busquen su profesión y su nacionalidad.

2. Si la clase es multilingüe, pida a los estudiantes que escriban frases sobre sus compañeros: *Ewa es polaca. Marcelo es brasileño.*

> | A P | **1. Gente famosa,** *Libro del alumno,* pp. 159 y 165.

B. ¿A qué te dedicas?

> **OBJETIVOS**
>
> **Vocabulario:** Nombres de profesiones.
> **Gramática:** Género de los nombres.
> Verbos regulares en presente.
> Verbos *ser y tener*.
> **Pronunciación:** Entonación interrogativa.

Antes de empezar

- Escriba en la pizarra: *Yo soy* <u>*profesor*</u>. Y subraye el nombre de la profesión. Pregunte si conocen otros nombres de profesión en español y escríbalos en la pizarra (en la unidad anterior han visto alguno y muchos estudiantes conocen *camarero, taxista…*). Si no saben ninguno, pregunte a los estudiantes su profesión en su lengua materna y escriba la palabra correspondiente en español.

VOCABULARIO

1. Los estudiantes realizan la actividad. Comprueban con el compañero.

> **1.**-a. **2.**-f. **3.**-d. **4.**-e. **5.**-b. **6.**-c. **7.**-h. **8.**-g.

2. Los estudiantes repiten cada nombre después de la cinta. Si lo desea, pídales que subrayen la sílaba más fuerte y, a continuación, ponga la cinta otra vez.

> Pelu<u>que</u>ra – prof<u>es</u>or – <u>mé</u>dica – cama<u>re</u>ro
> <u>a</u>ma de <u>ca</u>sa – ta<u>xi</u>sta – car<u>te</u>ra – ac<u>triz</u>.

3. Si los estudiantes son adultos y tienen una profesión, pregunte a todos, uno por uno, y escriba las respuestas en la pizarra, para que todos las copien. Luego puede preguntar: *¿A qué se dedica X?*

Si los estudiantes son muy jóvenes, dígales que cada uno se invente una profesión para poder hacer la actividad.

GRAMÁTICA

El cuadro muestra las reglas del género para nombres de profesiones. Subraye que los nombres acabados en *-ista* son masculinos y femeninos, y dé varios ejemplos: *futbolista, periodista, pianista, economista. Ronaldo es futbolista.*

4.
> **1.** la vendedora. **2.** la secretaria. **3.** la conductora. **4.** la cocinera. **5.** la futbolista.

LEER

5. Con esta lectura se pretende presentar el uso del vocabulario y la gramática en contexto, además de dar al alumno la posibilidad de leer un texto corto.

- Después de escucharlo dos veces, puede pedir a un estudiante o dos que lo lea en voz alta para comprobar su pronunciación.
- Aclare el significado de las palabras que no conozcan.

6. Las preguntas tienen un doble objetivo. Por una parte, comprobar la comprensión del texto, por otra, mostrar las frases interrogativas. Además de responder, los alumnos deberían tener muchas oportunidades de aprender a preguntar, como recurso para comunicarse en un entorno extranjero.

> **1.** Es médico.
> **2.** Es sevillano.
> **3.** Viven en Barcelona.
> **4.** En un instituto.
> **5.** Es catalana.
> **6.** (Tienen) Dos.
> **7.** Estudian. Sergio estudia en la universidad y Elena en el instituto.

- Después de comprobar la comprensión, pídales que subrayen los verbos, para que se fijen y preparen para la explicación gramatical posterior.

GRAMÁTICA

- En el cuadro se muestra la conjugación de los verbos regulares en presente. Explique que tenemos tres modelos de conjugaciones que se distinguen por la terminación del infinitivo en *-ar, -er, -ir.*
- Diga cada verbo en voz alta y haga que le sigan, para afianzar la pronunciación y el acento. Después haga una ronda con otros verbos regulares. Pida que le digan la conjugación de *hablar, estudiar, beber, llamarse, bailar.* Si les resulta difícil hacerlo oralmente, deje que los escriban en su cuaderno. Es fundamental que los estudiantes comprendan pronto cómo se forman los verbos (raíz + terminaciones) con el fin de que se puedan comunicar mínimamente.
- Explique que los pronombres de respeto *usted y ustedes* se acompañan del verbo en tercera persona. (Ver "referencia gramatical", p. 172).

7. Los estudiantes hacen la actividad individualmente y luego comprueban con su compañero.

> **1.** soy. **2.** Soy. **3.** vivo. **4.** Estudio. **5.** trabajo.
> **6.** trabaja.

8. Pida a varios estudiantes que lean el texto que han escrito a toda la clase. Si lo considera necesario, saque a dos o tres a la pizarra y que escriban su texto para corregirlo entre todos.

9. Los alumnos hacen la actividad y se corrige entre todos. Haga hincapié en la pronunciación y en la entonación interrogativa de cada frase.

> **1.** viven. **2.** estudia. **3.** estudian. **4.** comen.
> **5.** habla. **6.** se llama.

10. Los alumnos hacen la actividad. Corrija.

> **1.** es. **2.** es. **3.** tengo. **4.** son, tienen. **5.** es, tiene.

PRONUNCIACIÓN

1. Ponga la grabación dos o tres veces y dígales a los estudiantes que repitan después de cada pregunta. La primera vez deben hacerlo mirando el libro. Después dígales que tapen las preguntas con la mano y se concentren en lo que oyen.

Practique las preguntas con los alumnos, haciendo una ronda por la clase, al mismo tiempo que revisa contenidos. *¿Cómo te llamas?, ¿De dónde eres? ¿Dónde vives? ¿Dónde trabajas?*

IDEAS EXTRA

1. Con el libro cerrado, dígales que hagan una lista de los nombres de profesiones que conocen o recuerdan en español. Pídales la forma masculina femenina. En la unidad han visto unos quince.

2. Explique la dinámica del juego del ahorcado (*Guía didáctica*, página 117) y haga que jueguen con nombres de profesiones.

c. ¿Cuál es tu número de teléfono?

> **OBJETIVOS**
>
> **Vocabulario:** Números del 1 al 20.
> **Comunicación:** Preguntar y decir el número de teléfono.
> **Gramática:** Partículas interrogativas.

Antes de empezar

- Dé a cada estudiante un número del 1 al 10. Si la clase es grande, habrá más de un estudiante con el mismo número. Luego diga un número al azar. El estudiante aludido tiene que saludar: *Hola, me llamo X.*
- Cuando todos se presenten, puede preguntar a otros *¿Cómo se llama el número 7?* para comprobar si recuerdan el nombre.

1. Es posible que algunos estudiantes sepan los números del uno al diez. Anímeles a decirlos en voz alta con su ayuda, antes de hacer la actividad.

Después de hacer la actividad y de escuchar la grabación, haga una ronda por la clase comprobando que todos los estudiantes dicen toda la serie con cierta fluidez y buena pronunciación.

> **1.** uno. **3.** tres. **6.** seis **8.** ocho **9.** nueve.

HABLAR

3. Antes de que trabajen en parejas, haga usted una demostración con varios alumnos. Aunque aparecen solo unos pocos ejemplos, dígales que hagan más operaciones con el fin de adquirir fluidez.

> **3+5** = ocho. **4+4** = ocho. **8-6** = dos.
> **9-4** = cinco. **1-0** = uno.

4. Explique que van a escuchar unos diálogos, pero que deben centrarse en los números de teléfono.

1.
A. María, ¿cuál es tu número de teléfono?
B. El 936 547 832.
A. ¿Puedes repetir?
B. 9 3 6 5 4 7 8 3 2.
A. Gracias.

2.
A. Jorge, ¿me das tu teléfono?
B. Sí, es el 945 401 832.
A. Gracias.

3.
A. Marina, ¿cuál es tu número de teléfono?
B. Mi móvil es el 686 52 61 36.
A ¿Y el de tu casa?
B. Sí, es el 91 539 82 67.
A. Vale, gracias.

4.
A. Información, dígame.
B. ¿Puede decirme el teléfono del Aeropuerto de Barajas?
A. Sí, tome nota, es el 902 353 570.
B. ¿Puede repetir?
A. Sí, 902 353 570.
B. Gracias.

5.
A. Información, dígame.
B. ¿Puede decirme el teléfono de la Cruz Roja?
A. Sí, tome nota, es el 91 533 6665.
B. ¿Puede repetir?
A. Sí, 915 336 665.

6.
A. Información, dígame.
B. Buenos días, ¿puede decirme el teléfono de Radio-Taxi?
A. Tome nota, por favor.
   El número solicitado es 9 1 4 0 5 1 2 1 3.

> María: 936 547 832
> Jorge: 945 401 832
> Marina: 686 52 61 36 y 915 398 267
> Aeropuerto de Barajas: 902 353 570
> Cruz Roja: 915 336 665
> Radio-Taxi: 914 051 213

- Después de corregir la actividad, escriba en la pizarra la forma de preguntar el número de teléfono a un particular o a una empresa u oficina de información.
Personal:
¿Cuál es tu número de teléfono?
Empresas, información:
¿Puede decirme el número de teléfono del Hospital Central?
- Con la información de la actividad completa, los estudiantes pueden realizar una práctica en parejas.
- A pregunta a B (María) su teléfono y María responde. Pueden consultar una vez la transcripción de la grabación (página 119 *del Libro del alumno*).

5. Los estudiantes hacen la actividad moviéndose por la clase. Cinco o seis números pueden ser suficientes.

6. Los estudiantes repiten cada número siguiendo a la grabación. Ponga la cinta dos veces, la segunda con el libro cerrado.

Haga una ronda, señale a cada alumno y pídales que digan un número del once al veinte en orden: el primer alumno dice el *once*, el de al lado, el *doce*, el siguiente el *trece*. Cuando llegue a *veinte*, el siguiente debe contar hacia atrás, el *diecinueve*, etc.

Si alguien se equivoca, pase al siguiente. Asegúrese de que todos los alumnos saben contar hasta veinte. Corrija la pronunciación.

7. BINGO

- Dígales que tienen que jugar solo con una de las dos cartas. La que obtiene bingo es la primera, puesto que aparecen todos los números de la línea central horizontal.

> 15 - 1 - 4 - 20 - 8 - 7 - 3 - 11 - 5 - 6 - 14 - 9 -
> 18 - 19 - 2 - 13 - 16

LEER

8. Antes de poner la cinta explique la situación: un joven quiere matricularse en un gimnasio. Aclare el vocabulario que desconocen.

- Dígales que lean la conversación para que sean conscientes de lo que van a escuchar. Pueden adivinar la pregunta sobre el nombre y sobre el domicilio.
- Ponga la cinta dos o tres veces hasta que todos los alumnos hayan completado los huecos. Pare la grabación para dejarles tiempo para tomar nota. Corrija o dígales que comprueben con la transcripción del final del libro.

En el gimnasio

Felipe: ¡Buenas tardes!

Rosa: ¡Hola!, ¿qué deseas?

Felipe: Quiero apuntarme al gimnasio.

Rosa: Tienes que darme tus datos. A ver, ¿cómo te llamas?

Felipe: Felipe Martínez.

Rosa: ¿Y de segundo apellido?

Felipe: Franco.

Rosa: ¿Dónde vives?

Felipe: En la calle Goya, número ochenta y siete, tercero izquierda.

Rosa: ¿Teléfono?

Felipe: 686 055 097.

Rosa: ¿Profesión?

Felipe: Profesor.

Rosa: Bueno, ya está, el precio es…

---

9. Explique el vocabulario desconocido: *apellidos, domicilio actual, piso, puerta.*

Los estudiantes hacen la actividad. Pueden comprobar con el compañero. Corrija entre toda la clase.

NOMBRE Y APELLIDOS: Felipe Martínez Franco.
DOMICILIO ACTUAL: calle Goya. N.º 87.
PISO 3º. PUERTA izquierda.
TELÉFONO: 686 055 097.
PROFESIÓN: profesor.

GRAMÁTICA

Se presentan y practican los interrogativos *qué, cómo* y *dónde* para preguntas relacionadas con los exponentes comunicativos presentados hasta ahora.

10. Los estudiantes hacen la actividad individualmente. Corrija tanto el contenido como la pronunciación y la entonación.

2. dónde. **3.** cómo. **4.** dónde. **5.** qué. **6.** dónde.

11. Actividad semilibre. Si observa que tienen dificultades para hacer preguntas correctas, escriba algunos ejemplos en la pizarra y pida a la clase que las corrija.

IDEAS EXTRA

1. Dígales a los estudiantes que escriban dos o tres frases que contengan números del 1 al 20. *Yo trabajo ocho horas. Rosa tiene dieciséis años.* Cada estudiante dice sus frases en voz alta y el resto escribe solamente el número.

2. Haga un dictado de números del 1 al 20, diciéndolos rápidamente.

[A P] **2. Datos personales,** *Libro del alumno,* pp. 159 y 165.

[A P] **2. Datos personales,** *Guía didáctica,* p. 121.

Autoevaluación

1.

1. ¿Dónde vive Peter?
2. ¿Dónde trabaja Peter?
3. ¿De dónde es María?
4. ¿Cómo se llama el marido de María?
5. ¿De dónde es Yoshie?
6. ¿Qué hacen los hijos de Yoshie?

2.

1. A. Hola, me llamo Manuel y soy español. ¿Cómo te llamas tú?
2. A. Buenos días, señor Jiménez, ¿cómo está usted?
   B. Bien, gracias, ¿y usted?
3. A. Mire, señora Rodríguez, le presento al señor Márquez.

B. Encantada.

C. Mucho gusto.

4. A. Hola, Laura. ¿Qué tal?

B. Hola, Manu, muy bien. Mira, esta es Marina, una nueva compañera.

A. Hola, ¿qué tal?

C. Bien, ¿y tú?

A. Muy bien.

3.

Díaz (9), Martínez (1), Vargas (11), Díez (13), Marín (3), Martín (10), Serrano (4), López (5), Moreno (6), Romero (2), Jiménez (7), García (12), Pérez (8).

Transcripción:

Uno: Martínez. Dos: Romero. Tres: Marín. Cuatro: Serrano. Cinco: López. Seis: Moreno. Siete: Jiménez. Ocho: Pérez. Nueve: Díaz. Diez: Martín. Once: Vargas. Doce: García. Trece: Díez.

4.

1. tú. **2.** usted. **3.** usted. **4.** usted. **5.** tú. **6.** tú. **7.** tú.

De acá y de allá

En esta unidad se intenta mostrar a los estudiantes de español el uso de las formas de tratamiento *(tú/usted)* y los saludos más frecuentes.

El texto es una simplificación de un aspecto complejo, ya que es difícil dar reglas sobre cuándo hay que tutear a una persona o llamarle de *usted.*

En general, en España está muy extendido el tuteo, a diferencia de lo que ocurre en Hispanoamérica donde todavía es frecuente el uso de *usted* y, sobre todo, *ustedes* (o *vos).*

En principio se habla de *usted* a las personas bastante mayores, a personas de rango superior: un médico, abogado, juez, policía o por ejemplo, a los vendedores. Pero, por otro lado, es habitual hablar de *tú* a los profesores y a los jefes en los lugares de trabajo.

Entre amigos y familiares, incluso al dirigirse a los abuelos, todo el mundo se tutea.

En ocasiones, si una persona es tratada de *usted* y no

le gusta mucho o quiere dar confianza al otro, puede decir: "si quieres, puedes tutearme".

En zonas de Andalucía y Canarias es frecuente el uso de *ustedes* en lugar de *vosotros,* como ocurre en Hispanoamérica.

En cuanto a los saludos, se suele saludar con *buenos días* o *buenas tardes,* al entrar en un sitio público (un banco, una oficina), pero es mucho más frecuente decir *¡Hola!* cada vez que ves a algún conocido o al llegar a cualquier sitio. También se dicen ambas cosas: *Hola, buenas tardes.*

Otro aspecto de los saludos es qué hacer cuando te encuentras con alguien. Los españoles pertenecen a una cultura de contacto, y por tanto, suelen acercarse al interlocutor y tocarse bastante. Cuando se encuentran los amigos y conocidos se suelen dar dos besos entre hombre y mujer y entre dos mujeres. Si son dos hombres no se besan, se tocan en el brazo o en la espalda, a no ser que sean padre e hijos o hermanos, que sí se besan. El abrazo se utiliza como forma de demostración de cariño entre amigos y familiares.

Hay situaciones bastante formales, por ejemplo en reuniones de negocios, en los que nadie se besa, se limitan a estrecharse la mano.

1. En la actividad se intenta hacer reflexionar al estudiante sobre distintas situaciones posibles. La respuesta variará en función de la edad y estatus de cada uno de los hablantes. Suponiendo que los estudiantes son jóvenes, podemos imaginar que las respuestas serían:

1. usted. **2.** tú. **3.** tú. **4.** usted. **5.** usted.

2.

1.-a. **2.**-c. **3.**-b. **4.**-d.

● Ponga la grabación varias veces y pídales que repitan con la entonación adecuada. Luego pueden moverse por la clase practicando.

IDEAS EXTRA

Pregunte a sus estudiantes en su lengua materna cuáles son las diferencias que encuentran con sus comportamientos sociales y qué opinión les merecen las costumbres españolas. Por ejemplo: *¿Qué les parece eso de los besos? ¿Les molesta que les hablen desde muy cerca?*

La discusión será más interesante cuanto más diferentes sean las costumbres de los estudiantes.

A. ¿Estás casado?

OBJETIVOS

Vocabulario: Nombres de familiares y objetos de la clase.
Comunicación: Describir a la familia.
Gramática: Plural de los nombres. Posesivos y demostrativos.

Antes de empezar

● En este estadio de aprendizaje, la falta de vocabulario produce a veces frustración. Para estimular sus estrategias intente, cuando sea posible, que adivinen el significado antes de buscarlo en el diccionario. Eso les dará confianza de que saben más de lo que parece. Escriba en la pizarra palabras claves como *padre/madre*, *hijo/a*, *casado/a*, *soltero/a*, *hermano/a* y pregunte qué significan. Si no es posible adivinarlo, explíqueles el significado.

1. Los estudiantes hacen la actividad. Corrija con ellos. Luego, haga las preguntas anteriores a varios estudiantes para estimular la automatización: *¿Estás casado/a? ¿Tienes hijos?*...

> **1**-c. **2**-a. **3**-b.

2. Los estudiantes escuchan el texto dos o tres veces, la última con el libro cerrado. Haga una ronda de preguntas para comprobar la comprensión: *¿Cómo se llama la mujer de Jorge? ¿Cómo se llaman los hijos de Jorge?*, etc.

3. Los estudiantes hacen la actividad individualmente. Corrija con ellos.

> a. Jorge, b. Rosa, c. David, d. Isabel, e. Laura,
> f. Carmen, g. Rocío, h. Manuel, i. Luis.

4. Los estudiantes hacen la actividad individualmente. Corríjala con ellos. Haga hincapié en la pronunciación de cada frase.

> **1.** mujer. **2.** hijo. **3.** madre. **4.** hermana.
> **5.** padre. **6.** abuela. **7.** marido.

HABLAR

5. Antes de empezar la encuesta, lea usted las preguntas en voz alta y pida que las repitan para afianzar la pronunciación y entonación. Los estudiantes deben moverse por la clase preguntando a los compañeros hasta completar la ficha.

ESCRIBIR

6. Los estudiantes tienen que utilizar lo aprendido para hablar de su propia familia. Después de hablar con el compañero, pida a varios estudiantes que escriban sus frases en la pizarra y entre todos comprueben si las frases son correctas o no y dónde están los errores. La mayor dificultad estará en la concordancia de género y número. Debe subrayar esta circunstancia.

GRAMÁTICA

Plural de los nombres

7. Con esta actividad se pretende introducir vocabulario útil para la clase y, al mismo tiempo, la noción del plural. Anímeles a que adivinen el significado de algunas palabras, en especial las más internacionales. Explique las otras.

■ La regla de formación de plural en español no tiene dificultad. Los estudiantes pueden comprenderla solo viendo los ejemplos. (Ver "referencia gramatical", página 172).

> **a.** V; **b.** V; **c.** F; **d.** F; **e.** V; **f.** F; **g.** F; **h.** F.

8. Al hacer esta actividad, se van a encontrar con *lápiz*, cuyo plural es *lápices*. Se ha introducido esta palabra aquí porque es muy útil, pero debido a su poca frecuencia, no es rentable formular la regla todavía. Bastará con que la corrija.

> **1.** dos coches. **2.** dos profesores. **3.** dos venta-nas. **4.** dos compañeras. **5.** dos lápices. **6.** dos cuadernos. **7.** dos chicos. **8.** dos hoteles.

■ Cuando queremos referirnos a la pareja usamos la forma masculina en plural: *mis padres, mis hijos, mis abuelos.* También cuando preguntamos: *¿Tienes hijos?*

9. Los estudiantes hacen la actividad.

> padres-madre. hijo-hijas. abuela-abuelas.

IDEAS EXTRA

1. En grupos de cuatro, los estudiantes hacen el árbol genealógico de su familia. Cada uno lo muestra a sus compañeros y lo presenta. Los otros pueden hacerle preguntas: *¿Qué hace tu padre? ¿Está casado/a tu hermano/a?*

2. Traiga fotos de sus familiares en diversas épocas y anímeles a que le pregunten: *¿Quién es este/a? ¿A qué se dedica? ¿Está casado/a?*, etc.

3. Pida a sus estudiantes que escriban un párrafo sobre una familia que conozca bien. Deben dar toda la información posible: edad de cada uno, dónde viven, profesión, dónde trabajan, etc.

A P **3. Familia,** *Guía didáctica,* pp. 122-124.

B. ¿Dónde están mis gafas?

> **OBJETIVOS**
> **Vocabulario:** Objetos cotidianos.
> **Gramática:** Preposiciones de lugar. Adjetivos posesivos. Demostrativos.

Antes de empezar

● Dígales que miren la imagen y escriba en la pizarra *¿Qué hay en esta habitación?* A medida que van diciendo los nombres de objetos que ya conocen, como *una mesa, unos libros, un teléfono,* escriba las palabras en la pizarra. Añada las palabras que van a trabajar en la unidad. Es importante escribir el artícu-lo indeterminado, aunque no explique ahora por qué.

1. Antes de hacer la actividad lea cada palabra en voz alta y pídales que la repitan. Los alumnos hacen la actividad. Corrija, enfatice la sílaba tónica.

> **1.** b; **2.** f; **3.** i; **4.** d; **5.** a; **6.** h; **7.** e; **8.** g; **9.** j; **10.** c.

● Para presentar las preposiciones de lugar, escriba en la pizarra y pregunte: *¿Dónde están las llaves?* Y a continuación ponga unas llaves encima de la mesa, al lado de un libro, debajo de un libro. Ellos deberán contestar en cada ocasión, ayudándose del cuadro explicativo. Para practicar *detrás de, delante de, al lado de,* utilice a los mismos alum-nos. *¿Dónde está Richard? Al lado de Marie.* Escriba varias frases sobre esto: *Richard está detrás de Mohammed, Richard está delante de Anna.* Haga la práctica necesaria hasta que vea que todos los estudiantes han comprendido el signifi-cado de cada preposición.

● La preposición *en* es muy general, se utiliza para situar personas y objetos en el espacio: *Vivo en Sevilla, estamos en clase.*
La preposición *encima* indica una situación concreta en el espacio. En ciertos contextos, son intercambia-bles: *El libro está **encima de/en** la mesa.*

2. Los estudiantes hacen la actividad individualmente. Corrija con ellos.

> **1.** encima; **2.** debajo; **3.** al lado; **4.** delante; **5.** entre; **6.** detrás.

● Dígales que miren el dibujo dos minutos, que cierren el libro y pregúnteles la ubicación de algunas cosas. Pueden hacer la actividad en parejas.

ESCRIBIR

3. Pida a algunos alumnos que lean sus frases y corrija. Puede escribir algunas en la pizarra con el fin de pro-porcionar *input* a toda la clase.

3. ¿Dónde están las llaves?, *Libro del alumno,* pp. 159 y 165.

GRAMÁTICA

Adjetivos posesivos

- Mirando el cuadro los estudiantes pueden observar que los posesivos tienen el mismo número del nombre al que acompañan, ya sea singular o plural, pero no varían el género.

4. Los alumnos hacen la actividad. Corrija. Conviene que escriba cada posesivo en la pizarra, para que no haya confusión.

> **1.** tu; **2.** Su; **3.** tu; **4.** su; **5.** mis; **6.** Mi; **7.** Sus; **8.** sus; **9.** tu; **10.** su.

5. Los alumnos hacen la actividad. Pida a dos o tres parejas que lean la conversación en voz alta. Corrija tanto las formas como la pronunciación.

> **1.** tus; **2.** mi; **3.** mi; **4.** mis; **5.** su; **6.** mi; **7.** tu.

Demostrativos

De momento presentamos solo las cuatro formas del demostrativo de primera distancia porque es el que necesitamos para presentar a otras personas.

6. Los estudiantes hacen la actividad y comprueban con el compañero. Corrija.

> **1.** estos; **2.** esta; **3.** este; **4.** esta; **5.** estas.

7. Es una actividad muy motivadora, presentar la familia a los demás. Dígales que no pueden permanecer callados cuando sus compañeros les presentan a su familia, deben decir cosas positivas: *¡Qué joven es tu madre!, ¡Qué alto es tu hermano!,* o simplemente: *¡Qué guapo/a!* Escriba estas expresiones en la pizarra y dé ejemplo usted mismo/a, alabando a la familia que le presentan.

IDEAS EXTRA

En parejas. El estudiante A "esconde" (de forma imaginaria) unas llaves en algún lugar del dibujo de la página 24, y B debe adivinar dónde están. *¿Están en el sillón? ¿Están debajo del sofá?, etc.*

c. ¿Qué hora es?

> **OBJETIVOS**
>
> **Vocabulario:** Tiempo: minuto, segundo, hora… Números hasta 5.000.
> **Comunicación:** Preguntar y decir la hora. Hablar de horarios.
> **Pronunciación:** Acentuación: sílabas fuertes.

Antes de empezar

- Practique los números de uno a sesenta contando de cinco en cinco: *uno, cinco, diez, quince, veinte, veinticinco…* Escríbalos en la pizarra. Luego, los estudiantes sentados en círculo van contando en voz alta. Si uno se equivoca, hay que empezar desde *uno*.
- Aunque cada vez se utilizan más los relojes digitales, es importante que los estudiantes conozcan la forma tradicional de decir la hora.
- Señalando el reloj grande, vaya diciendo ejemplos de horas, y los estudiantes repiten. Tiene que cubrir todas las posibilidades de decir los minutos: *y cinco, y diez, menos diez…*

1. Los primeros cuatro relojes sirven de ejemplo y el resto tiene que ser completado por los alumnos. Los estudiantes comprueban en parejas.

> las doce y cinco; las ocho menos veinte; las doce y diez; las cinco y media; la una menos cuarto.

2. Los estudiantes escuchan y repiten. Vigile la pronunciación.

3. Muestre cómo es la actividad. Dibuje usted unos relojes en la pizarra y pregunte a varios alumnos. Mientras ellos realizan la actividad muévase entre los estudiantes comprobando la pronunciación.

LEER

- El objetivo de esta lectura es familiarizar a los estudiantes con la forma adecuada a la hora de hablar de los horarios. También se pretende hacer una reflexión intercultural. En el texto se evidencian las diferencias culturales entre diversos países.

- Antes de la lectura escriba en la pizarra algunas preguntas sobre los horarios en su propio país. *¿A qué hora comemos? ¿A qué hora cenamos?¿A qué hora abren los bancos?*

  Los estudiantes responden. Subraye la preposición en las respuestas: *A las…*

4. Los estudiantes hacen la actividad individualmente. El profesor lee el texto en voz alta y comprueba las respuestas que han dado los estudiantes.

HABLAR

5. Si la clase es multilingüe, hay más posibilidades de interacción, pues cada uno va a dar información relevante al resto de alumnos. Si la clase es monolingüe los estudiantes tendrán la oportunidad de reflexionar sobre las diferencias entre su propia cultura y el resto. Ambos ejercicios son positivos porque fomentan la conciencia de la diversidad cultural.

VOCABULARIO

6. Los estudiantes hacen la actividad individualmente o con el compañero con el fin de descifrar el significado de las palabras desconocidas. Se corrige entre todos. A continuación, con el libro cerrado, el profesor hace una ronda.
Profesor: *¿Sesenta segundos?*
Alumno: *Una hora.*
Profesor: *¿Veinticuatro horas?*
Alumno: *Un día.*

> 1-c. **2**-d. **3**-b. **4**-e. **5**-a.

7. Se presentan los números del 21 al 5.000. Los estudiantes escuchan la cinta dos o tres veces, hasta que completan los números que faltan. Otra vez escuchan y repiten. El profesor comprueba la pronunciación.

> 24. veinticuatro. / 40. cuarenta. / 70. setenta. /
> 90. noventa. / 300. trescientos/as. / 400.
> cuatrocientos/as.

- Desde *veintiuno* hasta *treinta* usamos una sola palabra. A partir de *treinta y uno*, necesitamos más de una.
- Las centenas tienen masculino y femenino. *Doscient<u>os</u> kilómetros, doscient<u>as</u> botellas de agua.*

8. Los estudiantes escuchan y señalan. Antes de corregir, comprueban con el compañero.

> **a.** 2. **b.** 25. **c.** 50. **d.** 37. **e.** 323.
> **f.** 135. **g.** 850. **h.** 1.589. **i.** 1.998. **j.** 1.985.

9. Las cantidades aparecen en un breve contexto. No importa si no entienden el microdiálogo completo. Solo tienen que entender el número correspondiente.

> **1.** doce años. **2.** uno con diez. **3.** uno treinta
> **4.** mil novecientos cuarenta y siete. **5.**
> seiscientos cincuenta. **6.** tres euros.

> Diálogo 1. A. ¡Hola, Clara! ¿Cuántos años tienes?
> B. Doce.
> Diálogo 2. A. ¿Cuánto son las naranjas?
> B. Uno con diez.
> Diálogo 3. A. ¿Cuánto es el paquete de café?
> B. Uno treinta.
> Diálogo 4. A. ¿En qué año nació usted?
> B. En 1947.
> Diálogo 5. A. ¿Por favor, ¿cuántos kilómetros hay entre Madrid y Barcelona?
> B. Seiscientos cincuenta.
> Diálogo 6. A. Por favor, ¿cuánto es el café y la cerveza?
> B. Tres euros.

PRONUNCIACIÓN Y ORTOGRAFÍA

1 y 2. Explique que casi todas las palabras tienen una sílaba más fuerte. Cambiar el acento a veces significa cambiar el significado de la palabra en cuestión, y en otras ocasiones impide la comunicación.

- Muestre la diferencia de acento entre palabras conocidas como *secret<u>a</u>ria* y *secretar<u>í</u>a*, entre *pr<u>á</u>ctica* y *prac<u>ti</u>ca*, *Madr<u>i</u>d* y *m<u>a</u>dre*, *alem<u>án</u>* y *alem<u>a</u>na*. Enfatice la pronunciación de la sílaba fuerte.
- Los estudiantes escuchan dos veces y repiten.

3.

> profes<u>o</u>ra – espa<u>ñol</u> – ca<u>fé</u> – gram<u>á</u>tica – <u>me</u>sa
> vi<u>vir</u> – ha<u>blar</u> – <u>mé</u>dico – auto<u>bús</u> – <u>Pi</u>lar
> ale<u>mán</u> – brasi<u>le</u>ña – fa<u>mi</u>lia – <u>li</u>bro – e<u>xa</u>men

4.

m<u>ú</u>sica	vent<u>a</u>na	hot<u>e</u>l
<u>mé</u>dico	profes<u>o</u>ra	españ<u>ol</u>
gram<u>á</u>tica	m<u>e</u>sa	caf<u>é</u>
	brasil<u>e</u>ña	vi<u>vir</u>
	fam<u>i</u>lia	habl<u>ar</u>
	l<u>i</u>bro	autob<u>ús</u>
	ex<u>a</u>men	P<u>i</u>lar
		alem<u>án</u>

IDEAS EXTRA

1. Es ideal disponer de un reloj grande de cartón, como los que se utilizan para enseñar la hora a los niños. Puede ir moviendo las agujas para mostrar las diferentes horas.

2. Los estudiantes dibujan 10 esferas de reloj en su cuaderno y el profesor les dicta 10 horas diferentes. Ellos tienen que situar las agujas adecuadamente.

3. Cada alumno escribe en su cuaderno un número entre 21 y 5.000. Sentados en círculo, cada uno dice su número en voz alta y los demás alumnos deben escribirlo. Si los compañeros no lo entienden deben decir *¿Cómo? ¿Puedes repetir, por favor?* El estudiante lo repetirá hasta que toda la clase lo tenga escrito.

4. El profesor hace un dictado de números. Los estudiantes lo escriben en cifras y luego, como deberes, deberán escribirlo en letras para corregirlo en la clase siguiente.

A P 4. ¿Qué hora es?, *Guía didáctica*, p. 125.

Autoevaluación

1.

1-c. 2-a. 3-d. 4-b. 5-f. 6-e.

2.

b) cincuenta y dos.
c) ciento dieciséis.
d) doscientos treinta y ocho.
e) cuatrocientos cincuenta y seis.
f) quinientos diez.
g) mil novecientos ochenta y siete.
h) dos mil tres.
i) dos mil novecientos noventa y nueve.

3.

2. Mis hermanas están casadas. **3.** Mis hermanos tienen dos hijos. **4.** Mis compañeros son japoneses. **5.** Estas profesoras son simpáticas. **6.** Estos libros son interesantes. **7.** Estos profesores no son españoles.

4.

2. tiene. **3.** está. **4.** tengo. **5.** Tienes. **6.** está. **7.** está.

5. a) Altaria Zaragoza: 15:35.
b) TALGO Málaga: 14:30.
c) AVE Sevilla: 10:00.
d) AVE SEVILLA: 20:00.
e) Altaria Valencia: 16.45.
f) TALGO Vigo: 17:00.

SALIDAS:
El tren Altaria Exprés, situado en el andén n.º 3, con destino Zaragoza, efectuará su salida a las 15.35.
El tren TALGO con destino Málaga, situado en el andén n.º 6, saldrá dentro de cinco minutos, a las 14.30.
El AVE con destino Sevilla sale a las diez en punto del andén n.º 2.

LLEGADAS:
El AVE procedente de Sevilla tiene su llegada a las 20 horas en el andén n.º 11.
El Alaris procedente de Valencia efectuará su entrada por el andén n.º 8 a las 16.45.
El tren TALGO procedente de Vigo hará su entrada en el andén n.º 4 a las 17 horas.

De acá y de allá

● En esta unidad se presentan dos textos con información cultural referida a la familia hispana. Antes de leer, puede hacer un precalentamiento, si es necesario en lengua materna, para sondear los conocimientos que tienen sus alumnos sobre la familia española e hispanoamericana. *¿Son numerosas? ¿Están unidas? ¿Crees que se divorcian mucho o poco?*
En líneas muy generales, las familias españolas actua-

les tienen menos hijos que las de Hispanoamérica, pero tanto unas como otras conservan las tradiciones: se reúnen muy frecuentemente para celebrar las fiestas, se apoyan cuando hay problemas, los abuelos cuidan de los nietos mientras sus padres trabajan, etc. Por otro lado, las tasas de divorcio son bastante altas, especialmente entre las parejas jóvenes.

Por último, hay que mencionar un fenómeno característico de la juventud española y es el hecho de que por diferentes motivos: económicos (la vivienda es muy cara, falta de trabajo), o por el alargamiento de la formación y el retraso en la incorporación al trabajo, o incluso por la comodidad que supone, muchos jóvenes permanecen bajo el techo familiar hasta edades en las que ya deberían ser independientes (30 o 35 años).

1. Lea el texto en voz alta para familiarizar a sus estudiantes con los sonidos del español. Aclare el vocabulario desconocido.

> **a.**-F. **b.**-V. **c.**-V. **d.**-F.

DOS APELLIDOS

- Para motivar a los estudiantes, escriba dos o tres nombres hispanos completos en la pizarra. Pueden ser de escritores o personas famosas: *Gabriel García Márquez, Mario Vargas Llosa*, *Antonio Muñoz Molina*, y pregúnteles qué creen que significan o representan los apellidos.

   Lea el texto en voz alta, aclarando los términos desconocidos.

2. Los estudiantes hacen la actividad:

> Santiago Lozano Pardo.

3. El objetivo es establecer un breve debate sobre si tiene ventajas o inconvenientes el tener dos apellidos o uno. La actividad puede ser motivadora en función de la procedencia de sus estudiantes. Algunas estudiantes pueden pensar que el sistema hispano es más "feminista", ya que respeta el apellido materno (aunque sea en segundo lugar.)

A. Rosa se levanta a las siete

OBJETIVOS

Comunicación: Hablar de hábitos.
Gramática: Verbos reflexivos. Verbos irregulares
en presente: *empezar, volver.*
Preposiciones de tiempo.

Antes de empezar

● Lleve a clase fotografías de personajes famosos (políticos, cantantes, actores, deportistas…) y pregunte a los alumnos:
¿Cómo se llama?
¿A qué se dedica?
¿A qué hora se levanta normalmente?

1. Los estudiantes contestan las preguntas. Practique oralmente con todos los alumnos para que todos contesten:
¿Y tú, a qué hora te levantas?
¿A qué hora te acuestas?
¿Cuántas horas duermes normalmente?

2. Dé unos minutos para que hagan la actividad y corrija con ellos en voz alta. Escriba en la pizarra los verbos.

■ Pida que le ayuden a completar la conjugación del verbo *levantarse*, de manera que quede así en la pizarra:

levantarse	me levanto
ducharse	te levantas
bañarse	se levanta
casarse	nos levantamos
acostarse	os levantáis
afeitarse	se levantan

■ Los verbos reflexivos expresan acciones que el sujeto realiza sobre sí mismo *(ducharse, afeitarse)* y llevan, obligatoriamente, un pronombre que coincide con el sujeto *(yo-me, tú-te, él-se, nosotros-nos, vosotros-os, ellos-se).*

■ Pida a los estudiantes que digan otros verbos reflexivos que aún no han aparecido y escríbalos en la pizarra: *Peinarse, vestirse, lavarse…*
Ver "referencia gramatical" en *Libro del alumno,* pp. 173-174.

1.-e. **2.**-c. **3.**-b. **4.**-d. **5.**-a. **6.**-f.

GRAMÁTICA

3. Dé unos minutos a los estudiantes para realizar esta actividad.

me levanto – me ducho – se levanta – se levantan – se duchan – os levantáis – nos levantamos – nos acostamos.

4. Deje que escuchen la grabación y después pídales que lean el diálogo en parejas y en voz alta.

A. Y tú, Juan, ¿a qué hora te <u>levantas</u>?
B. Bueno, yo <u>me levanto</u> pronto, a las siete, más o menos, <u>me ducho</u> rápidamente, tomo un café y salgo de casa.
A. Y tu mujer, ¿a qué hora <u>se levanta</u>?
B. Pues a las 7.30.
A. ¿Y tus hijos?
B. Bueno, ellos <u>se levantan</u> a las ocho, <u>se duchan</u>, desayunan y se van al colegio, porque entran a las nueve.
A. ¿Y los días de fiesta también <u>os levantáis</u> todos temprano?
B. ¡Ah, no!, ni hablar, los domingos <u>nos levantamos</u> a las diez, porque claro, el sábado <u>nos acostamos</u> más tarde.

LEER

● El objetivo de esta lectura es presentar en un contexto real los verbos de acciones habituales y algunos de los verbos irregulares más frecuentes. También aparecen algunas de las preposiciones que vamos a trabajar en esta unidad.

- Antes de la lectura pida a los estudiantes que miren la foto y pregúnteles:
  ¿Dónde está la niña? ¿Qué hace?
  ¿Cuántos años tiene?
- Lea el texto completo en voz alta y aclare el significado de las palabras que no conozcan.

5. Deje unos minutos para que contesten las preguntas y comprueben después con su compañero. Después corrija en alto con ellos.

> **1.** 4.45 horas al día, pero algunos días tienen 2 horas más por la tarde.
> **2.** No, van a otra escuela que está cerca.

6. Cada alumno hace la actividad individualmente. Corrija con todos.

> **1.** desde... hasta. **2.** a... de. **3.** Por... desde... hasta. **4.** por... por.

GRAMÁTICA

En esta unidad se presentan algunos de los presentes irregulares más frecuentes, con especial atención a los que tienen irregularidades vocálicas *(e>ie, o>ue)*.

- Pida a los estudiantes que subrayen todos los verbos del texto anterior. Complete con ellos en la pizarra el siguiente cuadro:

V. regulares	V. irregulares		
Estudiar Levantarse Terminar	e>ie	o>ue	Otras irregularidades
	Empezar	Volver	Ser Tener (*) Ir Estar

- Dígales que cierren el libro y escriban la conjugación completa de *empezar* y *volver*. Pueden comprobar después en el cuadro de Gramática. Hágales ver que estos verbos mantienen la regularidad en la 1.ª y 2.ª personas del plural.

- Diga cada verbo en voz alta y haga que le sigan, para afianzar la pronunciación y el acento. Después haga

una ronda con otros verbos irregulares. Pida que conjuguen *acostarse, cerrar, poder, querer*. Si les resulta difícil hacerlo oralmente, deje que los escriban en su cuaderno.

7. Cada estudiante hace la actividad individualmente y comprueba con su compañero. Corrija después con todos.

> **2.** ¿A qué hora empieza la película?
> **3.** Mi padre va a trabajar en autobús.
> **4.** Yo vuelvo a mi casa a las 7.
> **5.** ¿Cuándo vuelven de vacaciones tus hermanos?
> **6.** ¿Vamos a dar una vuelta?
> **7.** ¿Cómo vas a trabajar?

IDEAS EXTRA

Lleve a clase la foto de un personaje famoso y pídales que imaginen su vida desde la mañana hasta la noche. También puede ser un personaje no famoso al que los estudiantes asignan una profesión y de ahí deducen su rutina diaria. Pueden escribir el texto individualmente o en parejas.

> **A P** **5. Hábitos.** *Guía didáctica*, p. 126.

B. ¿Estudias o trabajas?

> **OBJETIVOS**
>
> **Vocabulario:** Días de la semana. Lugares de trabajo. Verbos de acciones habituales.
> **Comunicación:** Hablar de horarios de trabajo.
> **Gramática:** Presente habitual.

Antes de empezar

- Pregunte a sus alumnos:
  ¿Qué día es hoy?
  ¿Quién sabe cómo se dicen los días de la semana en español?

1. Haga con ellos este ejercicio. Pregunte a varios estudiantes y dialogue con ellos.

LEER

● Antes de la lectura pida a sus alumnos que se fijen en las fotos y pregúnteles:
¿Dónde están?
¿Cuántos años tienen?
¿A qué hora se levantan?

■ "La madrugada" es el periodo de tiempo entre las 2 y la hora de amanecer. También se puede decir "la mañana".

■ En España es muy frecuente que las personas jóvenes (entre 18 y 35 años), sobre todo si están solteras, salgan a cenar por la noche, a bailar, etc., durante el fin de semana.

2. Diga a los estudiantes que lean el texto sobre Lucía individualmente. Haga preguntas orales de comprensión general:
¿A qué se dedica? ¿Dónde vive?
¿Cuántos idiomas habla? ¿Es soltera o casada?
¿Qué día se acuesta tarde?

3. Los estudiantes tienen que intentar completar sin mirar el texto, recordando lo que han leído y escuchado. Después se corrige entre todos.

> **2.** de… a. **3.** se levanta. **4.** Va… en. **5.** por… sale.

4. Haga preguntas orales de comprensión general: *¿A qué se dedica Carlos? ¿Dónde vive? ¿Cómo va a su trabajo? ¿Trabaja todos los días?*
Para hacer la actividad, los estudiantes tienen que intentar completar sin mirar el texto, recordando lo que han leído. Después se corrige entre todos.

> **2.** tiene, **3.** temprano, **4.** sale… se acuesta.

HABLAR Y ESCRIBIR

5. Los estudiantes hacen esta actividad individualmente y después tienen unos minutos para preguntar a su compañero y para contestar sus preguntas. Recuérdeles que tienen que tomar notas de la información que les da su compañero.

> **2.** ¿A qué hora empiezas las clases / el trabajo?
>
> **3.** ¿A qué hora terminas el trabajo?
>
> **4.** ¿A qué hora llegas a casa?
>
> **5.** ¿Qué haces después de cenar?
>
> **6.** ¿A qué hora te acuestas?

6. Los estudiantes hacen esta actividad individualmente. Pasee por la clase para ver cómo lo escriben, ayúdelos si es necesario. Al final algunos estudiantes leen su párrafo en voz alta. Si tienen muchas dificultades, escríbalo en la pizarra.

VOCABULARIO

● Recuerde a sus alumnos a qué se dedicaban Lucía y Carlos y pídales que le digan otros nombres de profesiones que conozcan.

7. Muestre cómo se hace la actividad escribiendo las columnas en la pizarra y poniendo *profesor* como ejemplo.
Los alumnos pueden hacer este ejercicio individualmente o en parejas. Pueden utilizar el diccionario. Después corrigen entre todos y relacionan las profesiones con las fotografías que aparecen.

> Hospital: médico/a, enfermero/a.
>
> Universidad: estudiante, secretario/a, profesor/a.
>
> Oficina: informático/a, secretario/a.
>
> Supermercado: dependiente/a, cajero/a.

8. Los estudiantes hacen esta actividad individualmente. Luego comprueban con el compañero.

> **2.** e; **3.** d; **4.** b; **5.** c; **6.** a.

ESCRIBIR

9. Los estudiantes tienen que utilizar lo aprendido para hablar de personas a las que conocen.
Deje unos minutos para que hagan la actividad. Pasee por la clase y ayúdelos si es necesario. Los errores más frecuentes aparecerán en la concordancia nombre-adjetivo y sujeto-verbo.

Cuando todos han terminado, algunos estudiantes pueden escribir en la pizarra sus textos (o los leen y usted los escribe).

Aproveche este momento para aclarar a todos los errores sobre la concordancia.

- Otra posibilidad es pensar en compañeros de la clase (en el caso de que no sean todos estudiantes) y decir a qué se dedican, dónde trabajan, qué hacen, sin decir su nombre. Después se lee en alto y los demás compañeros tienen que adivinar de quién se trata. Muestre cómo se hace a modo de ejemplo:

  Es enfermera, trabaja en un hospital, cuida de los enfermos, ayuda al médico... ¿Sabéis quién es?

HABLAR

10. En grupos de cuatro. Cada estudiante tiene que representar dos profesiones como mínimo. Recuérdeles que en la unidad 1 aprendieron otras: *peluquera, camarero, actriz...* Si se les ocurren algunas que aún no conocen pueden consultar con usted y se puede ampliar algo de vocabulario: *fotógrafo, pintor, periodista...*

  - Las profesiones nuevas que aparezcan deben representarse después para toda la clase, para que todos los estudiantes anoten su nombre.

IDEAS EXTRA

A P **6. ¿Qué profesión es?,** *Guía didáctica,* p. 127.

c. ¿Qué desayunas?

Antes de empezar

- Escriba palabras en la pizarra como *leche, café, té...* y pregúnteles el significado en su idioma.

1. Pregunte a sus alumnos y anote las respuestas en la pizarra.

2. Haga que se fijen en las fotos y diga qué toma usted para desayunar. Pregúnteles después a ellos.
Yo desayuno... y tú, ¿qué desayunas?

VOCABULARIO

3. Dé un tiempo para que los estudiantes hagan el ejercicio y lo comprueben después con sus compañeros.

Corrija y repita en voz alta. Pídales que repitan después de usted.

> **2.**-a; **3.**-c; **4.**-b; **5.**-h; **6.**-e; **7.**-g; **8.**-d.

ESCUCHAR

- Antes de escuchar presente el vocabulario nuevo que van a oír (quizá algunas palabras ya hayan aparecido cuando les ha preguntado qué desayunan).
  - Si es necesario, puede llevar alguna foto o explicar qué tipo de alimento es.
  - *Bocadillo*: Un trozo de barra de pan abierto por la mitad y relleno de embutido (chorizo, queso, jamón…)
  - *Churros*: masa frita de harina con forma cilíndrica.
  - *Empanadas*: Masa de pan rellena de carne, pescado, verdura…, y cocida en el horno.

4. Los estudiantes hacen el ejercicio.

> **1.** A. Olga, ¿qué se desayuna en Rusia?
> Olga: Bueno, generalmente tomamos un bocadillo de pan negro, mantequilla y queso. Y para beber, té, café o café con leche.
>
> **2.** A. Rabah, ¿qué se desayuna en Siria?
> Rabah: La gente toma té verde y pan con aceite y aceitunas negras. También toman mucho queso fresco con aceite. Algunos toman café con leche, claro.
>
> **3.** A. Yi, ¿qué desayuna la gente en China? Yi: China es muy grande, pero en el sur se toma una sopa de arroz con algo parecido a los churros. Los niños toman leche de soja. En el norte algunas personas toman leche de vaca o yogur, sobre todo los jóvenes. También se toman unas empanadas al vapor.
>
> **4.** A. Philip, ¿qué se toma en Alemania para desayunar?
> Philip: Hay muchas cosas. Algunos toman pan con mantequilla y salami y un huevo. Otros toman muesli con yogur. Y té, mucha gente toma té. Algunos toman café, claro.

HABLAR

5. Pregunte primero a uno de sus estudiantes qué desayuna normalmente y qué los domingos y después diga qué desayuna usted.

- En grupos de cuatro, los estudiantes cuentan a los demás qué desayunan ellos. Pasee entre los grupos y obsérvelos para detectar posibles errores.

ESCUCHAR

Antes de poner la grabación pregunte a los estudiantes:
¿Desayunas alguna vez fuera de casa?
¿Dónde? ¿Cuándo? ¿Qué pides?

- Explique que en España es frecuente desayunar fuera de casa y por eso hay gran cantidad de bares y cafeterías que tienen precios especiales para el desayuno y la merienda.
- Aclare el vocabulario del cartel.

6. Los estudiantes hacen el ejercicio.

> *Camarera:* Buenos días, ¿qué desea?
>
> *Madre:* Yo quiero un desayuno andaluz, ¿y tú, hijo?
>
> *Hijo:* Yo sólo quiero un zumo.
>
> *Madre:* Toma algo más, un bollo o una tostada.
>
> *Hijo:* No, mamá, sólo quiero un zumo de naranja.
>
> *Madre:* Bueno, pues un andaluz y un zumo de naranja.
>
> *Camarera:* Muy bien.

7. Ponga una o dos veces la grabación para que lo comprueben.

HABLAR

8. Indique a los alumnos que utilicen el menú de la *Cafetería Teide* para realizar el ejercicio.

PRONUNCIACIÓN Y ORTOGRAFÍA

Antes de empezar

- Recuerde la diferencia entre el sonido /g/ y /j/ con palabras como *gato, jamón, gota, jota, guapo, jugar.* En este caso nos vamos a centrar en el sonido /g/.

1. Los estudiantes escuchan y repiten cada una de las palabras.

Recuérdeles, después de leer el cuadro de gramática, que si no escriben "gu" el sonido es fuerte, como si fuera "j": *general, gitano...*

2. Los estudiantes hacen la actividad y comprueban con su compañero.

1. guapo
2. cigarrillos
3. guitarra
4. gafas
5. pagar
6. guerra
7. Guatemala
8. goma

3. Escuchan la grabación y después repiten en voz alta. Si cree que es necesario, escriba las respuestas en la pizarra o pida a algún estudiante que la escriba él.

IDEAS EXTRA

En grupos de tres. Los estudiantes elaboran la "carta" de una cafetería con los diferentes desayunos que han aparecido en la clase.

> **A P** **7. Juego,** *Guía didáctica,* p. 128.

Autoevaluación

1.

> **2.** se acuesta. **3.** te afeitas. **4.** me baño. **5.** se viste. **6.** os acostáis. **7.** se levantan. **8.** te levantas. **9.** me ducho.

2.

> **2.** por. **3.** desde... hasta. **4.** por. **5.** por... a. **6.** a... a... de. **7.** a... por... por.

3.

> **2.** vuelvo. **3.** vamos. **4.** empezáis. **5.** van. **6.** vuelve. **7.** vuelves.

4.

> 2-e. 3-c. 4-b. 5-g. 6-d. 7-f.

5.

> Respuesta libre.

6.

> **1.** A las cinco y media o las seis.
> **2.** Entre las doce y las dos.
> **3.** Desde las ocho de la mañana hasta las ocho o las nueve de la noche.
> **4.** No.
> **5.** Entre las ocho y las nueve y media.
> **6.** No.

A: Adriana, tú eres argentina, ¿no?

Adriana: Sí, claro.

A: ¿Y de qué ciudad?

Adriana: De Buenos Aires.

A: Cuéntame un poco los horarios habituales… por ejemplo, ¿a qué hora os levantáis?

Adriana: Pues mira, nos levantamos muy temprano, a las cinco y media o las seis, porque el trabajo está lejos… y, bueno, normalmente empezamos a trabajar a las ocho…

A: ¿Y hasta qué hora trabajáis?

Adriana: Hasta las seis… sí, en las oficinas hasta las seis de la tarde, paramos una hora para comer, entre las doce y las dos, comemos algo rápido y ya, volvemos al trabajo.

A: ¿Y en las tiendas?

Adriana: Bueno, el horario de las tiendas es distinto, abren también sobre las ocho de la mañana y cierran a las ocho o las nueve de la noche, y no cierran a mediodía, ¿eh?, no es como en España. Ah, y los bancos también tienen otro horario, abren a las diez y cierran a las tres, y por la tarde ya no abren.

A: Y una cosa, Adriana, cuando la gente sale del trabajo, ¿va directamente a su casa?

Adriana: Sí, sí, eso es lo normal, vamos a casa, tenemos otra hora más para volver, claro, cenamos entre las ocho y las nueve y media, y nos acostamos tarde, sobre las once más o menos.

A: Oye, ¿y los niños? ¿Qué horario tienen en el colegio?

Adriana: Pues, mira, estudian sólo o por la mañana o por la tarde, creo que es de ocho a doce en el turno de mañana y de una a cinco los que estudian por la tarde.

De acá y de allá

- Pregunte a sus alumnos si conocen personalmente a algún hispano o si han tenido la oportunidad de verlos hablar en grupo en restaurantes, cafeterías, por la calle, etc. Pregúnteles si han observado alguna diferencia en su forma de hablar; por ejemplo, si el tono de voz es más alto, si las distancias entre las personas son menores o si se tocan con más frecuencia en los hombros, los brazos…
- Las respuestas dependen de la cultura a la que pertenezcan sus alumnos. Si pertenecen a una cultura de contacto, es decir si son latinos o árabes, es probable que no hayan notado mucha diferencia; pero si pertenecen a una cultura de no contacto como la anglosajona o la japonesa seguro que encuentran muchas diferencias. Es posible que se hayan sentido molestos en alguna ocasión porque un hispano les haya hablado demasiado cerca o demasiado alto, o haya intentado tocarles el brazo o el hombro sin apenas conocerlos. Explíqueles que es algo que forma parte de la cultura latina, igual que la gran cantidad de gestos que se hacen al hablar (con la cara, con las manos, los brazos y el resto del cuerpo).
- Anímeles a adivinar el significado de los gestos que aparecen en las fotos.

1.

2.-e, **3.**-a, **4.**-b, **5.**-c.

2. Si la clase es multicultural, esta actividad ofrece más posibilidades.

- Los gestos tienen significados distintos en las distintas culturas y es interesante ver cuáles son esas diferencias.
- Pregunte a sus estudiantes de distinta nacionalidad cómo hacen ellos esos gestos (dinero, mucho, poco, silencio) y otros.

3

A. ¿Dónde vives?

OBJETIVOS
Vocabulario: Nombres de las distintas partes
de la casa. Ordinales: 1.º - 10.º.
Comunicación: Describir una casa.

Antes de empezar

- Escriba en la pizarra las palabras claves *piso, apartamento, chalé individual, chalé adosado* y explique las
  diferencias entre unos y otros.
- Después dibuje el plano de una casa en la pizarra y
  pregunte a los alumnos si conocen algún nombre de
  las partes de la casa y de los objetos que hay en ella.
  Escriba usted los nombres de las distintas partes de
  una casa y de alguno de los objetos más comunes,
  como la televisión.

1. Los estudiantes hacen la actividad individualmente y
después le hacen la misma pregunta, *¿Dónde vives?,*
a su compañero.

2. Antes de escuchar la audición, los alumnos leen el
texto y consultan el vocabulario nuevo. A continuación los estudiantes escuchan el texto. Puede preguntarles para comprobar la comprensión: *¿Dónde
viven Rosa y Miguel?, ¿cuántos dormitorios tiene su
casa?, ¿tiene jardín?...*

3. Los estudiantes hacen la actividad individualmente.
Corrija con ellos:

> **1.**-V, **2.**-V, **3.**-F, **4.**-V, **5.**-V, **6.**-F,
> **7.**-V, **8.**-F.

Niveles altos: Los alumnos transforman las frases
verdaderas en falsas.

ESCUCHAR

4. Antes de comenzar la audición conviene leer las preguntas para aclarar su significado.

- Explique el significado de la palabra *terraza.*
- Haga una primera audición para que los alumnos
  capten el significado general.
- Realice una segunda audición para que los alumnos respondan las preguntas. Corrija con ellos.

> A: Manu, ¿cómo es tu piso?
> MANU: Mi piso es muy pequeño, porque vivo
> solo. Tiene un dormitorio, un salón comedor
> pequeño, una cocina y un cuarto de baño, que
> está al lado del dormitorio.
> A: ¿Nada más?
> MANU: Bueno, tengo una terraza grande y ahí
> tengo muchas plantas.

> **1.** Es muy pequeño.
> **2.** Uno.
> **3.** Al lado del dormitorio.
> **4.** Sí, tiene una terraza grande.

HABLAR

5. En parejas, los estudiantes preguntan a su compañero sobre su casa: *¿Cuántos dormitorios tiene?,
¿Dónde está el cuarto de baño / la cocina...?* Al
mismo tiempo, van realizando el plano de la casa del
compañero, que éste irá revisando y corrigiendo.

6. Los alumnos escriben la descripción de la casa de su
compañero. Pida a dos alumnos que escriban su
texto en la pizarra y entre todos corrijan los errores.

VOCABULARIO

7. Explique el significado de los números ordinales.
Los alumnos escuchan la audición y repiten cuidan-
do la pronunciación.

- Recuerde a sus alumnos que, en español, los adjetivos ordinales cambian de género y número según
  el nombre al que acompañan. ("Referencia gramatical", p. 174).
- En los edificios públicos (grandes almacenes, hos-
  pitales, escuelas...) se habla de *plantas: El aula
  3.5 está en la **tercera** planta.* En los edificios de

viviendas, se dice *piso* y *puerta: Yo vivo en el quinto piso, puerta izquierda.* La puerta se presenta con una letra (A, B, C, D) o con *derecha, izquierda, centro,* a veces con un número.

Piso	Puerta
Primero	A
Segundo	izquierda
Tercero	primera

8. Los estudiantes completan las frases. Corrija con ellos.

> **1.** primer, **2.** segundo, **3.** primera, **4.** tercera, **5.** quinta.

ESCUCHAR

9. Antes de comenzar la audición, explique el significado de la palabra *ático.* Los alumnos escuchan y completan. Haga una segunda audición para comprobar.

> A. ¿Sería tan amable de indicarme dónde vive el Sr. González?
> B. En el 4.º derecha.
> A. Gracias.
>
> A. ¿Me podría decir dónde vive doña Manuela Rodríguez?
> B. En el segundo izquierda.
> A. Gracias.
> A. ¿En qué piso vive la señorita Herrero?
> B. En el 3.º A.
>
> A. ¿Me podría enviar este paquete a mi domicilio de la Avenida del Mediterráneo, 5, 6.º B?
> B: Por supuesto, señor Acedo.
>
> A. ¿El señor de la Fuente, por favor?
> B. Es el inquilino del ático.
> A. Muchas gracias.
>
> A. ¿Vive aquí la señorita Laura Barroso?
> B. Sí, es la hija de los vecinos del 5.º E.

> **1.** 4.º derecha, **2.** 2.º izquierda, **3.** 3.º A, **4.** 6.º B, **5.** ático, **6.** 5.º E.

• Pida a los alumnos que escriban cada uno una frase con un ordinal. La leen y usted las escribe en la pizarra. Por ejemplo: *Soy el segundo de mis hermanos. Estudio primero de Español. Yo vivo en el tercero A.*

HABLAR

10. Para practicar los ordinales, primero pregunte usted a varios estudiantes en qué piso viven y escríbalo en la pizarra. En el caso de que no vivan en pisos, dígales que se inventen uno.

Después, en grupos de cuatro, los alumnos se preguntan en qué piso vive cada uno de ellos.

IDEAS EXTRA

1. Haga un directorio de "grandes almacenes" y escríbalo en papel (uno para cada pareja) o en la pizarra. Dígales que hagan un juego de roles: uno es el encargado de información y otro es un cliente que viene a comprar algo. A debe preguntar: *¿Por favor, las lámparas?* Y B responde: *Tercera planta.* A: *Gracias.*

2. Dibuje en la pizarra diez buzones con el nombre de un inquilino y el piso. En parejas, los estudiantes practican: A: *Por favor, ¿en qué piso vive el señor Rodríguez?* B: *En el segundo izquierda.* A: *Gracias.*

4

B. Interiores

> **OBJETIVOS**
>
> **Vocabulario:** Muebles y cosas de casa.
> **Gramática:** Artículos determinados e indeterminados. *Hay / está.*
> **Comunicación:** Describir el interior de una casa.

Antes de empezar

• Traiga fotos de revistas de decoración y pregunte a los alumnos si conocen el nombre en español de alguno de los muebles que aparecen en las mismas.

• Después, lea la relación de palabras que aparecen en el libro a sus alumnos. Ellos repetirán la pronunciación prestando atención a los objetos a los que se refiere cada una de ellas.

1. Los alumnos completan el texto. Corrija con ellos.

> **1.** frigorífico, **2.** lavavajillas, **3.** microondas, **4.** armarios, **5.** mesa, **6.** sillas, **7.** sofás, **8.** sillones, **9.** librería, **10.** televisión, **11.** lámpara, **12.** bañera, **13.** espejo, **14.** lavabo.

2. Los alumnos completan con la forma correcta del verbo adecuado. Corrija con ellos.

> **1.** haces, **2.** te duchas, **3.** ves, **4.** comes, **5.** duermes, **6.** escuchas.

GRAMÁTICA

- Presentación de los artículos determinados e indeterminados. ("Referencia gramatical", p. 175).
- Se presentan los exponentes *hay* y *está* para diferenciar la existencia de la ubicación. ("Referencia gramatical", p. 175).

3. Los alumnos eligen el artículo determinado o indeterminado según corresponda. Corrija con ellos.

> **1.** El, **2.** un, **3.** Los, **4.** una, **5.** Los, **6.** unos, **7.** Las.

4. Los alumnos eligen la forma verbal correcta. Corrija con ellos.

> **1.** hay, **2.** están, **3.** hay, **4.** hay, **5.** está, **6.** están, **7.** está, **8.** Está, **9.** Hay, **10.** hay.

HABLAR

5. Los alumnos, utilizando todo lo aprendido anteriormente, hacen descripciones de cada una de las habitaciones. Escriba usted algunos ejemplos en la pizarra para que vean lo que se les pide. *En mi cocina hay muchos armarios, una mesa, dos sillas, una lavadora, un microondas.*

La lavadora está al lado de la mesa. El microondas está encima del horno.

Luego, en parejas o en grupos de tres deben comparar sus notas, hablar del tema.

ESCUCHAR

6. Antes de poner la audición, aclare la situación: son conversaciones telefónicas donde se pide información sobre venta de chalés. Explique el vocabulario que todavía no conocen: *metros cuadrados, calefacción individual* (cada vecino controla su caldera de calefacción en oposición a la calefacción central, con una caldera para todo el edificio), *ascensor…*

- Los alumnos realizan una primera audición para captar toda la información posible. En una segunda audición tratarán de completarla. Corrija con ellos.
- Es interesante, después de que hayan completado el cuadro, que lea con ellos la transcripción de la página 202 con el fin de que adquieran vocabulario y estructuras funcionales. Si lo estima conveniente, dígales que lean el texto en voz alta.

A: Inverpiso, ¿dígame?

B: Buenos días. Llamo para informarme sobre los chalés anunciados en el periódico de ayer.

A: Con mucho gusto. Mire, el primero está en la calle Alonso Cano. Tiene 138 metros cuadrados. Hay cuatro dormitorios en la planta de arriba y dos baños, calefacción individual y ascensor.

El segundo es una casa de tres plantas en Torrelodones. Tiene 311 metros cuadrados, con jardín y piscina. Hay un salón comedor y un baño en la planta baja y cinco dormitorios y otros dos cuartos de baño en la planta superior. El garaje es para dos coches.

El tercer chalé está en una urbanización en Pozuelo. Tiene 300 metros cuadrados construidos en dos plantas. Tiene un amplio salón y cuatro dormitorios. Hay un cuarto de baño en cada planta. Los materiales son de primera calidad. Hay piscina comunitaria.

El último es un piso en Moratalaz de 70 metros cuadrados con tres dormitorios. La cocina está en el salón y hay un baño completo.

> **1.** 138 m² / 4 dormitorios / 2 baños.
> **2.** 311 m² / 5 dormitorios / 3 baños.
> **3.** 300 m² / 4 dormitorios / 2 baños.
> **4.** 70 m² / 3 dormitorios / 1 baño.

4

IDEAS EXTRA

1. Diga a los estudiantes que escriban un párrafo corto sobre su dormitorio. Escriba usted algún ejemplo. *En mi dormitorio no hay espejo, pero hay muchos libros, dos camas y un armario. El armario está al lado de la ventana.*

Cuando las hayan escrito pida a algunos alumnos que lean lo que han escrito y lo escriban en la pizarra. Entre todos corrijan los errores.

Luego, pídales que realicen el plano de su dormitorio y lo comenten con su compañero.

2. Escriba en la pizarra: *salón-comedor / cuarto de baño / cocina* y dígales a sus alumnos que lo copien en su cuaderno.

Dicte a sus alumnos distintos nombres de la actividad 1.

Los estudiantes tienen que escribirlos debajo de la habitación correspondiente.

C. En el hotel

OBJETIVOS

Vocabulario: Instalaciones de un hotel.
Comunicación: Inscribirse en un hotel.
Pronunciación: Ortografía del sonido /k/.

Antes de empezar

Puede explicar a sus alumnos cómo los hoteles españoles están clasificados en distintas categorías, que se reconocen por el distinto número de estrellas, yendo desde una estrella (los más sencillos y económicos) hasta cinco estrellas (los más caros y lujosos). Así mismo la categoría de los restaurantes se reconoce por su número de tenedores.

1. Lea el vocabulario, para que los alumnos repitan. Haga especial hincapié en la pronunciación correcta.

> **1.** e. **2.** b. **3.** c. **4.** d. **5.** f. **6.** a.

● Explique que los *Paradores de España* son una especie de hoteles situados en edificios especialmente atractivos: pueden ser antiguos palacios y castillos o en el caso de que sean modernos, en lugares estratégicos, con buenas vistas al mar, etc.

2. Antes de realizar la audición, los alumnos leen el texto, tratando de comprenderlo y haciendo una previsión de qué tipo de palabras ocuparán los huecos. Los estudiantes escuchan la audición dos o tres veces y completan las frases. Corrija con ellos.

Recepcionista: Parador de Córdoba, ¿dígame?
Carlos: Buenas tardes. ¿Puede decirme si hay habitaciones libres para el próximo fin de semana?
Recepcionista: Sí. ¿Qué desea, una habitación <u>individual</u> o <u>doble</u>?
Carlos: Una doble, por favor. ¿Qué precio tiene?
Recepcionista: <u>100 €</u> por noche más IVA.
Carlos: De acuerdo. Hágame la reserva, por favor.
Recepcionista: ¿Cuántas noches?
Carlos: <u>Viernes</u> y <u>sábado</u>, si es posible.
Recepcionista: No hay problema.
Carlos: ¿Hay <u>piscina</u>?
Recepcionista: Sí señor, hay una.
Carlos: ¿Admiten tarjetas de crédito?
Recepcionista: Sí, por supuesto.

> **1.** individual o doble
> **2.** 100 €
> **3.** viernes y sábado
> **4.** piscina

3. Los alumnos, por parejas, practican la conversación telefónica del ejercicio anterior, intentando realizar la reserva de una habitación en un hotel.

4. Los alumnos escuchan el resto de la grabación para poder completar la ficha de reserva. Aclare previamente el vocabulario desconocido.

Recepcionista: ¿Me dice su nombre y apellidos, por favor?
Carlos: Carlos López Ruiz.
Recepcionista: ¿Dirección?
Carlos: Calle de Velázquez, n.º 66, en Madrid.
Recepcionista: ¿Número de teléfono, por favor?
Carlos: 91 569 88 47.
Recepcionista: Entonces, una habitación doble para las noches del viernes y sábado. ¿No es así?
Carlos: Sí, correcto, muchas gracias. Hasta el viernes.
Recepcionista: Hasta el viernes. Buenas tardes.

4

Nombre: Carlos
Apellidos: López Ruiz
Dirección: C/ de Velázquez n.º 66
Ciudad: Madrid
N.º de teléfono: 91 569 88 47
Sencilla o doble: doble
N.º de noches: 2

LEER

5. El objetivo de esta lectura es familiarizar a los estudiantes con los distintos significados de la palabra *patio*, tanto en España como en Hispanoamérica.

Sería interesante explicar a los alumnos dónde se encuentra la ciudad de Córdoba en España, así como hacerles saber la existencia de una ciudad con el mismo nombre en Argentina.

6. Puede pedir a uno o dos alumnos que lean el texto en voz alta. Después, los alumnos contestan a las preguntas individualmente. Corrija con ellos. Pida a los alumnos que transformen las frases falsas en verdaderas.

1. V. **2.** F. **3.** V. **4.** F. **5.** F.

PRONUNCIACIÓN Y ORTOGRAFÍA

1. Los estudiantes escuchan y repiten.

2. Explique las reglas de las dos posibles representaciones gráficas del sonido /k/.

3. Los estudiantes completan las palabras. Corrija con ellos.

1. cuando. **2.** quien. **3.** cuatro. **4.** tranquilo. **5.** médico. **6.** Ecuador. **7.** pequeño. **8.** quinientos.

● Pida a los alumnos que digan otras palabras que contengan este sonido.

IDEAS EXTRA

Diga a los estudiantes que escriban frases con las palabras de la actividad 3 de PRONUNCIACIÓN (*cuando, quien*...), con el fin de consolidar la ortografía de estas palabras.

A P **5. En el hotel,** *Libro del alumno,* pp. 160 y 166.

Autoevaluación

1.

1. en el dormitorio
2. en la cocina
3. en el salón
4. en el salón
5. en el cuarto de baño
6. en la cocina
7. en el cuarto de baño
8. en el salón

2.

1. sillones, mesita, librería, televisión, equipo de música, sofá, lámpara…
2. lavavajillas, fregadero, horno, frigorífico, mesa, sillas, lavadora, microondas…
3. armario, cama, lámpara, mesilla…
4. lavabo, ducha, bañera, espejo, toalla…

3.

Actividad semilibre.

4.

Primero, segundo, tercero, cuarto, quinto, sexto, séptimo, octavo, noveno y décimo.

5.

1. hay. 2. está. 3. Hay. 4. están. 5. hay. 6. está. 7. hay.

6.

1.-c. 2.-e. 3.-b. 4.-a. 5.-d.

7.

A: Buenas tardes, ¿hay habitaciones libres?
B: Sí, tenemos una individual y dos dobles. ¿Qué tipo de habitación desea?
A: Una doble.
B: ¿Para cuántas noches?

> A: Para el fin de semana. ¿Cuál es el precio de la habitación?
>
> B: Con desayuno, 90 €.
>
> A: ¿Admiten tarjetas de crédito?
>
> B: Sí, por supuesto.

De acá y de allá

En esta unidad se presenta un texto en el que se habla de los distintos tipos de viviendas en diferentes partes de España. Es aconsejable trabajar con el mapa de España de la página 12 del *Libro del alumno* que nos permitirá ubicar las diferentes zonas que aparecen en el texto.

1. Haga las preguntas a sus alumnos. Ayúdeles con los problemas de vocabulario. Haga especial hincapié en la pronunciación y entonación de las preguntas.

2. Tras una lectura individual, los alumnos exponen sus dudas de vocabulario y estructuras para ser aclaradas. Posteriormente cuatro estudiantes leen el texto en voz alta. Corrija los errores de pronunciación y entonación.

3. Los alumnos contestan individualmente a las preguntas. Después comprueban las respuestas con sus compañeros. Por último corrija con sus alumnos.

> **1.** En el sur de España, en Andalucía.
> **2.** De piedra.
> **3.** En la costa mediterránea.
> **4.** En las ciudades.
> **5.** A las afueras de las ciudades.

HABLAR

1. En primer lugar, cada alumno se pone en situación, preparando individualmente las respuestas a las preguntas planteadas por el ejercicio. Posteriormente, intercambian la información con el compañero.

A. Comer fuera de casa

OBJETIVOS
Vocabulario: Comidas y bebidas.
Comunicación: Pedir comida en un restaurante.

Antes de empezar

- Pregunte a los alumnos qué platos de la cocina española o hispanoamericana conocen y si sabrían con qué ingredientes prepararlos. Anótelos en la pizarra. Quizás conozcan la *paella*. Tanto si la conocen como si no, puede hablar de ella contando que es un plato compuesto de *arroz* e ingredientes variados como carne o pescado *(mejillones, calamares, gambas)* y verduras *(tomate, pimiento, ajo, guisantes)*.

- Comente que en España es habitual, tanto en casa como en los restaurantes, tomar dos platos y un postre. El primer plato suele ser *sopa, legumbres, ensalada, arroz o pasta,* y el segundo, *carne o pescado*. De postre se come generalmente *fruta o postres caseros* como *flan, natillas*… Por la noche se suelen comer *ensaladas* y *huevos*. La carta que aparece en este apartado es representativa de lo que se puede encontrar en un restaurante normal en cualquier ciudad española.

1. Los alumnos hacen la actividad. Después corrija con ellos. Comente algunos ingredientes de cada plato: *patatas, huevos, arroz, tomates, pimiento, ajo, aceite…,* con el fin de que se hagan una idea.

> Tortilla de patatas / arroz a la cubana / gazpacho.

ESCUCHAR

2. Antes de poner la grabación, explique la situación con ayuda de la imagen: *¿Dónde están?, ¿qué van a hacer?*

- Lea la carta del restaurante con sus alumnos y aclare el significado de cada uno de los platos.
  - Sopa de picadillo: sopa de caldo de carne con fideos, jamón serrano y huevo duro picados.
  - Flan y natillas: postres elaborados con huevo, leche y azúcar. La diferencia entre ellos es que el flan es más sólido que las natillas.
  - Un menú normal está compuesto de un primer plato, un segundo plato y postre.
- Los alumnos repiten el nombre de los platos, poniendo especial atención en la pronunciación.
- A continuación se realiza una primera audición, para que los estudiantes completen la tabla, y una segunda audición de comprobación.

> Camarero: Buenos días, señores, ¿qué quieren comer?
> Juan: De primer plato nos pone un gazpacho para mí y una ensalada para la señora.
> Camarero: ¿Y de segundo?
> Teresa: ¿La carne es de ternera?
> Camarero: Sí, señora. Es muy buena.
> Teresa: Entonces, me pone carne con tomate. ¿Y tú, Juan?
> Juan: Yo prefiero unos huevos con chorizo.
> Camarero: ¿Y para beber?
> Juan: El vino de la casa y una botella de agua, por favor.
> Camarero: Muy bien, muchas gracias. Y de postre, ¿qué desean?
> Juan: Para mí, unas natillas.
> Teresa: Pues yo quiero arroz con leche.
> Camarero: Enseguida se lo traigo, muchas gracias.

	Teresa	**Juan**
Primer plato	Ensalada mixta	Gazpacho
Segundo plato	Carne con tomate	Huevos con chorizo
Bebida	Vino y agua	Vino y agua
Postre	Arroz con leche	Natillas

Después de completar la tabla, dígales que consulten la transcripción de la conversación (página 203), a fin de consolidar las funciones comunicativas básicas.

HABLAR

3. Cada alumno elabora su propio menú, mirando la carta del restaurante.

4. En grupos de tres, representan el diálogo del restaurante. El profesor controla la actividad, corrigiendo los posibles errores. Después, los estudiantes representan los diálogos en grupos delante de la clase.

VOCABULARIO

Lea el nuevo vocabulario a sus alumnos. Haga que ellos lo repitan. Corrija los errores de pronunciación.

5. Los alumnos realizan la actividad individualmente. Corrija con sus alumnos.

> **1.** copa. **2.** jarra. **3.** taza. **4.** vaso. **5.** jarrón. **6.** jarra.

LEER

6. El objetivo de esta lectura es proporcionar al estudiante vocabulario pasivo y conocimiento sociocultural sobre la costumbre de los españoles de comer fuera de casa.

- Antes de la lectura, dígales que subrayen vocabulario desconocido en el texto, para aclarar su significado: *compañía, higiene, dieta equilibrada.* Puede pedirles que intenten adivinar el significado, antes de dárselo.

7. Con la información del texto del ejercicio anterior, los alumnos realizan la actividad individualmente. Corrija con sus alumnos.

> **1.** F, **2.** V, **3.** F, **4.** F, **5.** V.

IDEAS EXTRA

Escriba en la pizarra las palabras *primer plato, segundo plato* y *postre.* Dicte a sus alumnos el nombre de distintos platos de cocina española, hispanoamericana e internacional. Discuta con ellos en cuál de las tres columnas los encontrarían en el menú de un restaurante español.

B. ¿Te gusta el cine?

> **OBJETIVOS**
> **Vocabulario:** Tiempo libre.
> **Gramática:** Verbo *gustar.*
> **Comunicación:** Hablar de lo que nos gusta y no nos gusta.

Antes de empezar

- Escriba en la pizarra los distintos tipos de películas. Explíqueles el significado a los alumnos con algún ejemplo. Pídales que enumeren títulos de películas en las distintas categorías.

1. Haga las preguntas de la actividad a sus alumnos. Corrija los errores de pronunciación y entonación. Después los estudiantes pueden intercambiarse preguntas y respuestas.

VOCABULARIO

2. Los estudiantes hacen la actividad individualmente o con el compañero con el fin de descifrar el significado de las palabras desconocidas. Se corrige entre todos.

> **1.** d. **2.** b. **3.** l. **4.** f. **5.** j. **6.** k. **7.** i. **8.** g. **9.** h. **10.** c. **11.** a. **12.** e.

ESCUCHAR

3. Antes de poner la grabación, explique que van a oír a Elena hablar de sus gustos. Explique las actividades del cuadro: *Andar por el campo…*
   Los alumnos escucharán la audición y completarán la tabla, marcando las actividades que les gustan a cada personaje. En una segunda audición, comprueban lo anotado.

> Mi marido y yo siempre tenemos problemas para decidir qué hacer durante el fin de semana. A mí me gusta ir al cine los viernes y, el sábado por la mañana, ir de compras. Por el contrario, a mi marido le gusta pasar el fin de semana en el campo: andar, hacer deporte… El domingo por la tarde, lo que más le gusta es ver un partido de fútbol por la tele, mientras yo navego por Internet. Durante la semana lo tenemos más fácil: a los dos nos gusta leer y oír música en nuestro tiempo libre.

- Si lo considera necesario, consulte la transcripción con sus alumnos. Subraye en el texto escrito las estructuras con el verbo *gustar*, que presenta dificultades especiales para su asimilación a causa de la inversión de los elementos, sujeto + verbo + objeto. Escriba en la pizarra frases sobre la tabla:
  A Elena le gusta el cine. A ella no le gusta…
  A Luis le gusta… A él no le gusta…

5

	Elena	Luis
el cine	✓	
andar por el campo		✓
ir de compras	✓	
los deportes		✓
navegar por Internet	✓	
leer	✓	✓
el fútbol		✓
la música	✓	✓

4. En parejas, los estudiantes realizan la actividad. Dígales que hagan preguntas sobre todas las actividades de la tabla, desde el cine hasta la música y que tomen nota de las respuestas del compañero/a. Controle la pronunciación y entonación, corrigiendo los posibles fallos.

5. Los estudiantes, teniendo en cuenta la información obtenida en el ejercicio anterior, escriben frases sobre los gustos de su compañero. Algunos alumnos las escriben en la pizarra. Se corrigen entre todos los posibles fallos.

GRAMÁTICA

En este apartado se presenta el paradigma del verbo *gustar* ("referencia gramatical", p. 175).

● Después de presentar la forma, escriba en la pizarra *A mí me gusta…* y vaya preguntando a cada estudiante qué le gusta, cada uno debe decir una cosa *(leer, ir al cine, el fútbol, la música…)*. Si la clase es pequeña, pueden decir un par de cosas. Así tendrá *input* suficiente y verán los estudiantes las posibilidades gramaticales: verbo en infinitivo, artículo + sustantivo singular o artículo + sustantivo plural.

6. Los alumnos realizan la actividad individualmente. Corrija con ellos.

> **1.** le gusta, **2.** le gusta, **3.** me gustan, **4.** les gusta, **5.** nos gustan, **6.** os gusta, **7.** le gusta, **8.** te gustan.

LEER Y ESCRIBIR

● Antes de realizar la lectura, aclare las posibles dudas de vocabulario con sus alumnos.

7. Los estudiantes realizan la lectura individualmente. Si lo cree oportuno, pueden leerlos en voz alta. Corrija los errores de pronunciación y entonación.

8. Extrayendo la información del texto, los alumnos contestan a las preguntas. Corrija con ellos.

> **1.** Es argentina.
> **2.** El baloncesto.
> **3.** 25.
> **4.** Marisol.
> **5.** Le gusta el tango.
> **6.** Viajar, hacer deporte y leer.

9. Utilizando como modelo los anuncios del ejercicio 7, los alumnos individualmente escriben uno anónimo.
● Lea en voz alta los distintos anuncios, sin decir a quién pertenecen.
● Los alumnos tratarán de adivinar el autor de los mismos.

IDEAS EXTRA

Dígales a sus estudiantes que escriban en un papelito tres cosas que les gustan, pero sin escribir el nombre. Escriba usted un ejemplo en la pizarra con sus gustos: *A mí me gusta hablar con mis amigos, leer y andar por el campo.*
Recoja todos los papeles y métalos en una bolsa. Cuando los tenga todos, sáquelos de uno en uno, léalos y los estudiantes tienen que adivinar quién lo ha escrito.

> **A P** **4. Gustos,** *Libro del alumno,* pp. 160 y 166.

C. Receta del Caribe

> **OBJETIVOS**
> **Vocabulario:** Nombres de alimentos y productos de América.
> **Gramática:** El imperativo regular.
> **Pronunciación y ortografía:** /b/ y /v/.

Antes de empezar

● Plantee a sus alumnos si cocinar es divertido o aburrido: *¿Te gusta cocinar? ¿Por qué? ¿Es divertido o aburrido?*

- Pida a sus alumnos que enumeren una serie de platos sencillos que ellos sepan cocinar y escríbalos en la pizarra.

1. Los alumnos realizan el ejercicio por parejas.

2. Aclare a sus alumnos el significado de las palabras del recuadro. Los estudiantes completan la tabla de ingredientes individualmente. Corrija con ellos.

3	plátanos
1	taza de leche
1/4	de taza de azúcar
1/4	de taza de zumo de limón
1/2	cucharadita de vainilla
8	cubitos de hielo

ESCUCHAR

3. Los estudiantes realizan la actividad individualmente o por parejas.

4. Los estudiantes escuchan la audición para comprobar las instrucciones para la preparación del batido. Corrija con ellos.

Cocinero: Queridos amigos y amigas, hoy vamos a hacer un delicioso refresco de plátano. Bueno, ¿estáis preparados? Aquí van los ingredientes: en primer lugar vamos a necesitar 3 plátanos y una taza de leche. Como el refresco será solo para cuatro personas, vamos a utilizar únicamente 1/4 de taza de azúcar y 1/4 dc taza dc zumo de limón y, por último, media cucharadita de vainilla y ocho cubitos de hielo. Y ahora, para su elaboración, sigue las siguientes instrucciones:
1. Primero, pela los plátanos y córtalos en rodajas.
2. A continuación, mezcla los plátanos, la leche, el azúcar, el zumo de limón y la vainilla en una batidora.
3. Añade los cubitos de hielo y mézclalos con los otros ingredientes.
4. Reparte la mezcla en cuatro vasos.
5. Finalmente, invita a tus amigos.

1. b. **2.** d. **3.** a. **4.** c. **5.** e.

GRAMÁTICA

- En este apartado vamos a presentar las formas del imperativo afirmativo regular en las distintas conjugaciones.
  - Explique la formación del imperativo de los verbos regulares y los que aparecen en el texto para *tú* y *usted*. Después de ver los modelos, pida oralmente en una ronda las formas del imperativo de otros verbos regulares como *hablar, estudiar, beber, tomar, escribir, bailar, leer,* etc. Dé una entonación de orden: *¡habla!*
  - Aclare a sus alumnos que en español el imperativo se usa en muchas situaciones, quizás más que en otros idiomas. Aquí vamos a ver su uso en instrucciones y órdenes, tanto en situaciones formales e informales. En el caso de formalidad se utiliza la forma *usted*. ("Referencia gramatical", p. 176).

5. Los estudiantes realizan la actividad individualmente. Corrija con ellos.

1. Bebe. **2.** Come. **3.** Camina. **4.** Descansa. **5.** Evita. **6.** Toma.

6. Los alumnos tratan de adivinar la procedencia de los distintos productos.

Lea con ellos el inicio de la audición. Aclare los posibles problemas de vocabulario.

7. Los alumnos escuchan la grabación y comprueban las respuestas del ejercicio anterior. Corrija con ellos.

Casi todas las piñas de los supermercados son de Hawai, pero los cultivadores originales son los indios de Cuba y Puerto Rico.

Es cierto que hay una variedad de maní que procede de Georgia, pero sus cultivadores originales son los indios de Bolivia y Perú.

Las patatas son muy populares en Irlanda, pero proceden originalmente de Perú y Ecuador.

Los italianos preparan una deliciosa salsa de tomate, pero los cultivadores originarios del tomate son los indios de México.

El Ecuador es el mayor productor de plátanos del mundo, pero los plátanos son de origen africano. Llegaron a América porque los españoles los introdujeron.

El Brasil es el mayor productor de café del mundo, pero el café es también de origen africano y también llegó a América porque los españoles lo introdujeron.

1. Cuba y Puerto Rico.
2. Bolivia y Perú.
3. Perú y Ecuador.
4. México.
5. África.
6. África.

PRONUNCIACIÓN Y ORTOGRAFÍA

● Presente a sus alumnos las dos posibles realizaciones ortográficas del sonido /b/.

1. Los estudiantes escuchan y repiten.

2. Los estudiantes escuchan y repiten.

3. Los estudiantes realizan la actividad individualmente. Corrija con sus alumnos.

1. Yo vivo en Barcelona.
2. Este batido tiene vainilla.
3. Camarero, un vaso de agua, por favor.
4. A Isabel le gusta viajar y bailar tangos.
5. Beber agua es muy bueno.

4. Los estudiantes escuchan y repiten.

IDEAS EXTRA

Diga a sus estudiantes que piensen otras palabras con *b* y *v*. Cada alumno piensa una o dos palabras y la dicta al resto de la clase.

A P **8. El carro de la compra,** *Guía didáctica,* p. 129.

2. Actividad libre.

3.

1. les. 2. nos. 3. le. 4. me. 5. te. 6. os. 7. le.

4.

1. A Rosa no le gustan los animales.
2. A ellos les gusta salir.
3. A nosotros nos gusta ver la tele.
4. A mí no me gusta el fútbol.
5. ¿Te gusta el flan?
6. A Pepe no le gusta la fruta.
7. ¿A vosotros os gusta nadar?

5.

1. Baja. 2. Come. 3. Abre. 4. Escribe.
5. Escucha. 6. Ayuda. 7. Bebe.

6.

1. d. 2. f. 3. a. 4. c. 5. b. 6. e.

7.

A: ¿Me deja la carta, por favor?
B: Sí, ahora mismo. Un momento. ¿Qué quiere el señor de primero?
A: Una sopa de fideos, por favor.
B: ¿Y de segundo?
A: Pollo con patatas.
B: ¿Qué desea para beber?
A: Agua mineral.
B: ¿Y de postre?
A: Un helado de vainilla.
B: ¿Desea algo más?
A: No, muchas gracias.

Autoevaluación

1.

1.er plato, gazpacho: tomates, pepinos, aceite, sal y ajo.
2.º plato, paella: arroz, pollo, gambas, calamares, aceite, sal.
Postre, flan: huevos, leche, azúcar.

De acá y de allá

● El objetivo de esta actividad es presentar distintos tipos de bares y restaurantes, con una variedad multicultural de cocina hispana.
● Antes de comenzar, pregúnteles a sus alumnos por los distintos tipos de restaurantes que conocen en su ciudad.

- Pregúnteles qué tipo de comida prefieren y de qué nacionalidad.
- Aclare con ellos la diferencia entre los establecimientos: *restaurante, cervecería, cafetería...*

1. Lea con sus alumnos los distintos anuncios de restaurantes y bares. Aclare el vocabulario nuevo.
- Los alumnos contestan individualmente a las preguntas del ejercicio. Corrija con ellos.

> **1.** En Sol
> **2.** En el restaurante *El Pádel*.
> **3.** Comida tradicional casera.
> **4.** En el restaurante *La Estancia*.
> **5.** En la cervecería *Gambrinus*.
> **6.** En el restaurante *La Alpujarra*.
> **7.** *La Alpujarra* y *La Estancia*.
> **8.** 9 €.
> **9.** En la cervecería *Gambrinus*.

2. En parejas, los alumnos tratan de realizar el ejercicio. Corrija con ellos.

> café – Brasil / naranjas – España /
> frijoles – México / chorizo – España /
> Mate – Argentina / ron – Cuba /
> paella – España / tequila – México /
> churrasco – Argentina / tortilla – España.

3. Los alumnos realizan la actividad por parejas o en equipo.

5

A. ¿Cómo se va a Plaza de España?

OBJETIVOS
Comunicación: Instrucciones para ir en el metro.
Vocabulario: Transporte público.

Antes de empezar

● Haga unas preguntas con el fin de aclarar algunas palabras que se van a utilizar como *plano, metro, línea, estación*. Las respuestas sobre el número de líneas y de estaciones aparecen en el texto de la página 55:

¿Qué es esto? (un plano del metro).
¿Cuántas líneas hay? (11).
¿Cuántas estaciones hay? ¿Más de 100? ¿Más de 200? (158).

1. Los alumnos hacen la actividad, que tiene como objetivo contextualizar la conversación que viene después. Pregúnteles cómo se llama la estación de metro en la que están y pídales que la busquen en el plano, es una de las que están marcadas (al principio de la línea 8).

b.

■ El tratamiento más frecuente con las personas que trabajan en cualquier medio de transporte es el formal (usted), excepto en los casos en los que, tanto el trabajador como el pasajero, son muy jóvenes.

■ Hemos optado por la expresión "coger el metro" "coja la línea 2" porque es la forma más empleada en el español de España. Sin embargo, en algunos países hispanoamericanos (Argentina, Uruguay, Chile…) la palabra "coger" es un vulgarismo de

"realizar el acto sexual" y por esa razón no se utiliza en este contexto. En estos países se sustituye por "tomar" o "agarrar".

2. Los estudiantes hacen la actividad individualmente.

> *Sergio*: Perdone, queremos <u>dos billetes de metro</u>, por favor.
> *Taquillero*: ¿Sencillos o de diez viajes?
> Sergio: Bueno, mejor uno de 10 viajes. <u>¿Cuánto es?</u>
> *Taquillero*: 5 euros.
> *Sergio*: Perdone, ¿puede decirme <u>cómo se va</u> a Plaza de España?
> *Taquillero*: Pues desde aquí es muy fácil, coja usted la línea 8 hasta Nuevos Ministerios y cambie a la línea 10 en dirección Puerta del Sur. La <u>sexta estación</u> es Plaza de España.
> *Sergio*: Muchas gracias. <u>¿Puede darme</u> un plano del metro?
> *Taquillero*: Sí, claro, tome.

(1) dos billetes de metro **(2)** ¿Cuánto es? **(3)** cómo se va **(4)** sexta estación **(5)** ¿Puede darme.

3. Los estudiantes comprueban las respuestas del ejercicio anterior.

4. Los estudiantes tapan el texto y marcan el recorrido en el plano. Si es necesario, ponga otra vez la audición.

COMUNICACIÓN

■ En ambos diálogos se puede utilizar la primera persona para preguntar *(¿cómo voy a Plaza de España?)*, o bien la forma impersonal *(¿cómo se va a Plaza de España?)*.

5. Los estudiantes completan el cuadro. Pida a varios de ellos que representen los diálogos.

Perdona – Coge – cambia.

HABLAR

6. En parejas. Muestre cómo se hace leyendo usted el ejemplo. Las estaciones que se nombran en esta actividad están señaladas en el plano para que puedan encontrarlas. Deje unos minutos a sus alumnos para que lo hagan, después varias parejas representan los diálogos para toda la clase.

- Otra posibilidad para la corrección: Usted puede nombrar a una pareja para que represente el diálogo y a otra para que lo corrija. De esa manera participan más alumnos de forma activa. Si usted ve que hay algún error y la pareja que corrige no se da cuenta, pregunte a la clase. Si nadie se ha dado cuenta, corrija usted.

LEER

- Antes de leer escriba estas preguntas en la pizarra para ayudarles a hacer hipótesis sobre el contenido y para revisar sus esquemas antes de ver el texto:

¿A qué hora pensáis que abre el metro de Madrid, antes o después de las 7 de la mañana?

¿Funciona todos los días?

¿A qué hora pensáis que cierra, antes o después de las 12 de la noche?

Después de unos minutos hable con ellos sobre las respuestas y anote en la pizarra lo que opina la mayoría.

7. Uno de los estudiantes lee el primer párrafo. Explique el significado de la palabra *nocturno* y acláreles que la plaza de Cibeles es una de las más céntricas de Madrid. Comente las respuestas a las preguntas anteriores.

Otro estudiante lee los dos párrafos siguientes. Aclare las palabras que no entiendan. Hágales ver que en esa misma página hay un billete de metrobús y en la página 59 de esta unidad hay un abono transporte.

- El transporte público de Madrid tiene una buena relación calidad-precio, especialmente en el caso del metro, que es uno de los más modernos de Europa.

Los estudiantes responden por escrito las preguntas y comentan con su compañero. Corrigen después entre todos.

> **1.** Sí, desde las 6.
> **2.** No, ya está cerrado. Sí, hay autobuses nocturnos.
> **3.** Una.
> **4.** Metrobús.
> **5.** Sí.
> **6.** En el metro (taquillas y máquinas), en quioscos y estancos.

IDEAS EXTRA

- Si en su ciudad hay metro dígales que traigan el plano y practiquen en parejas:

¿Cómo vienes desde tu casa a la escuela?

Primero cojo/tomo el metro en... me bajo en ...

- Si no hay metro pueden explicar su trayecto en autobús, por ejemplo.

B. Cierra la ventana, por favor

> **OBJETIVOS**
>
> **Comunicación:** Dar instrucciones y pedir favores.
> **Gramática:** El imperativo afirmativo irregular.

Antes de empezar

- Pregunte a sus estudiantes por el dibujo a):

¿Dónde están?

¿Qué le dice el profesor al niño?

Usted escribe en la pizarra *sentarse.*

6

1. Los alumnos hacen la actividad individualmente. Corrija con ellos en alto, en parejas, para que se vean las distintas formas de responder afirmativamente a una instrucción o una petición: *ahora mismo, vale, sí, claro,* etc.

> **1.**-a. **2.**-c. **3.**-g. **4.**-f. **5.**-b. **6.**-d. **7.**-e.

- Pida a los estudiantes que le digan cuál es el infinitivo de cada uno de los verbos de la actividad. Escríbalos en la pizarra: *venir, poner, cerrar, torcer, coger, seguir, hacer.*

GRAMÁTICA

- En esta unidad aparecen otros usos del imperativo: dar instrucciones y pedir favores. Además, se presentan los imperativos afirmativos irregulares más frecuentes: *hacer, poner, venir, coger,* etc. Y también aquellos que tienen irregularidades vocálicas: *cerrar, sentarse, decir,* etc.

Los verbos que presentan irregularidad vocálica en el presente la mantienen en la 2.ª y 3.ª personas del singular del imperativo. Ver "referencia gramatical", p. 176.

- La utilización de *tú* y *usted* no es igual en todo el ámbito del español. En la mayoría de los países americanos se prefiere el uso de *usted/ustedes* para el trato informal, incluso para las relaciones familiares. De hecho, en muchos países no existe la 2.ª persona del plural *(vosotros)*. En la mayor parte de España (excepto Canarias y algunas zonas de Andalucía) se utiliza *usted* sólo en las relaciones formales.

2. Los estudiantes hacen la actividad individualmente. Corrija después con todos.

> **1.** sigue. **2.** haz. **3.** ven. **4.** cierra.

- Trabaje las irregularidades vocálicas a partir de lo que ya saben del presente. Pregunte oralmente y escriba en la pizarra:
  (e>i): seguir (→) sigue tú, siga usted.
  (e>ie): cerrar (→) cierra tú, cierre usted.
- Amplíe con verbos como *pedir, empezar*, etc. y con los verbos en *(o>ue)* como *torcer*, etc. Dígales que escriban en su cuaderno el imperativo de esos verbos y escríbalo en la pizarra.

3. Los estudiantes hacen la actividad individualmente y después corrigen entre todos.

> **(2)** cierre. **(3)** siéntese. **(4)** haga. **(5)** ponga.

4. Los alumnos escuchan y comprueban. Pida a dos alumnos que lean el diálogo en voz alta.

> Jefe: Sr. Hernández, ¿puede venir a mi oficina, por favor?
> Hernández: Sí, claro.
> H.: ¿Se puede?
> J.: Sí, sí, <u>pase</u> y <u>cierre</u> la puerta, por favor… <u>Siéntese</u>. Tengo una reunión en el banco el próximo lunes y necesito la información de su departamento.
> H.: No hay problema, está todo preparado.
> J.: Bien, <u>haga</u> el informe antes del lunes y <u>ponga</u> todos los datos de este año.

COMUNICACIÓN

- Podemos pedir favores o incluso dar órdenes con *poder + infinitivo* en una oración interrogativa. En líneas generales, decimos que la pregunta es más indirecta que el imperativo pero también es importante el tono (neutral, cortés, irónico) que utilizamos y el contexto en el que estamos.

5. Los alumnos hacen la actividad individualmente. Después, comprueban las respuestas con su pareja y piensan en las posibles respuestas (pueden consultar la actividad 1):
¿Puede venir a mi oficina?
Ahora mismo.

- Haga la corrección en parejas, de manera que haya pregunta y respuesta.

> **2.** ¿Puedes poner la televisión? (Vale / Sí, claro)
> **3.** ¿Puedes cerrar la ventana? (Sí, claro / Ahora mismo)
> **4.** ¿Puedes hacer tú la cena? (Sí, claro / Vale)
> **5.** ¿Puedes decirme la hora, por favor?) (Sí, claro / Ahora mismo)

HABLAR

6. Los estudiantes van a poner en práctica lo que han aprendido. Deje unos minutos para que hagan el ejercicio y pídales que lean después sus peticiones en alto. El alumno al que se dirige la petición tiene que hacer intención de cumplirla, para demostrar que lo ha entendido. Haga usted una demostración de la actividad. Escriba una petición con el nombre de uno de sus alumnos y espere a que lo haga.

IDEAS EXTRA

1. Dígales que imaginen estas situaciones:
  - Van al médico, hay mucha gente y tienen que esperar, la enfermera señala una silla y… ¿qué dice? ("siéntese, por favor").
  - En el dibujo **1. d** las dos personas se conocen y se tratan de tú, ¿cómo le indica la dirección? *(coge…, sigue…)*.

2. En parejas, los alumnos tienen que imaginar otras situaciones (de la actividad 1) en las que se cambiaría el tratamiento. Por ejemplo:
  b) El hombre es el profesor de la autoescuela, la mujer es mayor.
  c) Hablan dos compañeros del trabajo (no jefe-compañero).

e) En España es prácticamente imposible (excepto en Canarias y algunas zonas de Andalucía) que una madre hable a su hijo de usted; pero es muy frecuente en la mayoría de Hispanoamérica.

f) Son dos personas que apenas se conocen, o bien ella es su jefa.

g) La mujer es la empleada del hogar.

A P **9. Instrucciones de los bomberos,** *Guía didáctica,* p. 130.

C. Mi barrio es tranquilo

OBJETIVOS

Gramática: *Ser/estar.*
Comunicación: Describir el barrio.
Pronunciación y ortografía: *r/rr.*

Antes de empezar

● Explique a sus alumnos qué es un barrio. Dé ejemplos de barrios de su ciudad. Pregúnteles después cómo se llama el barrio en el que ellos viven y si se parece o no al de la foto:

1. Comente las preguntas con los alumnos. Dialogue con ellos sobre los distintos barrios. Escriba algunos adjetivos que vayan apareciendo:
es céntrico / grande / viejo…
está cerca / lejos / al lado de…

2. Antes de leer pregunte si saben qué tipo de texto es (correo electrónico) y pídales que le digan quién los escribe y a quién van dirigidos.
Un estudiante lee en voz alta el primer correo y el otro la respuesta. Asegúrese de que entienden expresiones como *por fin, no me importa, toma nota, me extraña.*

3. Los estudiantes hacen la actividad individualmente y después comprueban con la pareja. Corrija con todos.

> **1.** No, es un poco pequeño.
> **2.** No.
> **3.** En metro.

GRAMÁTICA

■ Pídales que vuelvan a leer los textos y que hagan este relaciona:

está	grande/pequeño
es	tranquilo
en la	calle Colón
una	calle ruidosa
	rápido

Pueden comprobar sus respuestas en el cuadro de gramática. Consulte la "referencia gramatical", pp. 176-177.

4. Los estudiantes hacen el ejercicio individualmente. Corrija después con todos.

> **1.** está… es. **2.** está. **3.** es. **4.** es.
> **5.** está… es… está. **6.** está. **7.** está.

5. Los estudiantes hacen el ejercicio individualmente. Corrija después con todos.
● Recuérdeles las reglas de concordancia entre sujeto y verbo.

> Los coches están en el garaje / cerca / lejos.
> Los coches son baratos.
> Esta calle está cerca / lejos.
> Esta calle es ruidosa / muy tranquila.
> Los billete de metro son baratos.
> La parada de autobús está cerca / lejos.
> La estación de metro está cerca / lejos.

HABLAR

6. Los estudiantes aplican lo que han aprendido para hablar de su propia experiencia. Si lo cree conveniente, dígales que preparen la actividad escribiendo un párrafo sobre su barrio, así se facilita la fluidez. Muestre usted algunas claves, describa su propio barrio.
Dé unos minutos para que cada miembro de la pareja haga la actividad. Pasee por la clase y escuche lo que dicen. Ayúdelos si es necesario. Si detecta errores de comunicación, coméntelo después con todo el grupo con el fin de solucionarlos.

6

PRONUNCIACIÓN Y ORTOGRAFÍA

1. Los estudiantes escuchan y repiten en voz alta. Detecte los posibles errores y hágales repetir más veces si es necesario. Para muchos estudiantes es difícil pronunciar tanto la /r/ como la /rr/. No es necesario que la pronunciación sea perfecta, pero sí que los dos sonidos se distingan.

2. Los estudiantes completan las palabras y comprueban con su compañero. Después escuchan la audición y corrigen los errores. Por último, repiten las palabras.

> **1.** Roma.
> **2.** Inglaterra.
> **3.** Perú.
> **4.** cartero.
> **5.** compañero.
> **6.** rosa.
> **7.** pizarra.
> **8.** terraza.
> **9.** armario.

3. En parejas. Uno dicta al otro (que no puede ver el texto) varias veces, hasta que consiga escribir el texto correctamente.

IDEAS EXTRA

Los estudiantes hacen este dictado en parejas:

> **ALUMNO A**
>
> R con R cigarro.
> R con _____ .
> Deprisa corren _____ .
> por los raíles _____ .

> **ALUMNO B**
>
> R con _____ .
> R con R barril.
> _____ los carros.
> _____ del ferrocarril.

A P   **10. ¿Cómo es? ¿Dónde está?**, *Guía didáctica*, p. 131.

Entregue un dibujo a cada miembro de la pareja. Hay 6 diferencias entre ambos dibujos, dígales que deben encontrarlas haciendo frases con *ser o estar* sobre su dibujo y algunas palabras que se les dan.

Autoevaluación

1.

> **(2)** guarda **(3)** cierra **(4)** conecta **(5)** apaga.

2.

> 2-e. 3-b. 4-g. 5-f. 6-a. 7-d.

3.

> **2.** está. **3.** están. **4.** está. **5.** es. **6.** es. **7.** están

4.

> **1.** F. **2.** V. **3.** F. **4.** V. **5.** F.

De acá y de allá

MÚSICA LATINA

Antes de empezar

● Pregunte a sus estudiantes qué saben de la música latina, qué cantantes o canciones conocen. Pregúnteles también si saben lo que es el flamenco, en qué país se canta y se baila, etc. Destaque la importancia que tiene la música entre los latinos como forma de expresión, de diversión, de relación interpersonal o simplemente como "acompañante" de la mayoría de las celebraciones.

1. Pida a los alumnos que hagan este ejercicio. Seguro que conocen casi todas las palabras, esa es una prueba del reconocimiento que la música latina tiene en todo el mundo.

2. Los estudiantes escuchan la grabación una o dos veces y contestan la pregunta.

> **1.** salsa. **2.** flamenco. **3.** tango. **4.** ranchera.

INFORMACIÓN ADICIONAL

Ranchera: Canción y baile mexicanos que fueron muy populares después de la revolución mexicana (siglo XX). Se canta acompañada de guitarras e instrumentos propios de los conjuntos de mariachis (así se llaman los cantantes de rancheras). El cantante Jorge Negrete popularizó este estilo musical a mediados del siglo XX.

Salsa: Género musical originario del Caribe. Es actualmente símbolo distintivo de Cuba y Puerto Rico, entre otros países, y se baila prácticamente en todo el mundo. Se caracteriza por el predominio de la percusión, sobre todo los tambores, acompañados por instrumentos de viento y de cuerda.

Algunos de los "salseros" más populares son Oscar de León, Celia Cruz, Tito Puente…

Tango: Canción y baile argentinos que se baila en pareja. Tiene muchas variedades, aunque predomina el tema romántico, nostálgico o sentimental. En las primeras décadas del siglo XX fue el baile de moda en Europa. Uno de sus intérpretes más representativos es Carlos Gardel.

Flamenco: Es un estilo musical y un baile característico de Andalucía que se ha convertido en símbolo o sello distintivo de España en todo el mundo. El cante se acompaña con palmas y sonido de guitarra. Sus representantes más conocidos son: Camarón de la Isla (cantaor), Paco de Lucía (guitarrista), Joaquín Cortés (bailaor)…

3. Antes de hacer la actividad pregunte a sus alumnos si conocen a las personas de las fotos. En caso afirmativo pídales que le digan si son cantantes, bailarines, compositores… y si saben el título de alguna canción.

> **1-** b. **2-** c. **3**-a.

4. Hable con sus alumnos. Pregúnteles también si saben bailar algún ritmo latino. Anímeles a que traigan algún CD y demuestren a sus compañeros cómo se baila.

6

A. ¿Dónde quedamos?

OBJETIVOS

Vocabulario: Lugares y actividades de ocio.
Comunicación: Recursos para concertar una cita.
Gramática: Verbo *quedar*.

Antes de empezar

● Pida a los alumnos que piensen en actividades de tiempo libre y deportes. Haga una lista en la pizarra y practique la pronunciación.
Sugerencias: *montar en bicicleta, escuchar música, bailar, viajar, cenar en un restaurante, ir a fiestas, ir de compras, cocinar, ver la tele*, etc.

1. Realice la actividad con sus alumnos. Corrija los fallos de pronunciación y entonación.

2. Antes de escuchar la audición, los alumnos hacen una lectura previa con el fin de localizar los problemas de vocabulario. Después leen y escuchan. A continuación contestan a las preguntas. Corrija con ellos.

> **1.** Ir al cine.
> **2.** En la puerta del metro.
> **3.** A las ocho.

■ El verbo *"quedar"* tiene varios significados. Básicamente, *"quedarse"* significa permanecer en un lugar, pero *"quedar"* (sin pronombre) se utiliza habitualmente para "concertar una cita". Se suele *"quedar"* con alguien para hacer algo. Se *"queda"* en un lugar a una hora determinada.
> *¿Dónde quedamos? ¿A qué hora quedamos? ¿Cómo quedamos?* Son las preguntas típicas cuando estamos concertando una cita para "salir".

3. Los alumnos realizan la actividad individualmente. Aclare el significado de las expresiones del recuadro.

4. Los alumnos escuchan la grabación y comprueban las respuestas del ejercicio anterior.

> A. ¿Sí?
> B. ¿Está Alicia?
> A. Sí, soy yo.
> B. ¡Hola! Soy Begoña.
> A. ¡Hola! ¿Qué hay?
> B. Voy a salir de compras esta tarde. <u>¿Vienes conmigo?</u>
> A. <u>Lo siento</u>, hoy <u>no puedo</u>, tengo mucho trabajo. <u>Mejor mañana.</u>
> B. Bueno, vale. ¿A qué hora? <u>¿Te parece bien a</u> las seis?
> A. Sí, de acuerdo.
> B. Hasta mañana.

> **1.** ¿Vienes conmigo?
> **2.** Lo siento.
> **3.** no puedo.
> **4.** Mejor mañana.
> **5.** ¿Te parece bien...?

● Pida a sus alumnos que practiquen ambas conversaciones hasta aprender las interacciones casi de memoria. Es importante que automaticen los recursos para hablar por teléfono.

COMUNICACIÓN

5. Los alumnos realizan la actividad, localizando en los diálogos de los ejercicios 2 y 3 las expresiones que nos sirven para aceptar invitaciones. Corrija con ellos.

> Respuestas posibles: ¡Estupendo! Vale. Bueno, vale. Sí, de acuerdo.

HABLAR

6. Este juego de roles servirá a sus estudiantes para afianzar la producción de interacciones sencillas para invitar, quedar, aceptar. Los alumnos realizan la actividad en parejas, siguiendo el modelo del ejemplo. Controle la actividad y aclare las dudas.
● Una vez practicados los diálogos, pueden ser dramatizados ante la clase.

ESCUCHAR

7. Se presenta otro ejemplo de conversación telefónica útil. En este caso la llamada se hace a una empresa, y, por tanto, la secretaria, al responder, da el nombre de la empresa.
Los alumnos realizan la actividad individualmente.

8. Los alumnos escuchan la grabación y comprueban las respuestas del ejercicio anterior. Corrija con ellos.

> A. Inmobiliaria Miramar. Buenos días.
> B. Buenos días. ¿Puedo hablar con el Sr. Álvarez?
> A. No está en este momento. ¿Quiere dejarle un recado?
> B. Sí, por favor, dígale que la Sra. García va mañana a las once y media para hablar con él.
> A. Muy bien, le dejo una nota.
> B. Muchas gracias, adiós.
> A. Adiós.

HABLAR

9. En parejas, los alumnos practican las conversaciones telefónicas, siguiendo los modelos de las conversaciones 2 y 3.

IDEAS EXTRA

Dibuje en la pizarra una agenda con cuatro apartados: sábado (mañana y tarde) y domingo (mañana y tarde). Dígales a los estudiantes que tienen que concertar cuatro citas para realizar cuatro actividades con cuatro compañeros para el fin de semana. Haga usted una demostración con un alumno.

> – ¿Vamos al cine el sábado por la tarde?...
> – Vale, ¿dónde quedamos?
> – En la parada del metro de Sol.
> – ¿A qué hora quedamos?
> – A las 6 y media.

B. ¿Qué estás haciendo?

> **OBJETIVOS**
>
> **Gramática:** *Estar* + gerundio + pronombres reflexivos.
> **Vocabulario:** Actividades en la playa.
> **Pronunciación y ortografía:** Entonación exclamativa.

Antes de empezar

● Pregunte a sus alumnos qué cosas se suelen hacer en la playa. Escriba el vocabulario en la pizarra. Sugerencias: *tomar el sol, bañarse, jugar a la pelota, pasear, leer el periódico, secarse con la toalla...*

1. Los alumnos realizan la actividad por parejas, para ayudarse entre ellos a aclarar los problemas de comprensión del vocabulario. Corrija con ellos.

> **1.** V. **2.** V. **3.** F. **4.** V. **5.** V. **6.** F. **7.** V. **8.** V. **9.** F. **10.** V.

Dígales que subrayen la forma verbal y pregúnteles oralmente el verbo en infinitivo correspondiente. *Está duchándose* es *"ducharse"*.

GRAMÁTICA

■ Explique a sus alumnos la construcción formal de la perífrasis *estar* + *gerundio* (presente del verbo *estar* + *gerundio* del verbo que se está conjugando). Ver "referencia gramatical", p. 177.
Diga otros verbos y haga una ronda, pidiendo la forma correspondiente. Ejemplo:
Profesor: *¿Trabajar?*
Estudiante: *Yo estoy trabajando.*
¿Ver la tele? ¿Estudiar?

■ En este apartado se presenta la forma verbal *estar* + *gerundio* como forma de expresar las acciones que están sucediendo en el momento del habla.
También se utiliza para hablar de lo que hacemos en una época de nuestra vida: *Ahora estoy aprendiendo a bailar flamenco.*

2. Los alumnos realizan la actividad individualmente. Corrija con ellos.

> **1.** No está escribiendo; está pintando
> **2.** No están hablando; están cantando.
> **3.** No están estudiando; están viendo la tele.
> **4.** No está leyendo; está navegando por Internet.
> **5.** No están discutiendo; están hablando.

Verbos con pronombre reflexivo

■ Los verbos llamados pronominales o reflexivos, que se conjugan con un pronombre reflexivo *(me, te, se, nos, os, se)*, cuando se conjugan en la forma *estar* + *gerundio*, pueden llevar el pronombre reflexivo en dos posiciones diferentes: al principio de la forma verbal o al final de la misma.

Se está peinando o *Está peinándose.*

■ Una vez presentada la estructura, practíquela con sus alumnos. Puede pedir a un voluntario que represente con mímica ante la clase una acción y sus compañeros deberán adivinar qué está haciendo.

3. Los estudiantes realizan el ejercicio individualmente.

> **1.** me. **2.** me. **3.** nos. **4.** se. **5.** se. **6.** se. **7.** me.

4. Los alumnos escuchan y comprueban las respuestas del ejercicio anterior. Corrija con ellos.

> **1.** A. Rosa, ¿qué estás haciendo?
> B. Ahora mismo estoy peinándo<u>me</u>, porque voy a salir.
> **2.** A. ¡Luis, al teléfono!
> B. No puedo, estoy duchándo<u>me</u>.
> **3.** A. Niños, ¿qué hacéis?
> B. Nada, mamá, <u>nos</u> estamos lavando las manos.
> **4.** A. ¡Qué ruido hacen los vecinos!
> B. Sí, están levantándo<u>se</u> ahora porque salen de viaje.
> **5.** A. ¡Hola!, ¿está Roberto?
> B. Sí, pero está afeitándo<u>se</u>, llama más tarde.
> **6.** A. ¿Y Clara?, ¿dónde está?
> B. En el baño, está duchándo<u>se</u>.
> **7.** A. Joana, ¿qué haces?
> B. <u>Me</u> estoy pintando para salir.

PRONUNCIACIÓN Y ORTOGRAFÍA

1. Los estudiantes escuchan y repiten, prestando una atención especial a la entonación de las frases.

2. Los estudiantes escuchan la audición y completan.

> **1.** Claudia Schiffer es bastante fea, ¿verdad?
> **2.** ¿Vamos al cine?
> **3.** Mira que bolso me he comprado.
> **4.** Tengo un piso nuevo.
> **5.** Bueno, me voy, ¡hasta luego!
> **6.** Hay paella para comer.
> **7.** Mira la tele, cuántas noticias malas.

> **1.** d. **2.** a + g. **3.** e. **4.** c. **5.** b. **6.** c + g. **7.** f.

3. Escuchan de nuevo y comprueban las respuestas del ejercicio anterior. Corrija con ellos.

> **1.** Claudia Schiffer es bastante fea, ¿verdad?
> ¡Qué va!
> **2.** ¿Vamos al cine?
> ¡Vale! ¡estupendo!
> **3.** Mira qué bolso me he comprado.
> ¡Qué bonito!
> **4.** Tengo un piso nuevo.
> ¡Qué bien!
> **5.** Bueno, me voy, ¡hasta luego!
> ¡Hasta luego!
> **6.** Hay paella para comer.
> ¡Qué bien! ¡Estupendo!
> **7.** Mira la tele, cuántas noticias malas.
> ¡Es horrible!

● Diga otras afirmaciones para que los estudiantes reaccionen. *Mañana no hay clase. El Real Madrid juega muy mal. Ronaldinho es un mal futbolista. Micaela se va a casar pronto. ¿Hacemos un examen?*

IDEAS EXTRA

Pida a sus alumnos que se intercambien preguntas y respuestas con el compañero sobre su familia: *¿Qué está haciendo tu madre / padre / mujer / marido... en este momento?*

AP **11. ¿Qué estás haciendo?,** *Guía didáctica,* p. 132.

C. ¿Cómo es?

> **OBJETIVOS**
> **Vocabulario:** Características físicas. Adjetivos de carácter.
> **Comunicación:** Descripciones físicas y de carácter.

Antes de empezar

- Lleve a clase distintas fotos de personajes más o menos famosos y pregunte a sus alumnos: *¿Es guapo o feo?, ¿joven o mayor?, ¿alto o bajo?...* y vaya escribiendo en la pizarra las respuestas. Las fotos deben ser variadas para que aparezcan casi todos los exponentes que van a salir después. Si previamente no conocen el vocabulario, escriba las palabras básicas y explique su significado.

- Pregunte a sus alumnos si conocen a los personajes de las fotografías. Infórmeles de que son dos famosos actores. Antonio Banderas, español, y su esposa, la actriz americana Melanie Griffith.

VOCABULARIO

1. Los alumnos pueden realizar la actividad individualmente o en parejas, para aclarar las dudas de vocabulario. Corrija con ellos.

> **1.** a. **2.** c. **3.** b. **4.** d. **5.** e. **6.** f.

2. Los estudiantes escuchan la grabación y completan el texto. En una segunda audición comprueban sus respuestas. Corrija con ellos.

> **1.**
> Tiene el <u>pelo</u> largo y rubio. Tiene los <u>ojos</u> verdes. ¡No tiene <u>bigote</u>!
> **2.**
> Tiene los <u>ojos</u> oscuros. Tiene el <u>pelo</u> corto y la <u>barba</u> negra.

> 1. pelo / ojos / bigote.
> 2. ojos / pelo / barba.

3. Antes de comenzar la actividad pregunte a sus alumnos si conocen a los personajes. Acláreles que a) es un famoso tenista español llamado Carlos Moyá; b) es la Reina Sofía, de España; c) es una famosa futbolista brasileña, llamada Milena; d) Raúl, futbolista del Real Madrid.

- Anime a sus alumnos a que los describan oralmente (*es moreno / rubio, es joven / mayor...*) para prepararlos para la audición.
- Los alumnos escuchan la grabación y completan la actividad. Corrija con ellos.

> **1.** Tiene el pelo largo y moreno y los ojos oscuros. No lleva gafas. Es un famoso tenista mallorquín.
> **2.** Tiene el pelo corto y moreno. Tiene los ojos oscuros. No tiene barba. Juega al fútbol en el Real Madrid.
> **3.** Tiene el pelo corto y rubio. Tiene los ojos azules. Es la Reina de España.
> **4.** Tiene el pelo largo y rubio, los ojos oscuros. También es futbolista.

> **1.** a. **2.** d. **3.** b. **4.** c.

COMUNICACIÓN

- Explique a los alumnos la diferencia en el uso de los verbos *ser, tener* y *llevar* en la descripción de características físicas.
- Hágales observar la diferencia de significado en los adjetivos antónimos presentados en el recuadro.

ESCRIBIR

- Antes de realizar la actividad puede informar a sus alumnos de que los dos personajes de las fotografías son dos famosos actores españoles: Santiago Segura y Pilar Bardem.

4. Los alumnos realizan la actividad individualmente. Después varios alumnos escriben sus textos en la pizarra y entre todos corrigen los errores. Es posible que haya errores de concordancia, subráyelos y corríjalos.

HABLAR

5. Pida a sus alumnos que realicen la descripción de un compañero/a sin decir su nombre. Es conveniente que la escriban primero, y usted puede ir corrigiendo los errores. Luego la leen o dicen en voz alta. Los demás intentarán adivinar de quién se trata.

VOCABULARIO

- Explique el vocabulario de carácter definiendo los términos; ellos intentarán adivinar el adjetivo: *¿Cómo se llama el que no gasta dinero?, ¿y el que habla mucho?...*

6. Los estudiantes realizan la actividad individualmente. Corrija con ellos.

| 1. b. | 2. c. | 3. d. | 4. a. | 5. e. |

LEER

● Explique a sus alumnos qué es un "cocido madrileño" (comida típica de Madrid, hecha con garbanzos, carne, chorizo... y verduras).

7. Los estudiantes realizan la actividad individualmente. Corrija con ellos.

| 1. es. | 2. gustan. | 3. gusta. | 4. beber. | 5. odia. |

HABLAR Y ESCRIBIR

8. Los alumnos, en parejas, realizan la actividad 1 utilizando el vocabulario de la actividad 6.

9. Los estudiantes realizan la actividad individualmente. Después corrija un par de textos en la pizarra para detectar posibles errores.

IDEAS EXTRA

1. Un alumno sale de la clase. Los que están dentro eligen a alguien para que sea descrito y adivinado por el de fuera. El alumno que está fuera entra de nuevo en clase y pregunta: *¿Es alto / bajo...?*

2. Pegue en la pared unas 10 fotos de hombres y mujeres (sacadas de revistas). Ponga un número a cada una. En parejas, o en grupos de tres, uno describe a un personaje y el otro dice el número.

3. Pida (como deberes) que describan por escrito a dos o tres personas de su familia (hombres y mujeres).

 12. ¿Cómo es?, *Guía didáctica*, p. 133.

10. Canción: *Guantanamera.*

■ Reparta a sus alumnos fotocopias de la letra de la canción, dejando como huecos las palabras subrayadas.
■ Escriba en la pizarra las palabras que van a necesitar para rellenar los huecos, indicándoles que algunas de ellas las tendrán que colocar dos veces:

verde (x2), tierra, quiero, herido, sincero (x2), pobres (x2), mar

■ Explique a sus alumnos que una *guajira* es una campesina cubana, pero también el nombre de un canto popular usual entre los campesinos de Cuba. Aclare también que la palabra *guantanamera* se refiere al origen del canto, que procede de una provincia al este de Cuba, llamada Guantánamo.
■ Realice la audición de la canción con sus alumnos.

A P **13. Canción Guantanamera,** *Guía didáctica*, p. 134.

Guantanamera

Guantanamera,
Guajira guantanamera
Guantanamera,
Guajira guantanamera

Yo soy un hombre <u>sincero</u>
De donde crece la palma
Yo soy un hombre <u>sincero</u>
De donde crece la palma
Y antes de morirme <u>quiero</u>
Echar mis versos del alma

Guantanamera,
Guajira guantanamera
Guantanamera,
Guajira guantanamera

Mi verso es de un <u>verde</u> claro
Y de un jazmín encendido
Mi verso es de un <u>verde</u> claro
Y de un jazmín encendido
Mi verso es un ciervo <u>herido</u>
Que busca en el monte amparo

Guantanamera,
Guajira guantanamera
Guantanamera,
Guajira guantanamera

Por los <u>pobres</u> de la tierra
Quiero yo mi suerte echar
Por los <u>pobres</u> de la tierra
Quiero yo mi suerte echar
El arrullo de la <u>tierra</u>
Me complace más que el <u>mar</u>

Guantanamera,
Guajira guantanamera
Guantanamera,
Guajira guantanamera

Guantanamera,
Guajira guantanamera
Guantanamera,
Guajira guantanamera

Autoevaluación

1.

> a) El documental *Exiliados*.
> b) En el teatro Lope de Vega.
> c) Un concierto flamenco.
> d) A las 22.30 h.
> e) El Real Madrid y el Barcelona.
> f) *Te doy mis ojos*.
> g) *Bodas de sangre* de García Lorca.
> h) Alejandro Sanz.

2.

> **1.** tacaño.
> **2.** callado.
> **3.** hablador.
> **4.** simpático.
> **5.** educado.
> **6.** generoso.

3.

> Ana se está riendo.
> Sergio está escuchando la radio.
> Pilar está comiendo.
> David y Rosa están discutiendo.
> Pedro está hablando por teléfono.

2. Los estudiantes realizan la actividad en grupos de cuatro. Controle su desarrollo, pasee por la clase corrigiendo los posibles fallos de entonación. Después, los alumnos, de dos en dos, pueden dramatizar el diálogo ante sus compañeros.

7

De acá y de allá

En esta unidad se presentan cuatro textos con información cultural referida a cómo disfrutan de su tiempo libre los jóvenes hispanos.

En los países donde el clima es suave, está muy extendida la costumbre de reunirse con los amigos fuera de casa.

La edad a la que los padres permiten a sus hijos permanecer fuera de casa durante las horas nocturnas depende de las costumbres familiares. En algunos casos las normas son más rígidas con las chicas que con los chicos.

• Lea los textos en voz alta y vaya aclarando el significado del vocabulario nuevo.

1. Los alumnos realizan la actividad individualmente. Corrija con ellos.

> **1.** F. **2.** V. **3.** F. **4.** V. **5.** V.

A. De vacaciones

> **OBJETIVOS**
>
> **Comunicación:** Preguntar e indicar cómo se va a un lugar.
> **Vocabulario:** Establecimientos de la ciudad: farmacia, correos...

Antes de empezar

- Escriba en la pizarra el vocabulario básico de establecimientos e instalaciones que van a necesitar para poderse orientar en el mapa: *farmacia, oficina de correos, catedral, posta sanitaria, iglesia...*
- Explique el significado de estas palabras preguntando a sus alumnos: *¿Dónde venden medicinas / sellos...?*
- Mirando el mapa, aclare el vocabulario, dejando que ellos deduzcan las palabras más internacionales. Cuzco es la segunda ciudad más importante de Perú. Algunas palabras son diferentes del español de España: *posta sanitaria = hospital*
  estación de policía = comisaría
  verbo *tomar = coger* en España.

1. Los alumnos realizan la actividad en parejas, para poderse ayudar con los problemas de vocabulario.

2. Los alumnos realizan la actividad individualmente. Al corregir, escriba las frases en la pizarra para que todos se sitúen y familiaricen con el mapa y busquen la referencia.

- Entender y dar instrucciones para ir de un lugar a otro es una función comunicativa difícil incluso para los hablantes nativos de cualquier lengua. En esta unidad se pretende que el alumno se familiarice y comprenda algunas instrucciones. No podemos esperar que sean capaces de dar instrucciones en español con fluidez.

3. Antes de realizar la audición, diga a sus alumnos que tendrán que seguir el recorrido sobre el mapa. Tendrán que estar muy atentos.

- Repase las claves básicas de las instrucciones para indicar direcciones.
- Ponga la cinta al menos dos veces.

4. Los alumnos realizan la actividad con la ayuda del mapa y de su compañero.

> **a)** B: Salga / a la derecha / a la izquierda.
> **b)** B: a la derecha / Nueva Alta.

5. Nota de errata: Advierta a sus alumnos que en el primer diálogo de la audición, en la respuesta del personaje B, donde dice *Salga por la calle de Sto. Domingo, gire la primera a la izquierda...* debería decir, *Salga por la calle de Sto. Domingo, gire la primera a la derecha...*

Repita la audición al menos dos veces para que los alumnos puedan corregir los resultados de la actividad anterior. Corrija con ellos.

---

a) Desde el hotel:

A. Perdone, ¿puede decirme dónde está la farmacia más cercana?

B. <u>Salga</u> por la calle de Sto. Domingo; gire la primera <u>a la derecha</u> y después, la primera <u>a la izquierda</u>.

b) Desde la iglesia de San Francisco:

A. Por favor, ¿puede decirme cómo se va a la iglesia de Santa Teresa?

B. Siga todo recto y gire la segunda <u>a la derecha</u> y después tome la calle <u>Nueva Alta.</u>

HABLAR

6. Los alumnos realizan la actividad con la ayuda del mapa y del compañero. Corrija los problemas de pronunciación y entonación.

- Haga una demostración con un alumno aventajado.

VOCABULARIO

7. Aclare los dibujos mirando el vocabulario. Después los alumnos realizan la actividad individualmente.

1. c. **2.** d. **3.** b. **4.** f. **5.** e. **6.** a.

8. Antes de realizar la actividad, conviene explicar la diferencia entre *estanco* (donde venden sellos, cartas, todo tipo de tabaco, tarjetas para el teléfono, abonos de transporte, impresos para contratos...) y *quiosco* (periódicos, revistas y postales).

■ Los alumnos realizan la actividad individualmente o por parejas, para aclarar los problemas de vocabulario. Corrija con ellos.

1. e. **2.** b. **3.** c. **4.** d. **5.** f. **6.** a.

IDEAS EXTRA

1. Para practicar un poco más el vocabulario recién aprendido, pregunte a los alumnos: *¿Hay alguna farmacia cerca de tu casa? ¿Qué otros establecimientos hay cerca de tu casa?*

2. Ellos pueden escribir en su cuaderno: *Cerca de mi casa hay un quiosco, una farmacia...* Ayúdeles con las palabras nuevas que necesiten.

3. Pida a algunos estudiantes que lean en voz alta sus frases. Preste atención en la pronunciación y la entonación.

> A P **6. ¿Hay una farmacia?,** *Libro del alumno,* pp. 161 y 167.

B. ¿Qué hizo Rosa ayer?

> **OBJETIVOS**
>
> **Comunicación:** Hablar del pasado (ayer).
> **Gramática:** Pretérito indefinido de los verbos regulares e irregulares.
> **Pronunciación y ortografía:** Acentuación.

Antes de empezar

Pregunte a sus alumnos qué actividades realizaron el día anterior: *levantarse, ir a trabajar, comer en un restaurante, ir de compras...*

1. Pregunte a varios estudiantes adónde fueron. En principio tienen que responder con una de las dos opcio-

nes que se le ofrecen. Si no salieron, pídales que respondan la segunda opción. Enfatice el acento.

2. Los alumnos realizan la actividad individualmente o por parejas, para ayudarse con los problemas de comprensión del vocabulario. Corrija con ellos.

1. d. **2.** b. **3.** a. **4.** c. **5.** e. **6.** f.

■ Diga a los estudiantes que subrayen el verbo en pasado. Lea usted cada frase en voz alta y pídales que repitan. Atención al acento en el verbo.

GRAMÁTICA

■ En este apartado se presenta el pretérito indefinido de los verbos regulares en sus tres conjugaciones. Se presenta el uso del pretérito indefinido para expresar acciones acabadas en un pasado cercano. El uso de este pretérito no es difícil. La dificultad está en la cantidad de formas irregulares que tiene, la mayoría de ellas muy útiles.

■ Lea en voz alta cada uno de los verbos y pida a sus estudiantes que repitan. Cuando termine con el modelo de la primera conjugación, pídales que conjuguen otro como *hablar, estudiar, cenar...* Haga lo mismo con cada modelo en –ER y en –IR. Debe practicarlo varias veces hasta que todos los estudiantes sean capaces de formar el verbo sin muchas dificultades. Atención al acento porque les va a costar un poco al principio acostumbrarse a acentuar la última sílaba, pues están acostumbrados al acento del presente.

3. Los alumnos realizan el ejercicio individualmente. Corrija con ellos.

> **1.** Ayer no leí el periódico.
> **2.** El lunes Juan y yo comimos en un restaurante nuevo.
> **3.** Anoche cenamos con María.
> **4.** Mis amigos no trabajaron el sábado.
> **5.** ¿Compraste ayer el periódico?
> **6.** Eduardo llevó al niño al colegio.
> **7.** ¿Salisteis el viernes por la noche?

ESCUCHAR

4. Los alumnos realizan la actividad individualmente.

8

Después comparan con su compañero. Corrija con ellos.

> **1.** atendí.
> **2.** visité.
> **3.** acabé.
> **4.** pasé.
> **5.** llegué.
> **6.** invitó.
> **7.** cenamos.

5. Los alumnos escuchan la audición.

> Ayer, como todos los días, me levanté a las siete de la mañana y me preparé para ir a trabajar.
> Al llegar al hospital, como todos los días, atendí a los enfermos de la consulta y visité a los pacientes de las habitaciones.
>
> A las cinco de la tarde, como todos los días, acabé de trabajar y pasé por el supermercado a comprar algo para la cena.
>
> A las seis de la tarde llegué por fin a casa, muy cansada, como todos los días.
> Pero ayer fue diferente: mi marido me invitó a un concierto y después cenamos en mi restaurante favorito.

GRAMÁTICA

- En este apartado se presenta el pretérito indefinido de los verbos irregulares *ir* y *estar*.
- Explique que los pretéritos indefinidos de *ir* y *ser* son iguales. Escriba en la pizarra dos o tres ejemplos con cada verbo. Subraye las preposiciones que los acompañan. Dígales que escriban una frase con cada uno: *Ayer fui al cine. Ayer fui feliz.* ("Referencia gramatical", p. 178).

ESCUCHAR

6. Los alumnos realizan la actividad de forma individual, escuchando la audición al menos dos veces. Corrija con ellos.

S. ¡Oh, qué semana tan terrible! Por fin de vuelta a casa.

F. ¿Dónde estuviste?

S. El lunes fui a Caracas para visitar a un cliente, y el martes volamos, mi jefe y yo, a Madrid, para firmar un contrato. Estuvimos dos días de conversaciones y, al fin, lo logramos. El jueves nos fuimos a Río de Janeiro para cerrar unos asuntos pendientes y hoy por fin vuelvo a casa. Y a ti, ¿cómo te fue?

F. Hasta el martes estuve aquí, en Buenos Aires, preparando cosas para irme al día siguiente a Lima, donde estuve trabajando dos días y aproveché para conocer esa linda ciudad. Hoy fui al aeropuerto a primera hora y terminé mi semana de trabajo. ¿Qué te parece si cenamos juntos?

S. Estupendo. Me parece muy buena idea.

	Soledad	Federico
Lunes	Caracas	Buenos Aires
Martes	Madrid	Buenos Aires
Miércoles	Madrid	Lima
Jueves	Río de Janeiro	Lima
Viernes	Buenos Aires	Buenos Aires

- Consulte y lea con sus estudiantes la transcripción del final de libro (p. 206), aclarándoles los términos desconocidos. Hay bastantes palabras nuevas que les ayudarán a construir su vocabulario pasivo.

HABLAR

7. Los estudiantes realizan la actividad individualmente. Corrija con ellos.

> **1.** te levantaste. **2.** empezaste. **3.** fuiste.
> **4.** comiste. **5.** estuviste. **6.** acostaste.

8. Los alumnos realizan la actividad en parejas. Después escriben un breve texto con las respuestas de su compañero, que leerán para toda la clase. Corrija los posibles errores.

PRONUNCIACIÓN Y ORTOGRAFÍA

En el caso del pretérito indefinido el acento es fundamental para distinguir significados. Los estudiantes deberían asimilar desde el principio la pronunciación del pasado.

1. Los alumnos realizan el ejercicio individualmente. Corrija con ellos.

> **1.** b. **2.** b. **3.** a. **4.** a. **5.** a. **6.** a. **7.** b.

2. Los alumnos escuchan de nuevo y comprueban.

IDEAS EXTRA

Diga a sus alumnos que escriban diez frases sobre lo que hicieron ayer o bien un párrafo como el de la actividad 4, según sean sus posibilidades.

> **A P** **7. ¿Qué hiciste ayer?**, *Libro del alumno*, pp. 161 y 167.

> **A P** **14 y 15 ¿Qué hizo ayer?**, *Guía didáctica*, pp. 135 y 136.

c. ¿Qué tiempo hace hoy?

> **OBJETIVOS**
>
> **Vocabulario:** Tiempo atmosférico. Meses y estaciones del año.
> **Comunicación:** Hablar del tiempo.

Antes de empezar

Pregunte a sus alumnos en qué meses del año hace más frío o más calor y en qué meses suele llover más. Pregúnteles si en su ciudad nieva mucho en invierno. Escriba en la pizarra el vocabulario básico: *llueve, hace frío, hace calor, nieva* y alguna frase corta.

1. Aclare el vocabulario nuevo con los alumnos para que sean capaces de realizar el ejercicio individualmente o por parejas. Corrija con ellos.

> **1.** e. **2.** d. **3.** a. **4.** c. **5.** b. **6.** f.

En español, las expresiones para hablar del tiempo no llevan ningún sujeto. Son impersonales.

2. Los alumnos realizan el ejercicio en parejas. Después lo repiten ante la clase para poder corregir los problemas de pronunciación y entonación. Diga usted primero su predilección y escríbala: *A mí me gusta cuando está lloviendo y yo estoy en casa.*

3. Practique con sus alumnos hasta que todos sepan los nombres de los meses del año con cierta fluidez. Cada uno dice un mes consecutivamente hacia delante y hacia atrás: *diciembre, noviembre, octubre...*

- Explique la organización de las estaciones del año en España: primavera (del 21 de marzo al 21 de junio), verano (del 21 de junio al 21 de septiembre), otoño (del 21 de septiembre al 21 de diciembre) e invierno (del 21 de diciembre al 21 de marzo).
- Si la clase es multilingüe, los estudiantes completan la tabla individualmente. Pregunte a varios alumnos: *¿Qué tiempo hace en tu ciudad en marzo / junio / septiembre...?*
- Si la clase es monolingüe, pueden hacer la actividad en parejas o en grupos pequeños.

HABLAR

4. Para practicar los meses del año y las fechas, los alumnos intercambian preguntas sobre los cumpleaños de ellos, sus familiares y amigos. Los estudiantes realizan esta actividad en parejas. Dígales que tomen nota de la información y luego usted pregunta: *¿Cuándo es el cumpleaños de tu compañero?*
Corrija los errores de pronunciación y entonación.

5. Los alumnos realizan la actividad de forma individual.

> **1.** enero. **2.** hace. **3.** veces. **4.** primavera.
> **5.** julio. **6.** mucho. **7.** altas. **8.** noviembre.
> **9.** hace.

Toledo es una ciudad que está a unos 40 km al sur de Madrid. Es un centro turístico muy importante por la riqueza artística que ha acumulado a lo largo de su historia, lo que hace que posea restos de las importantes culturas que ha albergado (árabe, judía y cristiana).

8

> En Toledo, durante los meses de invierno (diciembre, <u>enero</u> y febrero), <u>hace</u> mucho frío y algunas <u>veces</u> nieva. Durante la <u>primavera</u> (marzo, abril y mayo), suben las temperaturas y empieza a hacer buen tiempo. En verano (junio, <u>julio</u> y agosto), hace mucho calor. Todos los días hace <u>mucho</u> sol y las temperaturas son muy <u>altas</u>. En otoño (septiembre, octubre y <u>noviembre</u>), los días son más cortos, el cielo está nublado y a veces llueve y <u>hace</u> viento.

6. Los alumnos realizan la actividad individualmente. Después algunos escriben su texto en la pizarra o lo leen en voz alta al resto de la clase y entre todos se corrigen los posibles errores.

ESCUCHAR

7. Antes de comenzar la audición explique a los alumnos las palabras: *temperaturas (altas y bajas) medidas en ºC, tiempo inestable (variable), buen tiempo (hace sol y temperaturas agradables), mal tiempo (lluvia, frío).*
- Los alumnos escuchan la audición (al menos dos veces) y completan la tabla individualmente. Después comprueban los resultados con los de su compañero. Corrija con ellos.

> Estas son las condiciones meteorológicas para el día de hoy en algunas zonas de Sudamérica. Tenemos tiempo inestable en Brasil, con fuertes lluvias y bajas temperaturas, sobre todo en el interior, donde tenemos 8 ºC en estos momentos. En la zona del Caribe, por el contrario, hace muy buen tiempo, con mucho sol y una temperatura de 22 ºC. Tiempo inestable en la República de México, con fuerte viento y cielo nublado. La temperatura en la capital es de 15 ºC. Próximo parte meteorológico en una hora.

	Brasil	**Caribe**	**México**
Tiempo	Lluvias	Hace sol	Hace viento y está nublado
Temperatura	8 ºC	22 ºC	15 ºC

LEER

8. Los alumnos leen el texto individualmente y realizan una búsqueda de vocabulario nuevo.

- Una vez aclarados los problemas de comprensión, lea el texto a sus alumnos y pídales que después lo lean ellos a su vez en voz alta, para corregir los problemas de pronunciación y entonación.
- Ahora los estudiantes contestan a las preguntas individualmente y comparan las respuestas con las de su compañero. Corrija en la pizarra los errores.

> **1.** En las fiestas de Navidad y Año Nuevo.
> **2.** En las fiestas de Navidad y Año Nuevo.
> **3.** En el Día de los Muertos.
> **4.** En Carnaval.
> **5.** En Carnaval.
> **6.** En Semana Santa.

- Una vez corregidas las respuestas, pregunte a sus alumnos si estas mismas fiestas se celebran en su país o qué otras se celebran en su lugar.

IDEAS EXTRA

Pida a sus alumnos que escriban, uno debajo de otro, los números del 1 al 12. Dícteles los meses del año. Ellos tendrán que colocar el mes en el lugar correspondiente.

Autoevaluación

1.
> **1.** en el estanco.
> **2.** en el quiosco.
> **3.** en la farmacia.
> **4.** en el mercado.
> **5.** en correos.
> **6.** en la comisaría.

2.

> **1.** b. **2.** d. **3.** a. **4.** e. **5.** c.

3.

> **1.** F. **2.** V. **3.** F. **4.** V. **5.** V. **6.** V.

4.

> 1. levanté.
> 2. desayunamos.
> 3. fue.
> 4. fui.
> 5. estuvieron.
> 6. comimos.
> 7. preparó.
> 8. ayudé.
> 9. fuimos.

5.

	Sara	**Lucía**	**Carlos**
¿Dónde estuvieron?	Galicia	Capri	Chile
¿Qué transporte utilizaron?	Tren	Barco	Coche
¿Con quién estuvieron?	Sola	Con amigos	Con su familia
¿Cuánto tiempo estuvieron?	15 días	Un mes	Dos semanas

Sara: El pasado mes de mayo, después de un año de mucho trabajo, tuve 15 días de vacaciones. Fui en tren a Galicia y me alojé en un hotel maravilloso. Pasé unos días estupendos yo sola, sin salir prácticamente de la playa.

Lucía: Mi sitio favorito para pasar las vacaciones es la isla de Capri. Hace veinte años que fui por primera vez. Este verano llegué a la isla en barco, como siempre, para pasar mi mes de vacaciones con un grupo de amigos. Capri no es la misma de hace 20 años, pero sigue siendo única.

Carlos: Tengo muy buen recuerdo de las últimas vacaciones que pasé con mi familia en Atacama, al norte de Chile; está a unos 4.000 metros de altura. Alquilamos un coche para recorrer toda la zona, uno de los desiertos más secos del mundo con unas salinas impresionantes. Fueron dos semanas memorables.

De acá y de allá

En esta unidad se presenta un texto en el que se realiza un recorrido por algunos de los puntos más turísticos de la geografía española.

1. Antes de leer pregunte a sus alumnos qué ciudades y monumentos de España conocen. Anótelos en la pizarra y pregúnteles cuándo fueron, con quién...

2. Los alumnos realizan una lectura individual localizando el vocabulario nuevo.

3. Los alumnos realizan individualmente el ejercicio. Corrija con ellos.

> **1.** V. **2.** F. **3.** V. **4.** F. **5.** V.

4. Los alumnos realizan la actividad por parejas, para ayudarse en la localización de las distintas partes del recorrido.

IDEAS EXTRA

En grupos, dígales que piensen cuáles son los lugares más interesantes de su propio país y que intenten hacer un folleto turístico para informar y atraer a los posibles turistas.

8

9

A. ¿Cuánto cuestan estos zapatos?

Objetivos

Vocabulario: Ropa y objetos personales.
Gramática: Pronombres de objeto directo.
Comunicación: Recursos para comprar.

Antes de empezar

● Diga a uno de sus alumnos que se levante y se sitúe frente a los demás. Pregunte a la clase qué ropa lleva y anote la respuesta en la pizarra. Dígaselo después a otro alumno que lleve ropa diferente, de manera que pueda anotar en la pizarra el vocabulario que se va a trabajar en la unidad:
Lleva unos pantalones negros y una camisa a rayas.
Lleva un jersey azul y unos zapatos negros.

1. Haga la actividad con varios de sus estudiantes. Escriba en la pizarra la expresión *ir de compras* y subraye la preposición.
Pídales que observen el dibujo de la derecha y pregúnteles:
¿Quién es el vendedor? / ¿Quiénes son los clientes? / ¿Qué están comprando?

2. Los estudiantes completan de forma individual el diálogo. Después lo comprueban con su compañero.

> Chica: Mira estos zapatos, Álvaro, son <u>preciosos</u>.
> Chico: <u>No están mal</u>, pero a mí me gustan más aquellos marrones.
> Chica: Oiga, <u>¿cuánto cuestan</u> estos zapatos negros?
> Dependiente: 90 euros.
> Chica: ¿Y aquellos marrones?
> Dependiente: 115 euros.
> Chica: ¿115 euros? <u>Gracias</u>, tengo que pensarlo.

(1) preciosos. **(2)** No están mal. **(3)** ¿cuánto cuestan. **(4)** Gracias.

3. Antes de escuchar prepare el vocabulario nuevo.

■ Aparecen dos verbos pronominales más que funcionan con los pronombres *me/te/le/nos/os/les:* el verbo *"parecer",* para pedir y dar opinión y el verbo *"quedar"* (bien o mal), que se utiliza especialmente para la ropa: *Esta camisa no **me** queda bien. A Rosa no **le** quedan bien estos pantalones. Señora, ¿cómo **le** queda la falda?*
■ Los estudiantes escuchan y completan el cuadro. Puede poner la grabación 2 o 3 veces.

> Álvaro: Celia, ¿qué te parece esta camisa para mí?
> Celia: Bien. ¿Cuánto cuesta?
> Álvaro: Sólo 60 euros. Voy a probármela.
> Celia: Vale. A ver… pues no te queda bien, ¿eh?
> Álvaro: No, no, a mí tampoco me gusta.
> Celia: Toma, pruébate esta chaqueta, es muy bonita.
> Álvaro: A ver…, pues sí, parece que me queda bien, ¿no?
> Celia: Muy bien, es tu talla.
> Álvaro: ¿Cuánto cuesta?
> Celia: 120 euros, es un poco cara.
> Álvaro: Bueno, me la llevo.
> Celia: Mira, ¿qué te parece este gorro? ¿Cómo me queda?
> Álvaro: Bien, muy bien.
> Celia: Pues me lo llevo, sólo cuesta 5 euros.
> Dependiente: Una chaqueta y un gorro de lana… muy bien… son 125 euros. ¿Pagan en efectivo o con tarjeta?
> Álvaro: En efectivo.

> Camisa – 60 euros – no
> Chaqueta – 120 euros – sí
> Gorro – 5 euros – sí

4. Los estudiantes hacen la actividad de forma individual.

> 3-6-1-8-5-2-9-4-7-10

5. Escuchan y comprueban la actividad anterior.

HABLAR

6. Los estudiantes ponen en práctica lo que han aprendido. Si lo cree necesario dígales que escriban los diálogos, así usted podrá comprobar las interacciones. Observe cómo lo hacen, tome nota de los errores y ayúdelos si es necesario.

Elija tres parejas para que representen el diálogo y pida al grupo que corrija los posibles errores.

GRAMÁTICA

Antes de empezar

- Muestre con distintos objetos la diferencia entre los demostrativos:
  Este es mi libro / Ese es tu libro.
  Esta silla / esa silla / aquella silla.
- Señale algún objeto y haga que sus alumnos utilicen los demostrativos:
  Esta ventana / esa ventana...
- Dibuje algo en la pizarra (un círculo, un cuadrado…) y pregunte: *¿Qué es esto?*
- Señale algo que esté lejos, que se vea desde la ventana, por ejemplo, y pregunte: *¿Qué es aquello?*
- Escriba en la pizarra o diga una serie de nombres masculinos y femeninos (*mesas, corbata, coche, televisión, gafas…*) y pida que pongan delante un demostrativo.
  Consulte la "referencia gramatical" de la página 179.

7. Los estudiantes hacen la actividad de forma individual.

> **1.** estas. **2.** este. **3.** esto. **4.** esta. **5.** aquel.
> **6.** estos. **7.** aquello. **8.** esa. **9.** eso.

- Se presentan en esta unidad los pronombres de objeto directo (*me, te, lo/la/le, nos, os, los/las/les*). Conviene explicar mediante ejemplos cuál es su uso y el orden que ocupan en la oración:
  - Normalmente van delante del verbo y en una palabra independiente: *Te quiero.*
  - Con el imperativo afirmativo van detrás y unidos al verbo: *Cógelo.*
  - Con algunas construcciones de infinitivo y gerundio pueden ir delante o detrás, como se ve en el cuadro de la página 79:
    ¿puedo probármelo? = *¿me lo puedo probar?*
  Ver la "referencia gramatical" en la página 179
  Para asentar el concepto de objeto directo, escriba en la pizarra:

¿Conoces a mi hermana?
*Sí, **la** conozco.*
Y a continuación cambie "a mi hermana" por otros complementos: masculino singular "a José", masculino plural "a mis padres", femenino plural "a María y Ana", y pídales que vayan respondiendo con el pronombre correspondiente:
Sí, lo/la/los/las conozco.
Hágalo cuantas veces considere necesario hasta que la mayoría de sus alumnos lo hayan entendido.

8. Los estudiantes hacen la actividad individualmente. Corrija después con todos.

> **1.** lo. **2.** las. **3.** lo / la. **4.** los. **5.** los. **6.** los.

IDEAS EXTRA

Ponga la grabación de la actividad 4 y dígales que completen con qué frase:

1. El cliente pregunta por el precio:
   ¿Cuánto cuesta(n)?
2. El cliente quiere probarse las gafas:
   ¿Puedo probármelas?
3. El cliente compra las gafas:
   Me las llevo.
4. El vendedor pregunta por la forma de pago:
   ¿Cómo paga, con tarjeta o en efectivo?

B. Mi novio lleva corbata

> **OBJETIVOS**
> **Vocabulario:** Colores y adjetivos.
> **Gramática:** Concordancia nombre-adjetivo.
> **Pronunciación y ortografía:** *g / j.*
> **Comunicación:** Describir la ropa.

Antes de empezar

Señale objetos de la clase de distintos colores y pregunte a sus alumnos:
¿De qué color es la pizarra?
¿De qué color es la puerta?
¿De qué color es mi jersey?

GRAMÁTICA

1. Haga la actividad con los alumnos, pregunte a varios y escriba las respuestas en la pizarra. Subraye las terminaciones de nombre y adjetivo para que se fijen en la concordancia:

La camiseta de Myriam es blanca.
Los autobuses son rojos.

■ Pida a los alumnos que observen la serpiente de colores y escriban en su cuaderno 5 objetos con su color correspondiente. Ponga usted un ejemplo: *cielo azul.*
Los estudiantes se mueven por la clase para comprobar lo que han escrito sus compañeros, hasta que tengan 10 objetos con los 10 colores que tiene la serpiente.
Pregunte a los alumnos y escriba en la pizarra las respuestas. Preste atención a los errores de concordancia.

■ Utilice el cuadro de GRAMÁTICA para explicar a los alumnos la concordancia de género y número entre nombre y adjetivo.

2. Pida a los estudiantes que observen el dibujo y completen la actividad en parejas para ayudarse con el vocabulario nuevo.

1. Marta. **2.** Javier. **3.** Ignacio. **4.** Bárbara.

3. Los estudiantes escuchan y comprueban la actividad anterior.

ESCRIBIR

4. Dé unos minutos a sus alumnos para que describan a dos compañeros de clase sin decir su nombre. Pasee por la clase corrigiendo los posibles errores de concordancia y de cualquier otro tipo.
Si el grupo no es muy numeroso, cada alumno puede leer después en alto una de sus descripciones. Los compañeros tienen que adivinar de quién se trata.

LEER Y HABLAR

Aclare palabras como *cómodo/a, elegante, formal e informal* pidiendo a los estudiantes que miren otra vez el dibujo de la página anterior y digan si es verdadero o falso:

1. *Javier lleva ropa muy formal.* (F)
2. *Bárbara lleva ropa elegante.* (V)

3. *Ignacio lleva ropa cómoda e informal.* (F)
4. *Marta lleva ropa cómoda y elegante.* (V)

5 y 6. Los estudiantes hacen la encuesta y después comprueban las respuestas con su compañero.
Pasee por la clase y escuche las respuestas que dan. Cuando hayan terminado haga preguntas al grupo y comente con ellos: *¿Quién va solo a comprar la ropa? ¿Quién va con un amigo? ¿Cuándo compráis ropa? ¿Todos los meses? ¿Cuál es vuestro color preferido? ¿El negro es el color más elegante?*

VOCABULARIO

7. Los estudiantes hacen la actividad individualmente o en parejas, para que se ayuden y hagan hipótesis con el vocabulario nuevo.

1- g. **2**- c. **3**- a. **4**- b. **5**- h. **6**- e. **7**- f. **8**- d.

8 y 9. Los estudiantes hacen la actividad individualmente y luego comparan con su compañero. Pida a dos o tres alumnos que escriban sus frases en la pizarra y corrija con todo el grupo los posibles errores de concordancia.

PRONUNCIACIÓN Y ORTOGRAFÍA

1. Los estudiantes escuchan y repiten en voz alta. Detecte los posibles errores y hágales repetir más veces si es necesario.
Para muchos estudiantes es difícil pronunciar tanto la /x/ como la /g/. No es necesario que la pronunciación sea perfecta, pero sí que los dos sonidos se distingan. También es importante que se fijen en la escritura para que vayan aprendiendo qué palabras se escriben con "g" o con "j".

2. Los estudiantes hacen la actividad individualmente.

gusto / hago / jabón / hijo / pagar.

IDEAS EXTRA

1. Observe la ropa que llevan los alumnos y diga en voz alta: *¿Quién lleva un jersey amarillo?*
Los estudiantes deben decir el nombre del portador del jersey.
Hágalo varias veces repasando los nombres y colores de uso más frecuente.

2. Amplíe con otras actividades la pronunciación y ortografía, por ejemplo, haga este dictado a sus alumnos:

Juan Carlos juega con su gato gris mientras Pedro plancha el traje rojo que le regaló Graciela.

El gato de Juan Carlos muerde una pelota de goma que el hijo de Graciela perdió haciendo gimnasia.

El hijo de Graciela, que es muy joven y toca muy bien la guitarra, vive en Guadalajara y cultiva geranios en el jardín de su casa.

En el jardín del hijo de Graciela, que se llama José, encontraron hace muchos años una guitarra envuelta en un traje rojo con rayas grises.

También puede escribir los párrafos de forma independiente y darle uno a cada alumno (separados en grupos de cuatro) para que se lo dicte a los otros tres miembros del grupo.

A P **16. Descripciones,** *Guía didáctica,* p. 137.

B. Buenos Aires es más grande que Toledo

> **OBJETIVOS**
>
> **Vocabulario:** Adjetivos descriptivos.
> **Gramática:** Comparativos regulares e irregulares.

Antes de empezar

Lleve a clase fotografías de distintas ciudades y pueblos, muéstrelas a los alumnos y pregunte qué ciudad es más grande/pequeña, más tranquila/ruidosa, etc.

1. Haga esta actividad con sus alumnos. Pida a varios de ellos que contesten en alto utilizando los adjetivos que aparecen en el libro.

Pídales que observen las fotografías de Buenos Aires y Toledo y que utilicen con ellas esos mismos adjetivos. Ponga usted un ejemplo:

Buenos Aires es una ciudad moderna.

2. Los estudiantes hacen esta actividad individualmente y comprueban con su compañero. Corrija después entre todos.

1- F. **2-** V. **3-** V. **4-** V. **5-** F. **6-** V.

INFORMACIÓN ADICIONAL

- Buenos Aires: Capital de Argentina (200 km^2 y 2.768.772 habitantes) situada a 25 m de altura. Fue fundada en el siglo XVI.
- Toledo: Municipio de España (232 km^2 y 98.200 habitantes) situado a 529 m de altura. Fue construida antes de la época romana.

● Escriba la primera frase en la pizarra y pida a los alumnos que hagan la frase contraria:

Toledo es más antigua que Buenos Aires.

Repita este ejercicio con otras frases:

Toledo es menos ruidosa que Buenos Aires.
Buenos Aires está más contaminada que Toledo.

GRAMÁTICA

● Pida a los alumnos que lean el cuadro de gramática y centren su atención en el comparativo de igualdad:

tan + adjetivo + como

● Dígales que hagan frases comparativas pensando en ciudades como Nueva York, México DF, Venecia, Beijing, Tokio, Argel. Ponga usted dos ejemplos:

Venecia es más tranquila que México DF.
México DF es tan ruidosa como Tokio.

En la actividad 2 hay una frase comparativa de igualdad que compara sustantivos (no adjetivos, como en los demás ejemplos): *Toledo no tiene tantos habitantes como Buenos Aires.*

En estos casos utilizamos *tanto/a/os/as* concordando con el sustantivo en género y número.

3. Los estudiantes hacen la actividad individualmente. Corrija con toda la clase.

> **1.** tan/como. **2.** que. **3.** como. **4.** más/que.
> **5.** menos/que. **6.** tan/como. **7.** más/que.

Los comparativos irregulares se utilizan con mucha frecuencia:

– *Mejor* es el comparativo de *bueno.*
– *Peor* es el comparativo de *malo.*
– *Mayor* es el comparativo de *grande* cuando se refiere a la edad.
– *Menor* es el comparativo de *pequeño* cuando se refiere a la edad.
– Cuando *grande* y *pequeño* se refieren al tamaño tienen comparativo regular.

9

Consulte la "referencia gramatical" de la página 180.

● Diga a los estudiantes que escriban un ejemplo o dos con esos comparativos. Luego se lo dictan y usted los escribe en la pizarra. Escriba usted alguno primero.

Laila es menor que Judith.
Jane es mayor que Antoine.
Ese bolígrafo es mejor que el mío.
Tu diccionario es peor que el de Chris.

Pídales que completen el cuadro en su cuaderno con el libro cerrado y lo comprueben después con el del libro:

bueno (→) ~~más bueno~~ (→) _____
malo (→) ~~más malo~~ (→) _____
grande (→) _____ / más grande
pequeño (→) _____ / más pequeño

4. Los estudiantes realizan la actividad en parejas.

Él: Voy a preparar la maleta para el viaje, a ver… ¿qué llevamos? Mira, estos zapatos están bien, ¿no?
Ella: No, para ir a la montaña, las botas son <u>mejores que</u> los zapatos.
Él: Tienes razón. ¿Llevo los vaqueros?
Ella: No, para el frío son <u>mejores</u> los pantalones de pana.
Él: Bueno, llevo los dos y ya está.
Ella: ¿Por qué llevas la maleta azul?
Él: Pues porque es <u>mejor que</u> la gris, tiene ruedas.
Ella: Yo prefiero la gris, caben más cosas. Toma el paraguas, guárdalo.
Él: ¿El rojo? No, este es <u>peor que</u> el negro y más pequeño.
Ella: Lo siento, el negro ya está en mi maleta.

(1) mejores que, (2) mejores, (3) mejor que, (4) peor que.

5. Los alumnos comprueban la respuesta escuchando la grabación.

6. Los estudiantes hacen la actividad individualmente. Corrija después con todos.

1. menor. 2. mayor. 3. mayor. 4. menor.

VOCABULARIO

7. Esta actividad es preparatoria de la actividad 8. Se trata de una actividad de vocabulario donde los nombres aparecen asociados a adjetivos muy habituales. Es una actividad individual que se corrige después en grupos.

1-b. 2-f. 3-g. 4-a. 5-d. 6-c. 7-e.

8. Los estudiantes hacen la actividad individualmente. La única frase que no depende del gusto personal es la número 2: *Nueva York es más grande que París.*

HABLAR

9. Los estudiantes comparan sus frases con las de sus compañeros y explican las diferencias a todo el grupo.

IDEAS EXTRA

Los estudiantes escuchan otra vez la grabación sin leer el texto y completan este cuadro

Él lleva	**Ella lleva**
– Botas	– Maleta _____
– _____	– Paraguas _____
– _____	
– Maleta _____	
– Paraguas _____	

A P   **17. Comparativos,** *Guía didáctica,* p. 138.

Autoevaluación

1.

(1) marrones. (2) blanca. (3) marrón. (4) negros. (5) negra. (6) azules. (7) negra. (8) moderno. (9) negras. (10) negros. (11) negra.

2.

2-c. 3-d. 4-b. 5-e. 6-a.

3.

> **(1)** los. **(2)** las. **(3)** lo. **(4)** lo. **(5)** la. **(6)** lo.
> **(7)** lo. **(8)** lo.

4.

> **1.** esto. **2.** ese / mayor. **3.** aquella/ **4.** aquellas
> estas / más.

5.

> **1.** moderno. **2.** limpio. **3.** ruidoso. **4.** oscuro. **5.**
> caro. **6.** corto.

De acá y de allá

Pintura española e hispanoamericana

1. Pregunte a sus alumnos y ayúdeles a recordar pintores españoles o hispanoamericanos. Lleve a clase reproducciones de obras famosas de Picasso, Dalí, Miró, Frida Kahlo, Diego Rivera…
Pida a los alumnos que observen los cuadros y piensen qué representan. Pregúnteles qué sentimientos o situaciones se reflejan en cada uno de ellos.

2. Los estudiantes hacen la actividad individualmente. Corrija después con todos.

> **1**-b. **2**-c. **3**-a. **4**-d.

- *Guernica* de Picasso, 1937. Es un grito contra la guerra civil española (1936-1939) y contra la crueldad del hombre en general. Tiene este título porque el 26 de abril de 1937, a las 16.30 de la tarde de un día de mercado, la aviación nazi, de acuerdo con el general Franco, atacó la ciudad de Guernica (País Vasco). De sus 7.000 habitantes, murieron 1.654 y 889 fueron heridos.
- *Sueño de una tarde dominical en la Alameda Central* de Rivera, 1947. Es uno de los famosos murales del pintor en los que representa la historia de su país desde un punto de vista crítico. Aparece una calavera (símbolo de la muerte) como personaje central en homenaje a un pintor mexicano. También aparece su mujer, Frida Kahlo.
- *La jungla* de W. Lam, 1943. Representa el mestizaje de la población americana, en la que se encuentran dos tipos de culturas diferentes: la indígena y la africana. Las dos culturas están "escondidas" detrás del poder y la preeminencia de la raza blanca, pero mantienen una presencia real muy importante.
- *Muchacha de espaldas* de Dalí, 1925. Muestra a Ana María, hermana del pintor, que fue su única modelo hasta que conoció a Gala. Aunque su rostro no aparece en la imagen, su mirada es la idea principal de esta obra.

LEER

Antes de leer

- En parejas, los estudiantes tienen que encontrar en el cuadro tres elementos que se puedan identificar fácilmente (el toro, el caballo, la lámpara, la mujer gritando, el hombre en el suelo, la madre con el niño…).
- Después tienen que intentar definir qué sensación les produce ver el cuadro: alegría, confusión, tristeza, dolor, rabia, soledad, indiferencia…
- Pregunte cuál de estas tres situaciones refleja:
  1. Una guerra.
  2. Un bombardeo sobre población civil.
  3. Mucha gente huyendo.

3. Uno de los estudiantes lee el texto en alto. Asegúrese de que no hay problemas de comprensión en el vocabulario. Aclare, al finalizar la lectura, que las tres opciones de la actividad anterior eran correctas: se trata de un bombardeo en plena guerra civil española que se produjo cuando muchas personas estaban comprando en el mercado.

4. Los estudiantes hacen la actividad individualmente. Corrija después con todos.

> **1**- V. **2**- V. **3**- F. **4**-V. **5**-V.

5. Dé unos minutos para que los estudiantes comenten en grupos de tres o cuatro. Después comenten entre todos.

9

A. La salud

> **OBJETIVOS**
>
> **Vocabulario:** El cuerpo humano.
> **Gramática:** Verbo *doler.*
> **Comunicación:** Hablar de enfermedades y remedios. Sugerencias: *¿Por qué no...?*

Antes de empezar

Escriba en la pizarra tres o cuatro palabras: *mano, cabeza, cuerpo, corazón,* y pregunte si saben qué significan y si saben otras. Escriba las que vayan diciendo.

1. Haga las preguntas de la actividad a sus alumnos, que nos servirán de introducción para la unidad.

2. Ayude a los estudiantes a aclarar el significado de las palabras. Los alumnos escuchan y repiten.

- Diga a los estudiantes que intenten aprender los nombres durante tres minutos. Pídales que cierren el libro y dibuje un muñeco en la pizarra; ellos dibujan otro en su cuaderno y van escribiendo los nombres como los vayan recordando (usted escribe los nombres en el muñeco de la pizarra).

ESCUCHAR

3. Mirando los dibujos los alumnos intentan relacionar cada personaje con su dolencia. Después los alumnos escuchan la grabación y comprueban sus respuestas. Corrija con ellos.

> **1.** A Rosa le duele la cabeza.
> **2.** A Daniel le duelen las muelas.
> **3.** A Ramón le duelen los oídos.
> **4.** A Julia le duele la espalda.
> **5.** A Andrés le duele el estómago.
> **6.** Ana tiene fiebre.
> **7.** A Ricardo le duele la garganta.

4. Primero los alumnos realizan una lectura individual. Después se aclaran las dudas de vocabulario (explique el significado de la palabra *gripe*) y posteriormente realizan la audición, prestando especial atención a la entonación y a la pronunciación. Por último contestan a las preguntas. Corrija con ellos.

> **1.** Tiene la gripe.
> **2.** Tomarse una aspirina, un vaso de leche con miel e irse a la cama.
> **3.** Le duele el estómago.
> **4.** Ir al médico, tomarse un té y acostarse sin cenar.

¿Por qué no...? es una de las formas más utilizadas para dar consejos o hacer sugerencias, junto al imperativo, tal y como aparece también en estos diálogos: *Toma una aspirina y acuéstate sin cenar. ¿Por qué no tomas una aspirina y te acuestas sin cenar?*

GRAMÁTICA

- En esta sección vamos a presentar el verbo *doler.* Haga observar a los alumnos que es un verbo que siempre se usa en 3.ª persona del singular o del plural, como *gustar.* Han de tener en cuenta que el uso, adelantado, del nombre o del pronombre al que se refiere el pronombre (*me, te, le* ...) es opcional. ("Referencia gramatical", p. 180).
  (A ella) le duele la cabeza.
  A mi madre le duele la cabeza.

5. Los alumnos realizan la actividad individualmente. Después comparan con sus compañeros. Corrija con ellos.

> **1.** le duelen.
> **2.** me duelen.
> **3.** les duele.
> **4.** te duele.
> **5.** nos duele.
> **6.** le duele.

6. Los alumnos realizan individualmente o en parejas la actividad. Ellos pueden hacer sus propias sugerencias. Hay distintos remedios para las distintas dolencias. Corrija con ellos.

> **1.** a. **2.** e. **3.** b. **4.** d. **5.** f. **6.** c.

ESCUCHAR

7. Los estudiantes escuchan la audición y completan las conversaciones.

Paciente 1.º:

D. Buenos días, ¿qué le ocurre?

P. No me siento muy bien. Creo que tengo la gripe.

D. Tome una aspirina cada ocho horas y beba mucho zumo de naranja.

Paciente 2.º:

D. Buenas tardes, ¿qué problema tiene?

P. Me duele la garganta cuando hablo.

D. A ver... No está muy mal, pero tome leche con miel y no hable mucho.

Paciente 3.º:

D. Buenos días, ¿qué le pasa?

P. Mire doctor, me duele mucho el estómago desde hace días.

D. Vaya, pues no tome café ni fume. Coma fruta y ensaladas. Y tome estas pastillas.

---

a) El paciente n.º 1 tiene **la gripe.**
   Consejo del médico: Tomar **aspirinas** y **beber zumo de naranja.**

b) Al paciente n.º 2 le duele la **garganta.**
   Consejo del médico: Tomar **leche con miel** y **no hablar mucho.**

c) Al paciente n.º 3 le duele **el estómago**:
   Consejo del médico: No tomar **café,** no **fumar,** comer **fruta** y **ensaladas,** y tomarse **unas pastillas.**

● Después de hacer la actividad, mire la transcripción (pp. 207-208) con los estudiantes y pídales que la lean en parejas. Pasee por la clase y contróle que la entonación y la pronunciación sean lo más correctas posibles.

HABLAR

8. Los alumnos realizan la actividad teniendo en cuenta los consejos que han aparecido en los ejercicios 6 y 7. Después pida a varias parejas que representen su microdiálogo antc la clase.

IDEAS EXTRA

1. El profesor o un alumno da órdenes al resto de la clase, como: *Tócate la oreja derecha con la mano izquierda. Tócate la cabeza. Tócate la rodilla izquierda con la mano derecha.* El alumno que se equivoca, queda eliminado.

2. Con el libro cerrado, pídales que durante tres minutos escriban nombres de partes del cuerpo. Quien consiga escribir más nombres es quien gana. Luego van diciendo los nombres y apuntan aquellos que les faltan.

3. Pídales que escriban entre dos o tres alumnos un diálogo largo entre un médico y un paciente.

> **A P** **18. Consejos,** *Guía didáctica*, p. 139.

B. Antes salíamos con los amigos

OBJETIVOS

Gramática: Pretérito imperfecto de los verbos regulares e irregulares.

Comunicación: Hablar sobre los hábitos del pasado.

10

Antes de empezar

Pregunte a sus alumnos qué cosas hacían antes que ahora ya no hacen, por ejemplo: *ir a la discoteca, patinar, leer tebeos...* Haga una lista de vocabulario en la pizarra, que podrá utilizarse en el posterior desarrollo de la unidad.

1. Plantee la pregunta a la clase. Anote las respuestas de los estudiantes, introduciendo el uso del verbo *haber* en pasado.

2. Antes de que los alumnos realicen una primera lectura, debe aclararles que el texto está en pretérito imperfecto. Y que este tiempo se utiliza para expresar hábitos que teníamos en el pasado.

● Después los alumnos localizan el vocabulario nuevo. Aclare sus dudas.

3. Los alumnos contestan individualmente. Corrija con ellos.

> **1.** F. **2.** V. **3.** F. **4.** V.

GRAMÁTICA

■ En esta sección se presenta el pretérito imperfecto de los verbos regulares e irregulares para expresar acciones habituales y repetidas en el pasado.

● Lea las formas verbales en voz alta y pida que repitan para que capten la pronunciación y acentuación. Luego haga una ronda entre los alumnos con otros verbos regulares como *trabajar, hablar, comer...* hasta que los vayan diciendo con cierta fluidez.

■ Generalmente aprender la forma del pretérito imperfecto no presenta dificultades. Pero si lo considera conveniente, dígales que escriban algunas formas. La dificultad de este tiempo está en su uso, pero no lo será tanto si el estudiante va asimilando cada uno de sus valores gradualmente. El objetivo de esta unidad es que el estudiante vea el contraste entre actividades habituales en el pasado y las que ya no lo son.

● Después de ver las formas, haga dos columnas en la pizarra (*ANTES* Y *AHORA*) y escriba en cada columna las actividades que los estudiantes le vayan diciendo que hacen ahora y que hacían antes. Usted escribe las dos primeras.

● *Antes* puede referirse a una época anterior: *cuando era joven, cuando tenía quince años, antes de estudiar español, antes de venir aquí, etc.*

4. Los alumnos realizan la actividad individualmente. Corrija con ellos.

> **1.** tenían. **2.** viajaban. **3.** estudia. **4.** juega.
> **5.** salían.

5. Los alumnos realizan la actividad y comparan sus respuestas con su compañero. Corrija con ellos.

> **1.** era. **2.** Entrenaba. **3.** jugábamos. **4.** íbamos.
> **5.** acompañaba. **6.** íbamos. **7.** era.

HABLAR

6. En parejas realizan la actividad. Controle los problemas de pronunciación y entonación.

7. Los alumnos realizan la actividad en parejas. Después escriben las frases en la pizarra. Corrija los errores comunes.

> **1.** Antes no vivía en un chalé.
> **2.** Antes no desayunaba en la cama.
> **3.** Antes no comía en un restaurante.
> **4.** Antes no regalaba joyas a su mujer.
> **5.** Antes no tenía un coche deportivo.
> **6.** Antes no navegaba en su barco.

ESCUCHAR

8. Los alumnos escuchan la audición y eligen la respuesta correcta. Comparan las respuestas con sus compañeros. Corrija con ellos.

> Martina tiene 92 años. Cuando era pequeña no iba a la escuela. Vivía con su madre y sus cuatro hermanos en un pueblo pequeño del sur de España. A los ocho años, ya trabajaba en el campo con su familia. Empezaba a las seis de la mañana y acababa a las seis de la tarde. No sabía leer, ni escribir, pero tenía muchas ilusiones y planes para el futuro. A los 19 años se casó y tuvo su primer hijo.
>
> Los fines de semana iba con su marido a vender las verduras de su huerta en los mercadillos de los pueblos vecinos. Sólo los domingos por la tarde descansaban y se reunían con sus vecinos en la plaza del pueblo.

> **1.** a. **2.** b. **3.** a. **4.** b. **5.** b. **6.** b.

● Después de hacer la actividad, dígales que miren la transcripción (p. 208) y léala con ellos.

IDEAS EXTRA

1. Pida a sus alumnos que escriban un párrafo sobre su vida cotidiana a los diez años, o a los quince, o a los veinte...
También pueden hacerlo sobre otra persona que conozcan bien: padres, hermanos, abuelos, etc.

2. Entable una pequeña conversación sobre si la vida de nuestros abuelos era mejor o peor que la nuestra. Puede hablar de la vivienda, el trabajo, etcétera.

10

C. Voy a trabajar en un hotel

OBJETIVOS

Comunicación: Hablar de planes e intenciones.
Gramática: *Ir a + infinitivo.*
Pronunciación y ortografía: Reglas de acentuación.

Antes de empezar

- Escriba en la pizarra: *¿Qué vas a hacer este fin de semana? Yo voy a ...*
- Pregunte a sus alumnos qué planes tienen para esta tarde o para este fin de semana.
  Anote sus respuestas en la pizarra. Por ejemplo: *Yo voy a estudiar los verbos, trabajar, quedarme en casa, visitar a la familia...*
  Explique a sus alumnos que la construcción *ir a + infinitivo* se utiliza para expresar planes e intenciones de futuro. Se usa con marcadores temporales de futuro, como *esta tarde, esta noche, este fin de semana, estas vacaciones, el curso que viene...*
  Podemos referirnos a una intención inmediata: *Voy a ducharme* (ahora mismo, dentro de cinco minutos) o a un plan para el futuro: *El año que viene voy a aprender a conducir.* ("Referencia gramatical", p. 181).
- Escriba ejemplos con sus respuestas en la pizarra. Por ejemplo:
  Yo voy a trabajar.
  Ellos van a quedarse en casa...

1. Aclare con sus alumnos el vocabulario nuevo. Pida a sus alumnos que observen el uso de la construcción *ir a + infinitivo* en el texto. Alguno de ellos lee el texto en voz alta. Corrija los problemas de entonación y pronunciación.

2. Los alumnos realizan la actividad individualmente o en parejas. Pida a sus alumnos que una vez relacionadas las frases las escriban completas, como en el ejemplo. Corrija con ellos.

> **1.** c. **2.** d. **3.** b. **4.** e. **5.** a.

> **1.** Santiago va a trabajar en un hotel porque quiere ahorrar dinero.
> **2.** Va a viajar por Europa porque tiene un mes de vacaciones.
> **3.** Él y María van a ir a Londres porque quieren mejorar su inglés.
> **4.** Van a visitar París porque él quiere estar unos días con su hermano.
> **5.** Su hermano está en París porque quiere aprender francés.

Explique a sus alumnos que cuando el verbo es reflexivo, el pronombre puede ir detrás del infinitivo y junto a él, o bien delante del infinitivo y separado: *Luis se va a duchar. / Luis va a ducharse.*

- Escriba la forma completa de un verbo reflexivo:

> yo voy a ducharme / me voy a duchar.
> tú vas a ducharte / te vas a duchar.
> él / ella / usted va a ducharse / se va a duchar.
> nosotros / as vamos a ducharnos / nos vamos…
> vosotros /as vais a ducharos / os vais…
> ellos / ellas / ustedes van a ducharse / se van…

3. Los alumnos realizan la actividad individualmente. Corrija con ellos.

> **1.** Va a bañarse. / Se va a bañar.
> **2.** Va a comprar un coche.
> **3.** Van a casarse. / Se van a casar.
> **4.** Va a tener un hijo.
> **5.** Van a besarse. / Se van a besar.
> **6.** Van a ver una obra de teatro.

HABLAR

4. Los alumnos realizan la actividad en parejas, utilizando la pregunta *¿Qué vas a hacer este fin de semana?* Pueden detallar la respuesta especificando qué van a hacer el sábado y el domingo, e incluso por la mañana, por la tarde o por la noche. Por ejemplo: *El sábado por la mañana voy a hacer deporte con mis amigos.*

5. Los alumnos realizan la actividad individualmente o por parejas. Corrija con ellos.

> **1.** d. **2.** e. **3.** f. **4.** a. **5.** b. **6.** c.

10

ESCRIBIR

6. Los alumnos realizan la actividad individualmente. Después lo comparan con su compañero. Pida a un alumno que escriba el texto en la pizarra para corregir los posibles errores.

PRONUNCIACIÓN Y ORTOGRAFÍA

1. Explique a sus alumnos el significado de las palabras *aguda* (la sílaba que suena + fuerte es la última), *llana* (la sílaba que suena + fuerte es la penúltima) y *esdrújula* (la sílaba que suena + fuerte es la antepenúltima).

- Los alumnos escuchan las palabras del recuadro y las colocan en la columna correspondiente atendiendo a la sílaba tónica. Corrija con ellos.

Esdrújulas	Llanas	Agudas
teléfono	cantante	alemán
periódico	árbol	café
música	examen	canción
	ventana	estudiar
	móvil	ordenador
	pintura	

- Lea en voz alta todas las palabras agudas, subrayando especialmente la sílaba tónica. Luego lea una por una y pida que las repitan. Haga lo mismo con las llanas y las esdrújulas. La idea es que los estudiantes oigan y sientan la melodía de las palabras.
- Explique a sus alumnos las reglas de acentuación.

2. Los alumnos escuchan y realizan el ejercicio individualmente. Corrija con ellos.

> **1.** Andrés me llamó por teléfono para saludarme.
> **2.** Bárbara trabaja en una empresa de informática en México.
> **3.** Yo estudié decoración en Milán.
> **4.** Antes Raúl vivía cerca de aquí, pero ahora está viviendo en Valencia.
> **5.** Aquí hace más calor que allí.
> **6.** Ella es más guapa que él.
> **7.** Los teléfonos móviles son muy cómodos.
> **8.** Esta casa es más céntrica que tu piso.

IDEAS EXTRA

Diga a los estudiantes que busquen en la unidad 20 palabras y que las clasifiquen en agudas, llanas y esdrújulas.

A P **8 y 9. Hábitos de salud, Trabalenguas,** *Libro del alumno*, pp. 161 y 167.

A P **19. Planes,** *Guía didáctica*, p. 140.

Autoevaluación

1.

> **1.** c. **2.** e. **3.** b. **4.** d. **5.** f. **6.** a.

2.

> **1.** eran. **2.** vivían. **3.** trabajaba. **4.** estudiaba. **5.** hacía. **6.** escribía. **7.** iban.

3.

> **1.** fui. **2.** tenía / jugaba. **3.** gustaba / gusta. **4.** tenían. **5.** fueron. **6.** jugaba / era. **7.** fumaba.

4.

> **1.** ¿Vas a estudiar?
> **2.** ¿Vais a ir al cine?
> **3.** ¿Va Lorenzo a escuchar música?
> **4.** ¿Va tu novio a comprar ropa?
> **5.** ¿Vas a navegar por Internet?
> **6.** ¿Vais a hacer los ejercicios de español?
> **7.** ¿Van a ir al fútbol?

5.

> Mánager: Este disco suena muy bien, es mejor que el otro.
> Escorpión 1: Sí, estoy de acuerdo.
> Mánager: Va a estar en las tiendas en la próxima semana y creo, amigos míos, que va a tener gran futuro.
> Escorpión 2: ¿Y cuándo nos vamos de gira?
> Mánager: En diciembre vamos a dar unos conciertos por toda España y, si todo va bien, nos vamos a Sudamérica.
> Escorpión 3: ¿Y vamos a salir en televisión?

10

Mánager:	Claro, y también tengo prepara-da nuestra propia página web.
Escorpión 1:	¿Cuándo vamos a ir a Barcelo-na?
Mánager:	En septiembre, antes de empezar la gira. ¿A qué no sabéis quien va a cantar con vosotros?
Escorpión 2:	Ni idea
Mánager:	Jennifer López.
Escorpión 3:	¡Vaya sorpresa!

1. La próxima semana.
2. En diciembre.
3. Sí, el manager la tiene preparada.
4. Van a ir a Barcelona.
5. Jennifer López.

De acá y de allá

Antes de empezar

- Pregunte a sus alumnos si conocen algo sobre Vene-zuela.
- En este texto vamos a presentar a Erika, una chica venezolana que vive en Salamanca. El texto sirve de ejemplo del uso del imperfecto para hablar de cos-tumbres en el pasado y pretende desarrollar la com-prensión lectora y la construcción de vocabulario pasivo.
- Aclare con sus alumnos los problemas de vocabulario antes de realizar las actividades.

2.

1. F. **2.** V. **3.** V. **4.** V. **5.** F. **6.** F.

10

A. ¿Quieres ser millonario?

OBJETIVOS

Gramática: Pronombres interrogativos.
Comunicación: Formular preguntas y dar
respuesta.

Antes de empezar

● Escriba en la pizarra preguntas ya conocidas como:
*¿Dónde vives? ¿Cuántos hermanos tienes? ¿Cómo se
llaman? ¿Qué haces los fines de semana?...* Recuérdeles el significado de los pronombres interrogativos
más frecuentes.

1. Antes de realizar el cuestionario del ejercicio 2, pregunte a sus alumnos sobre los distintos concursos
que hay en su país y sobre los personajes que aparecen en las fotos.

2. Antes de contestar a las preguntas del cuestionario,
diga a sus alumnos que realicen una primera lectura
para localizar las dudas de vocabulario. A continuación, los alumnos contestan el cuestionario individualmente o con la ayuda del compañero.

ESCUCHAR

3. Los estudiantes escuchan y comprueban sus respuestas.

¿Quiere ser millonario?

PRESENTADOR: Buenas tardes, señoras y señores,
otro día estamos con ustedes para ofrecerles el
concurso "¿Quiere ser millonario?".
   Tenemos dos concursantes, que ustedes ya
conocen de la semana pasada. El señor Gonzá-

---

lez, de Salamanca, y la señora Buitrago, de
Madrid. Empezamos. Señor González, pre-
gunta n.º 1. ¿Dónde se encuentra la pirámide
del Sol? ¿En Egipto, en la India o en México?
SEÑOR G.: En México.
P.: Muy bien. Ha ganado usted 100 €. Ahora le
toca a usted, señora Buitrago. ¿Quién fue el
primer hombre que pisó la Luna? ¿Amstrong,
Collins o Nixon?
SEÑORA B.: Amstrong.
P.: ¡Correcto! Ha ganado usted otros 100 €. Aho-
ra le toca al señor González. Por 150 €, ¿qué
novela dio fama a Cervantes? *¿Las mil y una
noches, El Quijote* o *Romeo y Julieta*?
SEÑOR G.: *Romeo y Julieta.*
P.: No, lo siento. Cervantes escribió *El Quijote.*
Veamos, señora Buitrago, pregunta n.º 4.
¿Cuál es la capital de Dinamarca? ¿Copenha-
gue, Estocolmo o París?
SEÑORA B.: Copenhague.
P.: Acaba usted de ganar 200 € más. Señora Bui-
trago. ¿Puede decirme de qué país fue presi-
dente Nelson Mandela? ¿De la India, Marrue-
cos o Suráfrica?
SEÑORA B.: De la India.
P.: Incorrecto. La respuesta correcta es Suráfrica.
Lo siento mucho. Y, para terminar, la última
pregunta por 250 €. Dígame, señor González
¿cuántos músicos formaban los Beatles? ¿5, 3
o 4?
SEÑOR G.: 4.
P.: ¡Muy bien! 250 € más para usted. Continua-
mos la próxima semana a esta misma hora.
Buenas tardes a todos.

---

1. c.   **2.** a.   **3.** b.   **4.** a.   **5.** c.   **6.** c.

GRAMÁTICA

● Presentación de los pronombres interrogativos. ("Referencia gramatical", p. 182).

● Haga en la pizarra una lista con los interrogativos más
comunes aprendidos el curso anterior: *¿dónde?,
¿cómo?, ¿cuándo?, ¿quién?...* Repase el significado
con sus alumnos, por medio de las preguntas más habituales.

• Analice con sus alumnos el contenido del cuadro de gramática y aclare las dudas que aparezcan. Haga especial hincapié en las variaciones de género y número en el uso de los interrogativos *cuánto/a/os/as* + nombre.

4. Los alumnos ordenan las preguntas. Corrija con ellos.

> **1.** ¿Qué te gusta ver en la televisión?
> **2.** ¿Adónde vas con tus amigos?
> **3.** ¿Qué deporte practicas?
> **4.** ¿Cuál es tu actriz favorita?
> **5.** ¿Cuál es tu escritor favorito?
> **6.** ¿Cuántas horas duermes por la noche?
> **7.** ¿Qué prefieres, el pescado o la carne?
> **8.** ¿Cuántos compañeros hay en tu clase?
> **9.** ¿Cuánta agua bebes al día?
> **10.** ¿Qué prefieres, pan o arroz?

Una vez comprobado que las preguntas están ordenadas correctamente, diga a sus alumnos que pregunten a sus compañeros. Pasee entre la clase corrigiendo los posibles errores. Pida a uno o dos de sus alumnos que escriban en la pizarra algunas respuestas que sirvan de modelo.

5. Los alumnos realizan la actividad. Corrija con ellos.

> **1.** ¿<u>Cómo</u> vienes a clase? d
> **2.** ¿A <u>quién</u> has llamado por teléfono? c
> **3.** ¿<u>Cuándo</u> vas a acostarte? f
> **4.** ¿<u>Dónde</u> están los niños? g
> **5.** ¿<u>Qué</u> has comprado? i
> **6.** ¿<u>Qué</u> le debo? h
> **7.** ¿<u>Cuál</u> te gusta más? a
> **8.** ¿De <u>quién</u> es esto? b
> **9.** ¿<u>Cuántas</u> manzanas hay? e

ESCUCHAR

6. Antes de realizar la actividad, explique la situación a sus alumnos: van a realizar una entrevista a un ciclista en la radio, y ellos tienen que preparar una serie de preguntas para las respuestas dadas.

Haga una ronda de comprobación, pregunte a los alumnos para ver si las preguntas son correctas. Corrija los errores.

7. Los alumnos realizan la audición y comprueban sus respuestas.

> ENTREVISTADOR: Hoy tenemos con nosotros a Carlos Hernández, destacado ciclista del pelotón español. ¿Qué tal Carlos?
> CARLOS: Muy bien, encantado de estar con vosotros.
> E.: Nuestros oyentes quieren saber algunas cosas sobre tu vida. Por ejemplo: ¿dónde vives?
> C.: Vivo en Toledo, una ciudad histórica al sur de Madrid.
> E: ¿A qué hora te levantas?
> C.: Me levanto a las seis de la mañana y a las siete empiezo a entrenar.
> E.: ¿Cuántos días entrenas?
> C.: Todos los días, menos uno.
> E.: ¿Qué día descansas?
> C.: Normalmente, mi día de descanso es el lunes.
> E.: Suponemos que llevas una dieta especial. ¿Cuánta agua bebes?
> C.: Bebo tres litros de agua al día. Beber líquido es muy importante.
> E.: ¿Y qué comes?
> C.: Como mucha pasta y alimentos energéticos: frutos secos, verduras y... chocolate. ¡Me encanta el chocolate!
> E.: Muy bien, Carlos, muchas gracias por contestar nuestras preguntas.

> **1.** ¿Dónde vives?
> **2.** ¿A qué hora te levantas?
> **3.** ¿Cuántos días entrenas?
> **4.** ¿Qué día descansas?
> **5.** ¿Cuánta agua bebes?
> **6.** ¿Qué comes?

HABLAR

8. Teniendo en cuenta las preguntas y respuestas del ejercicio anterior, los alumnos realizan una entrevista por parejas.

IDEAS EXTRA

• Prepare una serie de respuestas que pueden estar relacionadas con su vida privada (*su edad, dirección, nú-*

mero de teléfono) o quizá de tipo cultural (la capital de su país, el número de habitantes, el nombre del presidente, de un cantante o deportista famoso en su país). Díctelas una a una y los estudiantes deben escribir en su cuaderno la pregunta correspondiente. Luego se comprueba entre todos.

● En grupos de 2. Dígales que elaboren un cuestionario cultural como el de la actividad 2. Luego deben hacer un concurso contra otra pareja de compañeros.

B. Biografías

11

> **OBJETIVOS**
>
> **Gramática:** El pretérito indefinido para contar biografías.
> **Pronunciación y ortografía:** Acentuación de los interrogativos.

Antes de empezar

● Coloque en la pizarra la fotografía de varios personajes famosos, preferentemente ya fallecidos, y pregunte a sus alumnos qué saben de ellos: nombre, nacionalidad, profesión...

Aproveche para introducir las preguntas en pasado: ¿dónde nació?, ¿qué hizo?, ¿cuándo murió?

1. Antes de leer el texto sobre Carlos Gardel, pídales que elaboren preguntas similares a las de la actividad anterior sobre el famoso cantante argentino.

2. Antes de escuchar la audición, los alumnos realizan una lectura silenciosa del texto, localizando el vocabulario nuevo. Una vez aclarado el vocabulario, los alumnos escuchan la audición a la vez que realizan una segunda lectura.

3. Los alumnos realizan las preguntas. Antes de pedirles que busquen las respuestas en el texto, compruebe con ellos la corrección de las preguntas. Después, localizan las respuestas.

> **1.** ¿Dónde nació Carlos Gardel? Posiblemente nació en Toulouse, Francia, aunque él decía que nació a los dos años y medio en Buenos Aires, Argentina.

> **2.** ¿Dónde empezó a cantar? Empezó a cantar en el coro escolar y en las calles de su barrio.
> **3.** ¿Quién fue su compañero de canto? José Razzano.
> **4.** ¿Qué inventó Gardel? Fue el inventor de una manera de cantar el tango.
> **5.** ¿Qué hizo en los años 20? Viajó a Europa.
> **6.** ¿Qué hizo en los años 30? Varias películas.
> **7.** ¿Cuándo se casó? Nunca se casó.
> **8.** ¿Cuándo murió? El 24 de junio de 1935.
> **9.** ¿Cómo murió? En un accidente de avión.

GRAMÁTICA

● Se presenta en el apartado el uso del pretérito indefinido en las biografías. Se repasa el hecho de que el pretérito indefinido se utiliza para hablar de actividades realizadas en un periodo de tiempo cerrado, como puede ser ayer, la semana pasada, el año pasado o el año 1500.

Además, con el pretérito indefinido no sólo podemos referirnos a actividades puntuales, sino que también lo usamos para hablar de actividades "durativas" e incluso repetidas:
Eduardo vivió en París muchos años.
El año pasado fui muchas veces al Museo del Prado (Véase "Referencia gramatical", p. 182).

4. Los alumnos realizan la actividad.

5. Escuche con sus alumnos la audición y corrija sus respuestas.

> **Celia Cruz, la Reina de la Salsa**
>
> Celia Cruz nació el 21 de octubre de 1929 en La Habana, Cuba. Celia <u>empezó</u> a cantar desde pequeña, y lo hacía muy bien.
>
> En 1947 <u>recibió</u> un premio por cantar en la radio y, entonces, <u>empezó</u> a estudiar música.
>
> En 1950 <u>empezó</u> a trabajar en la banda musical "La sonora matancera" y con ese grupo <u>dejó</u> la Cuba de Fidel Castro en julio de 1960, y <u>se instaló</u> en Estados Unidos.
>
> En Estados Unidos <u>grabó</u> varios discos con Tito Puente y con otros salseros reconocidos a nivel mundial.
>
> Durante los años 90, <u>recibió</u> muchos premios, pero el más memorable es quizás el que <u>recibió</u>

de manos del presidente de Estados Unidos, Bill Clinton, el Dote Nacional por las Artes.

La *Reina de la Salsa* <u>falleció</u> el 16 de julio de 2003 en Nueva Jersey, a causa de un cáncer.

1. empezó.	**2.** recibió.	**3.** empezó.
4. empezó.	**5.** dejó.	**6.** se instaló.
7. grabó.	**8.** recibió (2).	**9.** falleció.

ESCRIBIR Y HABLAR

6. Los alumnos realizan la actividad en pequeños grupos. Paséese entre ellos para corregir posibles errores. Después, un representante de cada grupo leerá su biografía a toda la clase. Pregunte a sus alumnos algunos datos sobre el personaje del que se esté hablando.

PRONUNCIACIÓN Y ORTOGRAFÍA

- Lea y aclare con sus alumnos las reglas de acentuación de los pronombres interrogativos.

  Ya vieron en la unidad 1 que la primera y tercera persona del pretérito indefinido de los verbos regulares también se acentúan.

1. Los alumnos realizan la actividad. Corrija usted en la pizarra, escribiendo las palabras acentuadas y recordando las reglas de acentuación.

  - Lea cada frase en voz alta y diga a sus estudiantes que la repitan una o varias veces hasta que lo hagan con fluidez.

> **1.** Elena nació en 1956 y cuando tenía 19 años conoció a Pablo, su marido.
> **2.** ¿Cuándo nació tu hijo?
> **3.** ¿Quién vino anoche a tu casa?
> **4.** ¿Cuántas novelas escribió Cervantes?
> **5.** Ayer Luis llegó tarde a la reunión.
> **6.** ¿En qué año se casaron tus padres?
> **7.** Mi marido no llamó por teléfono.
> **8.** Ese actor hizo varias películas importantes.
> **9.** Yo nunca llego tarde, soy muy puntual.
> **10.** Él dijo: "nací en 1954".

IDEAS EXTRA

A P **11. ¿Dónde naciste?,** *Libro del alumno,* pp. 162 y 168.

A P **20. Gente famosa,** *Guía didáctica,* pp. 141-142.

c. Islas del Caribe

> **OBJETIVOS**
>
> **Vocabulario:** Fechas y números.
> **Comunicación:** Preguntas y respuestas sobre fechas personales o históricas.

Antes de empezar

- Muestre a sus alumnos un mapa de América donde puedan localizar el mar Caribe y sus islas más importantes. Pregúnteles si saben algo sobre su población o su historia: *¿Qué idioma se habla en estas islas? ¿Qué sistema político tienen? ¿Cuáles son sus capitales?...*

- Pregunte a sus alumnos si alguno ha viajado a alguna de estas islas. Si es así, en una próxima sesión pueden traer a la clase fotografías o información complementaria.

1. Antes de intentar completar el texto, pida a sus alumnos que digan los números del recuadro. Si es difícil, dígalos usted y pídales que repitan después de usted. A continuación, tratarán de adivinar qué número corresponde a cada hueco.

  Aclare los posibles problemas de vocabulario.

2. Los alumnos escuchan y comprueban.

> ### Islas Caribeñas
>
> Las islas del Caribe forman una cadena desde la costa de Florida hasta Venezuela. Cuentan con unas hermosas playas a las que los turistas acuden en masa.
>
> *Cuba*
> Es el único estado comunista del continente americano, y Fidel Castro es su presidente desde <u>1959</u>. Tiene una superficie de <u>110.860</u> km². Consiguió la independencia de España en <u>1898</u>. Tiene una población de más de <u>10 millones</u> de habitantes. El <u>40</u>% de la población es católica y el <u>55</u>% no practica ninguna religión. Su idioma oficial es el español.
>
> *Jamaica*
> Es la tercera isla caribeña por su tamaño, <u>10.990</u> km². Políticamente es una democracia parlamentaria y consiguió su independencia del Reino Unido en <u>1962</u>. Su idioma oficial es el inglés. La mayor parte de sus ingresos procede del turismo.

11

República Dominicana

Es la segunda isla más grande del Caribe, con una superficie de 48.730 km² y con una población de 7.500.000 habitantes. En 1865 consiguió su independencia de España. Su idioma oficial es el español.

1. 1959.	**2.** 110.860.	**3.** 1898.
4. 10 millones.	**5.** 40.	**6.** 55.
7. 10.990.	**8.** 1962.	**9.** 48.730.
10. 7.500.000.	**11.** 1865.	

3. Los alumnos realizan la actividad. Corrija con ellos.

> **1.** Es un estado comunista.
> **2.** Hace más de 45 años que Cuba es independiente.
> **3.** Cuba
> **4.** Jamaica.
> **5.** Es una democracia parlamentaria.
> **6.** Español.

HABLAR

4. Realizan la actividad en parejas. Controle la actividad, atendiendo a la pronunciación y escritura de los números.

5. Los alumnos completan el cuadro.

> febrero, abril, junio, agosto, octubre, diciembre.

Pida a varios estudiantes que digan todos los meses del año seguidos. Controle la pronunciación y la fluidez.

6. Antes de realizar la audición, aclare a sus alumnos el orden, en la escritura y lectura, de las fechas en español (día, mes, año), ya que éste varía en las diferentes lenguas. Después, los alumnos realizan la audición y relacionan. Corrija con ellos.

> 16-12-1956
> dieciséis de diciembre de mil novecientos cincuenta y seis
> 12-10-1980
> doce de octubre de mil novecientos ochenta
> 2-2-2002
> dos de febrero de dos mil dos

> **1.** b.   **2.** c.   **3.** a.

7. Los alumnos realizan la actividad.

> **a.** veintidós de agosto de mil novecientos cincuenta y tres.
> **b.** once de marzo de mil novecientos catorce.
> **c.** catorce de abril de dos mil tres.
> **d.** cinco de junio de mil setecientos ochenta y nueve.
> **e.** treinta de septiembre de mil cuatrocientos noventa y tres.
> **f.** cuatro de julio de mil novecientos cuarenta y cinco.

> **a.** agosto (8).   **b.** 1914.   **c.** abril (4).
> **d.** cinco (5).   **e.** septiembre (9).   **f.** cuatro (4).

8. Los alumnos realizan la actividad. Después corrija con ellos, escribiendo las fechas en la pizarra.

> **1.** El dieciséis de diciembre.
> **2.** El veinticuatro de diciembre.
> **3.** El uno de enero.
> **4.** El doce de octubre.
> **5.** Respuesta abierta.

HABLAR

9. Los alumnos realizan la actividad. Pasee por la clase y corrija los posibles errores.

10. Antes de realizar la actividad, aclare a sus alumnos las instrucciones del mismo. Pídales que sugieran algunas preguntas que se podrían plantear para su realización y anótelas en la pizarra.

Después, en parejas, los alumnos realizan la actividad; controle su desarrollo.

11. Son varias las posibilidades que tiene para la realización de esta actividad:

- Podría suprimir algunos de los verbos en pretérito indefinido y entregar a sus alumnos una fotocopia con espacios en blanco, que rellenarían al realizar la audición.
- Procediendo como en el caso anterior, se podría suprimir alguna frase corta para que la rellenasen.

11

EVA MARÍA SE FUE

Eva María se fue buscando el sol en la playa
Con su maleta de piel y su bikini de rayas
Ella se marchó y sólo me dejó recuerdos de su ausencia
Sin la menor indulgencia Eva María se fue
Paso las noches así pensando en Eva María
Cuando no puedo dormir miró su fotografía
Qué bonita está bañándose en el mar
Tostándose en la arena
Mientras yo siento la pena de vivir sin su amor
Qué voy hacer Qué voy hacer
Qué voy hacer Si Eva María se fue...
Qué voy hacer Qué voy hacer
Qué voy hacer Si Eva María se fue...
Apenas puedo vivir pensando si ella me quiere
Si necesita de mí y si es amor lo que siente
Ella se marchó y sólo me dejó recuerdos de su ausencia
Sin la menor indulgencia Eva María se fue
Qué voy hacer Qué voy hacer
Qué voy hacer Si Eva María se fue...
Qué voy hacer Qué voy hacer
Qué voy hacer Si Eva María se fue...
Eva María se fue buscando el sol en la playa
Con su maleta de piel y su bikini de rayas

Su maleta de piel y su bikini de rayas.

Autoevaluación

1.

1. Adónde / d. **2.** Cuándo / g. **3.** Cómo / a.
4. Cuántos / f. **5.** Cuántas / h. **6.** Cuál / b.
8. Qué / e. **9.** Cuánto / c.

2.

1. ¿Qué libro quieres?
2. ¿Cuántos idiomas hablas?
3. En el partido hay más de mil espectadores.
4. Llegamos a Cuba el diez de septiembre.
5. Vinieron a la boda más de doscientas personas.
6. Yo nací en 1967.
7. Celia Cruz empezó a cantar desde pequeña.
8. ¿Quién vino a verte ayer?

3.

1. Trescientas cincuenta mil personas.
2. Diez de diciembre (del doce) de mil cuatrocientos noventa y dos.
3. Veinticinco de mayo (del cinco) de dos mil cuatro.
4. Un millón doscientas cuarenta y seis mil.

5. Seis mil cuatrocientos noventa y seis espectadores.
6. Seis de enero (del uno) de mil novecientos noventa y nueve.
7. Quinientos treinta y dos kilómetros.
8. Mil cuatrocientas personas.

4.

1. nació. **2.** enseñó. **3.** se trasladó.
4. estudió. **5.** fue. **6.** pintó.
7. evolucionó. **8.** mostraron / mostraban.
9. pintó. **10.** fue. **11.** murió.

De acá y de allá

1. ● Pregunte a sus alumnos si conocen la Alhambra de Granada.

Es bastante probable que alguno de ellos haya visitado esta maravilla arquitectónica. Anímeles a que relaten su experiencia al resto de la clase.

● Explique que hacia el año 711 (d. C.) llegaron a la península Ibérica los árabes procedentes del norte de África y se establecieron en ella durante 800 años. Durante esa época vivieron unas veces en paz y otras veces en guerra contra los cristianos. En 1492 los Reyes Católicos ganaron esa lucha y los árabes tuvieron que dejar España, con todo lo que habían construido, como la Alhambra o la Mezquita de Córdoba. Precisamente la ciudad donde se despidieron fue Granada.

● Es fácil conseguir material fotográfico, diapositivas..., sobre la Alhambra. Sería muy motivador hacer una presentación con este material, antes de realizar la lectura.

2. ● Los alumnos hacen una primera lectura, a la vez que marcan el vocabulario nuevo. Aclare las dudas.

● Una vez resueltas las dificultades que aparecieron en la primera lectura, se procede a una segunda lectura.

3. Los alumnos hacen el ejercicio. Corrija con ellos.

1. F (La Alhambra se encuentra en Granada).
2. V.
3. F (Cuatro zonas distintas forman actualmente la Alhambra de Granada).
4. V.
5. F (El museo de la Alhambra se encuentra en el palacio de Carlos V).
6. V.

A. Unas vacaciones inolvidables

> **OBJETIVOS**
>
> **Vocabulario:** Viajes y vacaciones.
> **Comunicación:** Hablar del pasado.
> **Gramática:** Pretérito indefinido.

Antes de empezar

● Lleve a clase fotos de sus últimas vacaciones o de un viaje que haya hecho. Anime a sus alumnos a adivinar, a través de las imágenes y mediante preguntas, *adónde fue, en qué época del año, con quién o quiénes.* Cuénteles cómo fueron estas vacaciones, qué hizo, qué visitó… Todo este precalentamiento servirá para revisar la morfología del pretérito indefinido y cierto vocabulario, y para enriquecerlo entre todos con nuevos términos.

Las formas del pretérito indefinido de los verbos más utilizados son irregulares y de difícil automatización, por tanto necesitan de práctica y revisión continua.

1. Tras el precalentamiento realizado, puede optarse por hacer esta actividad por parejas o pequeños grupos.

2 y 3. Los alumnos leen individualmente el texto, contestan a las preguntas y se corrigen entre todos. El profesor aclarará las dudas de vocabulario que surjan.

El texto puede ser una buena ocasión para recalcar los ordenadores del discurso utilizados (*Primero…, Luego…, Por último…*), que serán útiles a los alumnos en sus escritos.

> **1.** A Turquía.
> **2.** Con su familia.

3. Vieron la basílica de Santa Sofía y el palacio de Topkapi, compraron recuerdos en el Gran Bazar y dieron un paseo en barco por el Bósforo.
4. Un paisaje extraordinario y las ciudades subterráneas de Kaimaki y Ozkonak.
5. En el mar Egeo.
6. La gente, porque era amable y hospitalaria.

Una vez que han comprendido el texto, dígales que subrayen los verbos en pasado y, al corregir, pregúnteles la forma correspondiente del infinitivo.

GRAMÁTICA

● Explique a sus alumnos que, como ya habrán visto, todos los verbos del texto están en pasado. Para hablar de éste, cuando las cosas ocurrieron en un periodo de tiempo ya cerrado (por ejemplo, el verano pasado, o ayer) usamos el pretérito indefinido, cuyas formas encontrarán en el esquema de gramática. Una vez más, se hará énfasis en la importancia de una acentuación correcta para no confundir formas del indefinido con otras del presente. Para afianzar la pronunciación, pida a algunos alumnos que lean las formas del esquema en voz alta. Pregunte otros verbos regulares y, si tienen dificultades, dígales que escriban alguna conjugación, ya que al escribirlos se facilitará su memorización.

4 y 5. Los alumnos hacen el ejercicio individualmente. Después, se escucha la grabación para corregirlo. No pierda la oportunidad de practicar la entonación, bien pidiendo a dos alumnos que lean de nuevo el diálogo, bien diciendo algunas frases de éste, haciéndolas repetir a varios alumnos y diciéndoles qué tal lo ha hecho cada uno.

> **1.** fuiste. **2.** fui. **3.** pasó. **4.** fui.
> **5.** tardé. **6.** fue. **7.** llegué. **8.** encontré.
> **9.** tuve. **10.** Estuve. **11.** gasté. **12.** recogí.
> **13.** volví.

6. Los alumnos hacen el ejercicio individualmente y se corrige entre todos.

> **1.** fue. **2.** vinieron. **3.** vi / vimos / vieron…
> **4.** vivió. **5.** no estudié. **6.** le dio. **7.** vine.
> **8.** pudo. **9.** salimos. **10.** estuve.

7 y 8. Entre todos se reconstruye lo que hizo Rafael y después lo comprobamos escuchando la grabación.

a. levantarse.	**b.** ducharse.	**c.** desayunar.
d. salir.	**e.** comprar.	**f.** empezar a llover.
g. mojarse.	**h.** resfriarse.	**i.** acostarse

Ayer domingo, Rafael se levantó a las 10, se duchó, desayunó tranquilamente y salió a pasear con su perro. Más tarde compró el periódico y, al volver a casa, empezó a llover. Con la lluvia se mojó, se resfrió y, cuando llegó a su casa, se acostó.

IDEAS EXTRA

A P **21. Historias de gente corriente,** *Guía didáctica,* p. 143.

B. ¿cómo te ha ido hoy?

OBJETIVOS

Gramática: Pretérito perfecto. Forma y uso.
Comunicación: Preguntar y contestar a preguntas sobre el pasado reciente. Hablar de experiencias a lo largo de la vida.

Antes de empezar

- Escriba en la pizarra la pregunta del título: *¿cómo te ha ido hoy?* Pregunte a sus alumnos si comprenden el significado y cuándo creen que se dice.
- Por una parte, deben observar que el verbo *ir* se utiliza en una acepción especial, que en presente se utiliza para saludar: *¿Qué tal te va (la vida) (a ti)? ¿Cómo te va la vida? = ¿Cómo estás?*
- Por otra, se utiliza el pretérito con el marcador temporal *hoy*. Por tanto, la expresión es la usual para saludar y preguntar cortésmente a un compañero-a o familiar al final del día, de la tarde, de la jornada laboral...
- En esta unidad vamos a presentar el uso del pretérito perfecto para hablar de hechos ocurridos en un pasado

reciente (que llega hasta este momento). Ej.: *Profesor, ya he terminado el ejercicio.*
- Y para hablar de experiencias personales, ocurridas en una fecha sin determinar. Ej.: *Yo he estado varias veces en París.*

1. Deje unos minutos para que sus alumnos lean el texto y localicen el vocabulario nuevo. Una vez aclaradas las posibles dudas, ponga la audición y dígales a los alumnos que escuchen y lean el texto de nuevo. Puede hacerlo también con el libro cerrado la segunda vez.

2. Los alumnos realizan la actividad. Corrija con ellos.

1. V.   **2.** F.   **3.** V.   **4.** V.

GRAMÁTICA

Deles tiempo para que observen el cuadro de formación del pretérito perfecto. (Pueden ver también la "referencia gramatical", p. 182).

- Pida a los alumnos que subrayen todos los pretéritos perfectos del texto anterior. Corrija entre todos. Vaya preguntando a qué infinitivo corresponde cada uno.
- Diga en voz alta y escriba la conjugación completa de algunos verbos y pídales que repitan detrás de usted para afianzar la pronunciación y el acento.

  Después, pida a algunos estudiantes que digan otros verbos. Si es demasiado difícil, que lo hagan oralmente. Deles tiempo para que los escriban; esta estrategia les ayudará a fijar las formas en la memoria. Luego intentarán decirlo sin mirar el cuaderno.
- Subraye los participios irregulares más comunes.
- Pregúnteles cuáles han sido las noticias más importantes del día y dígales a sus alumnos que redacten un pequeño titular para cada una de ellas, utilizando el pretérito perfecto.

3. Los alumnos realizan la actividad. Corrija con ellos.

1. ha ido.   **2.** ha sido.   **3.** hemos tenido.
4. hemos terminado,   **5.** he tenido.   **6.** he llevado.
7. he hecho   **8.** he planchado.   **9.** hemos estado.

4. Los alumnos escuchan y comprueban.

12

> LEO: ¿Qué tal? ¿Cómo te _ha ido_ hoy?
> ANA: El día _ha sido_ terrible. Juan y yo <u>hemos tenido</u> una reunión de cuatro horas con los clientes japoneses y luego <u>hemos terminado</u> el informe para la Comisión Económica. Y tú, ¿qué tal?
> LEO: Yo también <u>he tenido</u> hoy mucho trabajo. Primero, <u>he llevado</u> a los niños al colegio, después <u>he hecho</u> la compra y luego <u>he planchado</u> la ropa antes de hacer la comida. Por la tarde los niños y yo <u>hemos estado</u> en el parque con los amiguitos de Pablo.
> ANA: ¡Uff, qué día! Ahora nos queda un ratito para descansar y ver la televisión.

5. Los alumnos realizan la actividad. Paséese entre ellos y corrija los errores más importantes. Algunos alumnos pueden escribir sus frases en la pizarra para que sirvan de modelo a los compañeros con más problemas.

GRAMÁTICA

- En este cuadro se presenta el uso del pretérito perfecto para hablar de experiencias personales.

6. Antes de realizar el ejercicio, aclare con sus alumnos el significado de los verbos del recuadro que no conocen. Después, los alumnos realizan la actividad. Corrija con ellos, prestando especial atención a los errores en la formación de los participios irregulares.

Explique que en español se puede decir: _¿Has montado en globo **alguna vez**?_ O _¿Has montado **alguna vez** en globo?_

> **1.** Has montado. **2.** Has perdido. **3.** Has escrito. **4.** Has arreglado. **5.** Has llegado. **6.** Has hablado. **7.** Has comido. **8.** Has ido. **9.** Has plantado. **10.** Has visto.

HABLAR Y ESCRIBIR

7. Los alumnos utilizan las preguntas del ejercicio 6 para realizar esta actividad por parejas. Pasee por la clase y ayude a los alumnos a corregir los errores más importantes.

Una vez hayan realizado el texto, pídales a algunos que lo lean en voz alta para el resto de los compañeros.

LEER

- El objetivo de esta lectura es presentar en un contexto real el pretérito perfecto frente al pretérito indefinido, tanto de los verbos regulares como irregulares.
- Antes de realizar la actividad, aclare el vocabulario que no conozcan.

8. Cada estudiante realiza la actividad individualmente y comprueba con el compañero. Después corrija con todos.

> **1.** hemos leído. **2.** ha decidido. **3.** se oyeron. **4.** estaba. **5.** se resolvió. **6.** ha saltado. **7.** se ha suspendido. **8.** han decidido. **9.** tuvieron.

IDEAS EXTRA

- Diga a sus estudiantes que van a hacer un concurso de "experiencias interesantes". Se trata de que en un papel cada uno se invente unas ocho experiencias imaginarias maravillosas. Después deben leerlas en voz alta y se votará en la clase a la persona que ha tenido las "experiencias" más maravillosas. Para ayudarles, diga unos ejemplos, pueden ser:

  He cazado/matado un león, he comido con Ronaldo/Penélope Cruz, he vivido en un castillo encantado, etc.

A P **12. ¿Qué has hecho?,** _Libro del alumno,_ pp. 162 y 168.

A P **22. Experiencias,** _Guía didáctica,_ p. 144.

C. No se puede mirar

OBJETIVOS

Gramática: _Hay que / (no) se puede._
Comunicación: Expresión de la obligación impersonal y la prohibición.
Pronunciación y ortografía: Palabras agudas, llanas y esdrújulas.

Antes de empezar

Pregunte a sus alumnos si les gusta viajar y si han estado en el extranjero.

Pídales que comenten alguna costumbre curiosa de los distintos sitios que han conocido. Si no han viajado, pregunte por algunas costumbres propias con el fin de que caigan en la cuenta de que no es igual en todo el mundo. Hable de los saludos (besos, abrazos), o del hecho de quitarse los zapatos al llegar a casa, o de comer con cubiertos o con palillos.

1. Los alumnos por parejas intentan contestar las preguntas. Controle sus respuestas.

> **a.** Están en África. El turista está preguntando si puede hacer una fotografía.
> **b.** Está en París. Le han dado tres besos.
> **c.** Está en Tailandia. Le han dado un regalo.
> **d.** Está en Londres. Está señalando con el dedo.
> **e.** Está en Japón. Está mirando al suelo.
> **f.** Está en un país árabe. Se está quitando los zapatos.

2. Antes de realizar el ejercicio, los alumnos realizarán una primera lectura del texto para localizar el vocabulario nuevo. Una vez aclarado el vocabulario, los alumnos realizan el ejercicio. Corrija con ellos.

> **1.** a.
> **2.** f.
> **3.** d.
> **4.** e.
> **5.** c.
> **6.** b.

GRAMÁTICA Y COMUNICACIÓN

En este apartado se presentan las perífrasis *hay que* y *(no) se puede*. ("Referencia gramatical", p. 183).

3. Los alumnos realizan la actividad. Corrija con ellos.

> **1.** hay que. **2.** hay que. **3.** hay que. **4.** no se puede. **5.** no hay que. **6.** no hay que.

ESCUCHAR

4. Los alumnos escuchan la audición una primera vez para tratar de comprender su contenido y, en una se-gunda audición, completan los huecos de las frases. Corrija con ellos.

> ENTREVISTADOR: Svieta, ¿qué te chocó más cuando llegaste a España?
> SVIETA LAURUSKA: A mi hermano y a mí lo primero que nos sorprendió al llegar a España fue que cuando encuentras a un conocido hay que darle dos besos, porque en nuestro país se hace sólo con los parientes. Al principio nos pareció muy raro, pero con el tiempo acabas haciendo lo mismo.
>
> En nuestro país, cuando entras a una casa hay que dejar los zapatos fuera. En España aprendes que no hay nada malo en estar en casa con los zapatos puestos.
>
> Hay otras diferencias, por ejemplo, en el sistema de enseñanza: en Bielorrusia un profesor jamás podrá estar sentado encima de su mesa. Y no se puede llamar de "tú" a un profesor. Siempre hay que levantarse cuando el profesor entra en el aula a dar clase. Pero todo esto está empezando a cambiar.
>
> Hay muchas cosas positivas en España. La gente es más tranquila, amistosa, y se ríen mucho. Pero para adaptarte bien a un país extranjero hay que conocer su idioma.

> **1.** hay que.
> **2.** no hay que.
> **3.** no se puede.
> **4.** hay que.
> **5.** hay que.

5. Los alumnos realizan la actividad. Compruebe con ellos.

> **1.** No se puede hablar.
> **2.** Hay que enseñar el pasaporte para volar en avión.
> **3.** No se puede fumar.
> **4.** Hay que parar.
> **5.** No se puede tocar. Es peligroso.
> **6.** No se puede beber.

PRONUNCIACIÓN Y ORTOGRAFÍA

Revise con los alumnos los diferentes tipos de palabras según su sílaba tónica.

1. Los estudiantes escuchan y reconocen la sílaba tónica.

2. Vuelven a realizar la audición y repiten. Haga hincapié en la sílaba acentuada.

3. Los alumnos realizan la actividad y comprueban con su compañero. Corrija con ellos.

café.	mesa.	música.	Madrid.	español.
madre.	árabe.	estudiar.	comí.	comió.
como.	vino.	venir.	móvil.	teléfono.
profesor.	nacional.	zapato.	camisa.	

4. Los alumnos realizan la actividad. Corrija en la pizarra.

Esdrújulas	Llanas	Agudas
música	ventana	café
teléfono	mesa	madrid
árabe	madre	español
	como	comí
	vino	comió
	móvil	venir
	zapato	profesor
	camisa	nacional

Lea cada columna de palabras subrayando la sílaba tónica y pida que repitan después de usted. Se trata de que capten la "música" de cada grupo de palabras.

2.

1. mi hermano.
2. mi cuñado.
3. mi sobrina.
4. mi primo.
5. mi prima.
6. mi cuñada.
7. mi nieta.
8. mi tío.
9. mi padre.
10. mi abuela.

3.

1. es. 2. están. 3. es. 4. está. 5. estás. 6. es.
7. están.

4.

1. han llegado
2. han tenido
3. han leído
4. han pensado
5. han realizado
6. ha trabajado
7. se ha vestido
8. se ha comprado

5.

1. Conocí a Laura.
2. Bailé con ella.
3. Me lo pasé bien.
4. La acompañé a casa.
5. La he visto todos los días.
6. He ido a buscarla a casa todas las tardes.
7. La he llamado por teléfono todas las noches.

Autoevaluación

1.

1. feo - guapo.
2. grosero – educado.
3. nervioso – tranquilo.
4. triste – alegre.
5. aburrido – divertido.

De acá y de allá

Los ritos son un fiel reflejo de la cultura de un país. Se presenta en esta sección el rito de los casamientos. El objetivo es que los alumnos conozcan un poco más la cultura española y por otro lado, que reflexionen sobre su propia cultura.

● Pida a sus alumnos que cuenten cómo son las bodas en su país.

12

● Comente con sus alumnos que en España, país de tradición católica, las novias se visten de blanco. Acuden a la iglesia o al juzgado, donde les espera el novio, acompañadas por sus padrinos. A la salida, los novios reciben una lluvia de arroz por parte de los invitados. Después de la ceremonia civil o religiosa, van a celebrarlo con los amigos y familiares comiendo todos juntos. A veces se celebran bailes que duran hasta altas horas de la mañana.

1. Aclare el vocabulario del texto con sus alumnos. Después los alumnos leen y escuchan la audición.

2. Los alumnos contestan las preguntas.

> **1.** En primavera o verano.
> **2.** Cuando hay buenas cosechas y la familia tiene un dinero extra.
> **3.** No pueden moverse los tres días siguientes a la boda.
> **4.** Sus padres.
> **5.** Respuesta libre.
> **6.** Respuesta libre

12

A. Un lugar para vivir

Antes de empezar

● Diga en voz alta una serie de palabras referentes a la casa y pregúnteles en qué habitación se encuentran normalmente. Se supone que deben conocer las más habituales como *sillón, cama, silla, mesita de noche, sofá, frigorífico*, etc. El objetivo es repasar el vocabulario visto anteriormente.

● Si alguna no la conocen, escríbala en la pizarra. Puede escribir y pedir que repitan *el sofá*, haciendo hincapié en el artículo y el acento.

1. Haga las preguntas de la actividad a varios estudiantes para entrar en el tema de la unidad. También pueden hacer la actividad en parejas.

2. Antes de poner la audición explique claramente la situación y aclare el vocabulario: *alquilar un piso, agencia de venta y alquiler*. Dígales que miren la foto.

1.
VENDEDOR: Buenos días, ¿en qué puedo ayudarte?
ROBERTO: Buenos días, estoy buscando un apartamento o un estudio, algo pequeño y barato para vivir mientras estudio.
VENDEDOR: ¿Dónde, en el centro o en un barrio?
ROBERTO: No exactamente en el centro, prefiero que esté cerca de la universidad, para no tener que usar el autobús…

2.
VENDEDOR: Así que ustedes quieren un chalé.
SEÑOR: Sí, nos interesa un chalé, es que necesitamos un jardín para los niños y el perro ¿sabe?
VENDEDOR: Y ¿lo quieren muy grande?
SEÑORA: Bueno, no mucho, no tenemos mucho dinero. Puede ser un chalé adosado con tres dormitorios, un salón comedor y dos cuartos de baño, eso sí.
3.
VENDEDOR: ¿Qué están buscando exactamente?
SEÑOR: Pues, mire usted, nosotros queremos vender el piso de Barcelona porque es demasiado grande para dos y nos gustaría comprar una casita en la playa. Eso sí, tiene que ser de una sola planta porque no podemos subir muchas escaleras…
    También me gustaría tener una cocina amplia, porque a mí me gusta mucho cocinar.

Roberto: pequeño, barato, en el centro.
Familia Hierro: chalé con jardín, no caro, con dos cuartos de baño.
Carmen y Francisco: una sola planta, en la playa, cocina amplia.

● Una vez completada la actividad, dígales que consulten la transcripción del final, con objeto de preparar la actividad siguiente.

IDEAS EXTRA

A P | **23. Casa en venta,** *Guía didáctica,* p. 145.

HABLAR

3. Con el libro cerrado, pídales que hagan la actividad.

● Luego pueden representar la conversación al resto de la clase o en grupos de 4, dos a dos.
● Al final, explique dos o tres errores, los más graves que haya detectado en sus intervenciones.

4. Los estudiantes hacen la actividad. Corrija entre todos.

1.-c; **2.**-a; **3.**-b; **4.**-d; **5.**-ñ; **6.**-g; **7.**-j; **8.**-h; **9.**-k; **10.**-f; **11.**-e; **12.**-i; **13.**-m; **14.**-o; **15.**-l; **16.**-n.

5. Los estudiantes hacen la actividad. Corrija entre todos.

salón-comedor: librería, chimenea, sillón, silla, alfombra

baño: ducha, espejo, lavabo.
dormitorio: armario, mesita de noche, cama, alfombra.
cocina: microondas, nevera, lavadora, horno.

LEER

6. Las preguntas tienen como objeto que los estudiantes opinen sobre las diferencias entre casas antiguas, modernas y si hay casas diferentes para familias diferentes. En parte, ya han podido intuir las necesidades de cada una en la actividad 2.

7. Dígales que hagan una primera lectura rápida del texto y que señalen las palabras nuevas: *techos, paredes, madera, tapizado*. Aclare el significado.

- Los estudiantes hacen la actividad, corrija entre todos.

> **1.** Es diseñadora de una revista de viajes.
> **2.** De colores suaves.
> **3.** En el salón.
> **4.** Una mesa, sillas, plantas.
> **5.** En el salón hay un sofá tapizado con piel marrón y una televisión. Tiene el suelo de madera, y no tiene cortinas en las ventanas.

8. Los estudiantes hacen la actividad. Pueden comprobar con el compañero sus respuestas.

> **1.** La casa donde vive Leticia se encuentra a <u>diez kilómetros</u> de Madrid, en una <u>urbanización/zona</u> rodeada de muchos parques.
> **2.** En el salón hay una <u>televisión</u>, una mesa y un <u>sofá</u> marrón de cuero.
> **3.** En el jardín tiene una <u>mesa</u> con unas <u>sillas</u> y ahí toma el <u>sol</u>.

ESCRIBIR

9. Las preguntas sirven para guiar la escritura. Muchas veces lo más difícil a la hora de escribir es qué decir, de ahí la utilidad de darles preguntas que deben ir contestando. También es importante darles pistas de cómo empezar. Si lo cree conveniente, según las dificultades de sus estudiantes, prepárese usted un párrafo sobre su casa ideal y léalo dos veces, así les dará ideas. También puede escribir el comienzo en la pizarra:

Mi casa ideal está cerca de la playa. Hay montañas a 30 kilómetros. Es de una sola planta. Tiene ..... dormitorios...

IDEAS EXTRA

1. Dígales que escriban un párrafo sobre ¿cuál es tu habitación favorita? ¿Por qué? Luego, en grupos de 4, cada estudiante debe explicarlo al resto sin mirar lo escrito.

2. En grupos de 4. Uno describe un mueble, electrodoméstico u objeto de los vistos en la unidad, y el resto tiene que adivinar de qué se trata:

Es un mueble hecho de madera, con un colchón, sirve para dormir.

Si sus estudiantes no están muy preparados para definir, puede decir usted la definición y pedirles que vayan escribiendo el nombre en su cuaderno, individualmente. Luego compruebe.

| A P | **13. ¿Te gustaría...?** *Libro del alumno*, pp. 163 y 169.

B. ¿Qué pasará?

> **OBJETIVOS**
>
> **Gramática**: Futuro simple.
> **Comunicación**: Hacer predicciones y promesas.

Antes de empezar

- Escriba en la pizarra varias frases en futuro:
  Mañana no habrá clase.
  El examen será el día 5 de ...
  Dentro de .... empezarán las vacaciones de verano/otoño.
  Yo creo que mañana hará buen/mal tiempo.

  Pídales que subrayen el verbo y pregúnteles a qué tiempo se refieren. Se trata de que se sitúen en el tiempo que van a estudiar: el futuro.

1. Haga la pregunta a varios estudiantes, como un ejercicio de «futurismo». Haga usted mismo alguna predicción humorística:

Yo creo que estaré en el paro/en la calle pidiendo/en la playa tomando el sol

2. Antes de poner la audición, diga a los estudiantes que lean el texto rápidamente y pregunten y aclaren el significado de las palabras desconocidas. Pueden preguntar al compañero/a.

- Ponga la cinta una vez con el texto delante y otra vez con el texto tapado. Es importante que se acostumbren al acento de la forma verbal nueva.

3. Pregunte a unos cuantos cuál es la predicción que más les ha llamado la atención y fíjese en la pronunciación. Según los recursos de sus estudiantes, puede preguntarles el porqué de su elección.

GRAMÁTICA

- Lea usted las formas del futuro en voz alta y pida a sus estudiantes que las repitan, con el fin de asegurar la pronunciación y el acento correcto.
- Haga una ronda preguntándoles todas las personas de otros verbos, primero regulares y luego irregulares.

4. Los estudiantes hacen la actividad. Se corrige entre todos. Fíjese en la pronunciación y corrija si es necesario.

> 1. Mañana iré al cine contigo.
> 2. Dentro de un año terminaré mis estudios
> 3. El sábado saldremos con ellos.
> 4. El mes que viene habrá una fiesta de disfraces.
> 5. Esta noche hará la cena Olga.
> 6. Mañana no podrá venir a clase.
> 7. Dentro de un mes volverán a su país.
> 8. Este fin de semana vendrán mis amigos a casa.
> 9. Esta tarde saldremos a dar una vuelta.

5. Deles un tiempo (entre 5 y 10 minutos) para que cada estudiante piense su párrafo. Luego pueden contarlo a toda la clase, si no es muy numerosa, o en grupos de 4, si son muchos. Pida a dos estudiantes que escriban sus párrafos en la pizarra y corríjalos, si es necesario.

- En general, las formas del futuro imperfecto no son difíciles de asimilar. Una dificultad que pueden encontrar es el uso de *haber* en futuro. Recuérdeles que el verbo *haber* es impersonal, que la forma en presente es *hay* y su correspondiente en futuro, *habrá*.

  Dentro de unos años habrá menos guerras y enfermedades.

6. Esta actividad es útil para crear buen ambiente de clase. Obliga a los estudiantes a pensar en la forma de ser de sus compañeros al tratar de adivinar de quién es cada papel. Si lo desea, en lugar de darles el papel escrito, puede leerlos usted en voz alta.

7. Con esta actividad se presenta la expresión de las condiciones probables.

> **1.**-a; **2.**-c; **3.**-b.

8. Compruebe que han subrayado los verbos. Dígales que miren el cuadro y explíquelo.

Las oraciones condicionales que expresan condiciones probables llevan el verbo en presente de indicativo, subraye este hecho, que es el que suele dar más problemas a la hora de la producción.

9. Los estudiantes hacen la actividad. Corrigen en parejas: un estudiante dice la primera parte y el compañero, la segunda.

> **1.**-b; **2.**-d; **3.**-a; **4.**-f; **5.**-g; **6.**-e; **7.**-c.

10. Esta actividad ilustra el uso del futuro para hacer promesas y las que hacen los políticos son un buen ejemplo. Los estudiantes hacen la actividad y se corrige entre todos. Antes, aclare el contexto y el vocabulario: *pensiones, partido político, votar.*

> **1.** crearemos. **2.** votan, subiremos. **3.** salgo, gastará. **4.** tendrá, votan.

11.

> **1.** Si mi partido gana las elecciones, <u>crearemos</u> más puestos de trabajo.
> **2.** Si ustedes nos <u>votan</u>, nosotros <u>subiremos</u> las pensiones.
> **3.** Si salgo elegido, les prometo que el gobierno <u>gastará</u> más dinero en educación y sanidad.
> **4.** Por último, les prometo que todo el mundo <u>tendrá</u> lo que necesita si ustedes <u>votan</u> a mi partido.

12. Actividad semilibre. Pida a los estudiantes que piensen eslóganes imaginativos para vender estos productos. Cuando terminen, póngalos en común, bien pegando sus producciones escritas en la pared, bien leyendo cada eslogan de un producto determinado y votándolo. Los eslóganes ganadores se pueden dejar un tiempo en la pared de la clase.

IDEAS EXTRA

1. Después de presentar la forma de las oraciones condicionales puede hacer esta actividad. Escriba en la pizarra:

> A. *¿Qué harás si te toca un millón de euros/dólares... en la lotería?*
> B. *Si me toca un millón de euros, dejaré de trabajar.*

- Pregunte a todos los estudiantes, uno por uno, qué harán y vaya anotando la respuesta debajo de la primera oración en futuro con el fin de que tengan más ejemplos de la forma del futuro dentro de una construcción condicional.

C. ¿Quién te lo ha regalado?

OBJETIVOS

Vocabulario: Léxico de la empresa: *presupuesto, préstamo, contabilidad.*

Gramática: Revisión de los pronombres de objeto directo. Pronombres de objeto indirecto.

Antes de empezar

- Aunque los pronombres de objeto directo se han presentado anteriormente, es conveniente repasarlos, antes de presentar a los estudiantes los de objeto indirecto. Escriba en la pizarra una pregunta en pretérito perfecto donde aparezca un objeto directo claro como: *¿Has visto a Eva? Sí, la vi ayer en clase.*

  Haga otras preguntas a los estudiantes para que contesten con el pronombre objeto correspondiente: *¿Has comprado ya el pan? Sí, ya lo he comprado / No, todavía no lo he comprado...*
  ¿Conoces a mis hermanas? ¿Conoces a mis padres?

1. Cuando ya los estudiantes estén situados en el tema que van a ver, dígales que hagan la actividad 1, con el objeto de practicar comunicativamente la misma estructura para la función de pedir prestados objetos. Dígales que lo hagan varias veces hasta que salga con fluidez.

2. Deben intentar completar los huecos aunque hasta ahora no se les habían presentado estas estructuras. Se trata de que con los conocimientos que tienen formulen hipótesis de lo que puede ser. Si ve que es muy difícil para sus estudiantes dígales que lo hagan en parejas.

---

1. los, telos. **2**. el mío. **3**. me la. **4**. te los, Me los.

---

3. Póngales la audición dos veces como mínimo para permitirles que comprueben. Si lo cree conveniente, dígales que lean los microdiálogos en voz alta. Corrija la entonación y pronunciación.

1.
A. ¿Y estos vaqueros?, ¿de quién son?
B. Son míos.
A. ¡Qué bonitos! ¿Me <u>los</u> dejas?
B. Sí, claro, lléva<u>telos</u>.
2.
A. Nuria, ¿es tuyo este cinturón?
B. No, <u>el mío</u> es más ancho que éste.
3.
A. ¿De quién es esta raqueta?
B. Mía.
A. ¿Es nueva?
B. Sí, <u>me la</u> ha comprado mi madre.
4.
A. ¡Qué pendientes tan bonitos! ¿Quién <u>te los</u> ha regalado?
B. ¿Te gustan? <u>Me los</u> ha regalado mi novio.

HABLAR

4. Los estudiantes practican en parejas con el fin de consolidar la estructura y alcanzar cierta fluidez.

GRAMÁTICA

Se les presenta el cuadro de todos los pronombres de objeto directo e indirecto con el fin de ilustrar el fenómeno de sustitución del nombre que se realiza al utilizar estos pronombres.

(Véase "referencia gramatical", p. 184).

5. Los estudiantes hacen la actividad para comprobar si han entendido la explicación teórica. Corrija entre todos.

Si cree que cometen muchos errores, practique con otras construcciones similares (véase "Autoevaluación" y *Cuaderno de ejercicios*).

1. se lo; **2**. se los; **3**. se las; **4**. se la.

6. Los estudiantes hacen la actividad y se corrige entre todos.

> 1. ¿Qué <u>le</u> has regalado a mamá?
> 2. Julia, Enrique <u>te</u> ha llamado por teléfono tres veces.
> 3. A. ¿Has visto a los vecinos?
>   B. No, hoy no <u>los</u> he visto.
> 4. A. ¿<u>Le</u> has traído el libro al niño?
>   B. No se lo he traído porque no lo he encontrado en la librería.
> 5. Vamos ya, los amigos <u>nos</u> están esperando.
> 6. <u>Os</u> esperamos en nuestra casa de la playa.
> 7. A. ¿<u>Les</u> has dicho a tus padres que te casas con Lola?
>   B. No, todavía no <u>se lo</u> he dicho.

ESCUCHAR

7. Antes de poner la audición, explique bien la situación. Deje tiempo para que los estudiantes lean las afirmaciones y aclare el vocabulario nuevo relativo a la administración de una empresa: *novedades, presupuesto, préstamo, contabilidad, pedido.* Si es necesario, dígales que utilicen el diccionario.

Ponga la audición dos veces, una para que hagan la actividad y la otra para que puedan asegurarse de que han comprendido la conversación. Corrija entre todos.

8. Ponga otra vez la audición, parando si es necesario para darles tiempo a escribir las respuestas.

> IRENE: Carlos, ¿puedes venir?
> CARLOS: Sí, claro, ahora mismo voy.
> IRENE: ¿Qué tal la semana?
> CARLOS: Bien, con mucho trabajo, como siempre.
> IRENE: Bueno, vamos a ver, ¿has enviado la información de las novedades al resto de los departamentos?
> CARLOS: Sí, se la pasé el martes a Cristina, y creo que ella la ha enviado a los otros departamentos.
> IRENE: ¿Y el presupuesto para el director general?
> CARLOS: No, no se lo he enviado todavía porque no lo he terminado, necesito un poco más de tiempo.

> Irene: ¿Y qué tal la entrevista con el director del banco?
> Carlos: Bueno, le llamé pero no me ha dado la respuesta, lo llamaré otra vez.
> Irene: ¿Les has pasado las facturas a los compañeros de contabilidad?
> Carlos: Sí, se las pasé el miércoles.
> Irene: ¿Y qué tal el pedido para los clientes de Sevilla, lo has enviado?
> Carlos: No hay ningún problema, se lo envié todo al señor Torres, el comercial.

> 1. Sí, se la pasé a Cristina el martes.
> 2. No se lo he enviado todavía.
> 3. No me ha dado la respuesta. Lo llamaré otra vez.
> 4. Sí, se las pasé el miércoles.
> 5. Sí, se lo envié todo al señor Torres, el comercial.

PRONUNCIACIÓN Y ORTOGRAFÍA

En esta unidad se presentan las reglas principales de colocación de la tilde en español. Aunque estas reglas son fáciles de asimilar y memorizar, para poder aplicarlas es necesario saber previamente cuál es la sílaba tónica, la que se pronuncia más fuerte.

Por otra parte, es imposible que con estas pocas reglas el estudiante aprenda a colocar la tilde de una vez para siempre, puesto que ni siquiera los hablantes nativos son competentes en esta materia.

Explique a sus estudiantes que es bueno distinguir la sílaba tónica, pero también les puede servir de ayuda la memoria visual. Es evidente que si ven muchas veces palabras muy frecuentes como *también, más, está, café*, etc., deberían esforzarse en acentuarlas cuando las escriben ellos mismos.

Muéstreles una vez más la importancia del acento con ejemplos donde aparezcan palabras como *está* y *esta*, o los verbos *canto* (presente) y *cantó* (pasado)

1. Ponga la audición una vez, dándoles tiempo entre palabras para que las escriban en la columna correspondiente.

- Déjeles un tiempo para que comprueben y discutan con el compañero su ejercicio.
- Corrija usted en la pizarra, escribiendo la palabra en cada columna, enfatizando mucho la sílaba tónica.
- Una vez completa la tabla, diga todas las palabras de cada columna en voz alta, y dígales que le sigan.

Esdrújulas	Llanas	Agudas
rápido	lápiz	limón
ácido	papelera	japonés
lápices	examen	sofá
	rabajo	lección
	alemana	escribir
	coche	rapidez
	crisis	iraní
		ordenador

3. Los estudiantes hacen la actividad y se corrige entre todos.

> Llevan tilde las palabras **agudas** que terminan en <u>vocal</u>, en <u>n</u> o en <u>s</u>.
> No llevan tilde las palabras **llanas** que terminan en <u>vocal</u>, <u>n</u>, o <u>s</u>.
> Llevan tilde <u>todas</u> las palabras **esdrújulas**.

Autoevaluación

1.

> 1. dormitorios, ascensor.
> 2. habitación/terraza
> 3. Chalé, jardín.
> 4. terraza.

2.

> 1. No, los limpiaré mañana. **2.** la haré. **3.** lo compraré. **4.** la pondré. **5.** la pondré. **6.** los plancharé.

3.

> 1. tienes. **2.** compraremos, hay. **3.** funciona. **4.** tenemos. **5.** tengo, puedo. **6.** comprarán, apruebo.

4. Semilibre.

5.

> 1. Me lo ha dado mi profesor.
> 2. Me los ha regalado mi novio.
> 3. Me lo ha dicho Arturo.
> 4. Me la ha dado mi hermano.
> 5. Se lo ha dado la abuela.
> 6. Se lo he prestado yo / se lo ha prestado Juan.
> 7. Se las ha regalado su padrino.
> 8. Nos la ha regalado Pepe.
> 9. Me lo ha enviado mi jefe.

De acá y de allá

Se presenta información sobre uno de los lugares más atractivos y conocidos del mundo hispano, la ciudad inca de Machu Picchu.

- Es posible que alguno de sus estudiantes ya tenga información sobre ella, e incluso la haya visitado. Anímeles a que hablen sobre su conocimiento previo del tema, para luego concentrarse en la lectura.
- Deles tiempo para que completen la actividad. Si cree que van a tener muchos problemas, dígales que la hagan en parejas o aclare usted mismo el vocabulario más útil: *ruinas, inaccesible, muralla…*
  Corrija con todos.

2.

> 1. antigua. **2.** montañas. **3.** fueron. **4.** sabe. **5.** por. **6.** a. **7.** autobús. **8.** viaje. **9.** Dura. **10.** Disfrutar. **11.** que.

3. Haga grupos de 4, de manera que cada pareja tiene que preparar preguntas a su oponente. Usted pasee entre los grupos y ayúdeles en la formulación de las preguntas, de modo que sean comprensibles, aunque no todas sean perfectas. Se trata de que interactúen, no de pararse mucho en las formas interrogativas.

Para aumentar la motivación dígales que tomen nota de la puntuación obtenida por cada pareja-equipo.

13

A. No había tantos coches

Antes de empezar

- Escriba en la pizarra algunas afirmaciones sobre sus hábitos en un momento determinado del pasado:

    Cuando yo tenía 17 años llevaba el pelo muy largo/corto, estudiaba en el instituto, no tenía amigas, discutía con mis padres, no fumaba, tenía una guitarra, etc.

- Pregúnteles qué tiempo verbal ha utilizado y por qué. Debe quedarles clara la idea de que con el pretérito imperfecto expresamos fundamentalmente "hábitos en el pasado". Poco a poco irán descubriendo otros valores.

- Pida a los alumnos que hagan afirmaciones similares de su propia experiencia. Se supone que ya conocen la forma del pretérito imperfecto. Si no es así, escriba rápidamente las formas regulares en la pizarra con el fin de que puedan utilizarlas ya. Anote en la pizarra las afirmaciones que ellos van haciendo, con el fin de recordar las formas del pretérito imperfecto que ya conocen.

1. Dígales que van a hablar de las diferencias entre la vida de nuestros abuelos y la nuestra. Los alumnos realizan la actividad. Anote en la pizarra las ideas que vayan surgiendo.

2. Realice con sus alumnos una primera lectura para localizar el vocabulario nuevo.

3. Los alumnos realizan la actividad. Corrija con ellos.

> **1.** Su padre era conductor de tranvía.
> **2.** Iba andando porque no había transporte.
> **3.** A los catorce años.
> **4.** Iba a bailar o al teatro.

> **5.** No, las mujeres no entraban solas en los cafés porque estaba mal visto.
> **6.** Iba a la puerta del Palacio Real a ver el cambio de guardia.
> **7.** Trabajó en una pastelería.
> **8.** Trabajó de tipógrafo en una imprenta.

GRAMÁTICA

En esta unidad aparecen los usos del pretérito imperfecto para hablar de acciones habituales en el pasado, así como para hacer descripciones en el pasado. ("Referencia gramatical", p. 185).

Llame la atención sobre las diferencias entre el uso del pretérito imperfecto e indefinido. Escriba en la pizarra:

a) *María Guerra iba a un colegio de monjas. (=habitualmente)*

b) *Fue a un colegio de monjas hasta los 14 años.*

En a) hablamos de un hábito del que no se especifica si acabó o no, en b) se especifica el fin de la acción *(hasta los 14 años)* y, por tanto, es necesario el uso del pretérito indefinido.

*Cuando **tenía** 14 años **entré** a trabajar en un taller de modistas.*

Con *tenía* se expresa la descripción de un estado, de una época, con *entré* expresamos una acción puntual, única.

*La primera vez que **fue** al cine le **pareció** maravilloso.*

Con el pretérito indefinido se expresan acciones (estados, valoraciones) únicas y puntuales.

4. Los alumnos realizan la actividad individualmente. Corrija con todos ellos.

> **1.** era. **2.** gustaba. **3.** trabajó. **4.** tenía / compré. **5.** tenía. **6.** conocieron. **7.** vio / pareció. **8.** vimos / gustó. **9.** gustaba / hicieron.

ESCUCHAR

5. Antes de escuchar, aclare la situación. Dígales que miren la foto y pregunte: ¿dónde están?, ¿qué relación tienen entre ellos?, ¿qué edad tienen? Active sus estrategias preguntándoles sobre los problemas que suelen tener los adolescentes con sus padres, de esta forma estarán preparados para la audición. Aclare las dudas de vocabulario: *bronca, Salamanca, sufrir.* Ponga la audición al menos un par de veces. Después realizan el ejercicio. Pídales que corrijan las frases falsas. Corrija con ellos.

> PALOMA: Estoy preocupada. Esta mañana mi hijo Arturo ha vuelto a casa a las cinco…, todos los fines de semana, igual.

PALOMA: Estoy preocupada. Esta mañana mi hijo Arturo ha vuelto a casa a las cinco…, todos los fines de semana, igual.

AURORA: Es normal, ahora todos los chicos hacen lo mismo, no te preocupes… ¿Tú a qué hora volvías a casa cuando eras joven?

PALOMA: Yo, a su edad, los sábados tenía que volver a casa a las 11, como muy tarde… es que mi padre era muy estricto.

AURORA: Yo no tenía ese problema porque estudiaba en Salamanca y mis padres vivían en el pueblo, pero cuando iba en verano al pueblo no podía llevar minifalda, ni fumar en la casa, ni salir de noche.

JAIME: A mí no me ponían hora para volver a casa…

PALOMA: Claro, a los chicos los educaban de otra manera, pero también tenían sus problemas. Por ejemplo, mi hermano no podía llevar el pelo ni un centímetro más largo de lo que decía mi padre.

JAIME: ¡Ja, ja! Sí, es verdad, menudas broncas había en las familias por ese motivo, ya me acuerdo, era la época de los Beatles y todos queríamos llevar melena como ellos y tocar la guitarra. Recuerdo que yo formé un grupo, y tocábamos en casa los sábados. Yo tocaba la batería y mis padres estaban desesperados. A los cinco meses nos cansamos y lo dejamos…

AURORA: Yo creo que nuestro padres también sufrían con nosotros, como ahora nosotros con nuestros hijos.

---

1. V. 2. V.   3. F (Aurora no tenía ese problema porque estudiaba en Salamanca). 4. F (Aurora no podía hacer esas cosas en el pueblo). 5. V. 6. F (Había broncas importantes, "Menudas" broncas). 7. V.

HABLAR

6. Los estudiantes van a poner en práctica lo que han aprendido. Deje unos minutos para que hagan el ejercicio por parejas y después pídales que lean sus frases en voz alta.

ESCRIBIR Y HABLAR

7. En parejas realizan la actividad. Pasee entre ellos y ayúdeles con las dudas de vocabulario.

Escoja dos o tres trabajos y expóngalos en la pared de la clase durante unos días.

IDEAS EXTRA

| A P | **14. Antes y ahora,** *Libro del alumno,* pp. 163 y 169. |

B. Yo no gano tanto...

OBJETIVOS

Gramática: Comparativos y superlativos.
Comunicación: Comparar.

Antes de empezar

- Lleve a la clase dos fotos de dos deportistas famosos o dos actrices, dos ciudades y pida a sus estudiantes que hagan afirmaciones comparativas para revisar los conocimientos que ya tienen. Suponemos que saben hacer comparaciones con adjetivos. Anímeles a que utilicen la forma *tan… como*, que es la que presenta más dificultad de asimilación.

- El comparativo de igualdad *tan… como* se utiliza más frecuentemente en forma negativa que en forma negativa.
Mi padre no es tan alto como tu padre
Yo no tengo tantas plantas como tú.

1. Los alumnos realizan la actividad individualmente. Corrija con ellos.

> Patricia gana más que Blanca.
> Patricia trabaja más horas que Blanca.

2. Los estudiantes realizan la actividad individualmente. Pídales que corrijan las afirmaciones falsas. Corrija con ellos.

> **1.** F (Blanca es más joven que Patricia).
> **2.** F (Blanca es más alta que Patricia).
> **3.** V. **4.** V. **5.** V.
> **6.** F (Patricia gana más que Blanca).

GRAMÁTICA

En este apartado se presenta la formación de los comparativos. Además se presentan los comparativos irregulares. ("Referencia gramatical" p. 185).

3. Los alumnos realizan la actividad individualmente. Pasee por la clase para aclarar las dudas de vocabulario. Después pídales que escriban en la pizarra algunas de ellas para que sirvan de ejemplo a los alumnos con más problemas.

ESCUCHAR

4. Pida a los alumnos que realicen una primera audición para comprender el contenido general y, después, en una segunda audición pídales que completen la tabla.

LUIS: ¡Sí, dígame!

CELIA: ¡Hola, Luis! Soy Celia.

LUIS: ¿Qué tal Celia? ¿Cómo estás?

CELIA: Muy bien. ¿Y a ti, cómo te va por Cercedilla? ¿Llevas una vida más divertida que en Madrid?

LUIS: ¿Más divertida? Bueno... no exactamente.

CELIA: Pero te gusta vivir allí, ¿no?

LUIS: Sí, eso sí. Hay menos contaminación que en Madrid.

CELIA: Eso seguro.

LUIS: Sí, además las casas son más grandes, con jardín y con vistas a la montaña.

Celia: ¡Qué bien! ¿Y qué tal las tiendas?

LUIS: Sí, además las casas son más grandes, con jardín y con vistas a la montaña.

CELIA: ¡Qué bien! ¿Y qué tal las tiendas?

LUIS: No hay muchas por aquí. Las tiendas son mejores en Madrid.

CELIA: ¿Y la gente?

LUIS: La gente por aquí es estupenda. Son mucho más tranquilos que en Madrid. No tienen tanta prisa.

CELIA: Bueno, pues el próximo fin de semana voy a hacerte una visita.

LUIS: Vale, venga ... y te preparo un cocido montañero.

CELIA: Estupendo. Nos vemos el sábado.

	Madrid	Cercedilla
Diversiones	+	
Contaminación	+	
Buenas vistas		+
Tiendas	+	
Tranquilidad		+
Prisa	+	

5. Los alumnos realizan la actividad individualmente y después comprueban las respuestas con su pareja.

1. c. **2.** b. **3.** a. **4.** d.

GRAMÁTICA

En esta unidad se presenta el superlativo relativo y absoluto. Consulte la "referencia gramatical", p. 185.

6. Los alumnos realizan la actividad individualmente. Después corrija con todos ellos.

1. El mes más frío en mi país es...
2. La fiesta más importante de mi país es...
3. El edificio más antiguo de mi ciudad es...
4. El mejor equipo de fútbol de mi país es...

5. El lugar de vacaciones más interesante en mi país es...
6. El cantante más famoso de mi país es...

HABLAR

7. Los estudiantes utilizan lo que han aprendido para expresar sus opiniones.

Si lo considera conveniente, pídales que preparen la actividad escribiendo algunas frases, así se facilita la fluidez. Dé algunos minutos para que cada miembro del grupo haga la actividad. Pasee por la clase y corrija los errores.

IDEAS EXTRA

● En parejas. Diga a sus alumnos que deben escribir en un papel 7 u 8 afirmaciones, unas verdaderas y otras falsas sobre los compañeros de la clase:
Pierre es mayor que Diane.
Lucía no es tan estudiosa como Helen.

● Usted recogerá cada papel y se lo pasará a otra pareja, que deberá leerlo y señalar si las afirmaciones son verdaderas o falsas.

● Al final, usted puede leer en voz alta todos los papeles, o bien pegarlos en la pared de la clase para que todos los alumnos los lean.

C. Moverse por la ciudad

OBJETIVOS

Vocabulario: Preposiciones de lugar. Lugares más destacados de una ciudad. Medios de transporte.

Comunicación: Instrucciones para ir a un sitio.

Pronunciación y ortografía: Diptongos.

Antes de empezar

● Pregunte a sus alumnos sobre los edificios y lugares más destacados de una ciudad que ellos conozcan. Anótelos en la pizarra y resérvelos para utilizarlos más adelante.

1. Comente con sus alumnos el significado de las preposiciones de lugar. Después pídales que escuchen la correcta pronunciación y repitan.

2. Los alumnos realizan la actividad individualmente. Corrija con ellos.

1. Delante de. **2.** Detrás de. **3.** Enfrente de. **4.** En el cruce. **5.** En la esquina. **6.** A la derecha de. **7.** cerca de. **8.** Lejos de.

ESCUCHAR

3. Pídales a los alumnos que escuchen cada uno de los diálogos una primera vez para tratar de comprenderlos y en una segunda audición completan los textos.

> **1.** A. Perdone, ¿podría decirme dónde hay un puesto de periódicos?
>   B. Siga recto y _enfrente del_ banco, justo en la esquina, ahí lo encontrará.
> **2.** A. Disculpe, estoy buscando una farmacia. ¿Sabe si hay alguna por aquí?
>   B. ¿Ve usted esa iglesia? Pues _detrás_ de la iglesia está la farmacia, _al lado de_ la oficina de correos.
> **3.** A. Por favor, ¿me podría indicar cómo llegar al Ayuntamiento?
>   B. Sí, claro. Siga todo recto y, _en el cruce_, tuerza _a la derecha_. _Delante de_ la escuela está el Ayuntamiento.

> **1.** en la esquina. **2.** detrás de. **3.** al lado de. **4.** en el cruce. **5.** a la derecha. **6.** delante de.

VOCABULARIO

4. Pregunte y escriba en la pizarra los nombres de los medios de transporte que aparecen en las imágenes: _tren, bicicleta, moto, avión, metro, autobús, autocar, taxi..._

- Pídales a sus alumnos que contesten a las preguntas y comente las respuestas con ellos.

5. Pida a los alumnos que opinen sobre las afirmaciones y que comparen sus respuestas con las de sus compañeros.

PRONUNCIACIÓN Y ORTOGRAFÍA

En este apartado se trata la formación y pronunciación de los diptongos en español.

1. Los estudiantes escuchan y repiten en voz alta. Detecte los posibles errores y hágales repetir más veces si es necesario.

2.

> Dios, res, aula, pez, mes, ven, cielo, oro, cuero, polo.

Autoevaluación

1. Actividad libre.

2.

> **1.** trabajó. **2.** era / fumaba. **3.** leyó. **4.** pasamos. **5.** veíamos. **6.** eran. **7.** salíamos. **8.** jugamos. **9.** envié. **10.** compré / era.

3.

> **1.** tanta / **2.** más / **3.** más / **4.** como / **5.** más / **6.** menos / **7.** tan / **8.** tan / **9.** más.

4. Respuestas abiertas.

5. Actividad semilibre.

De acá y de allá

Antes de empezar

- Pregunte a sus alumnos si alguno de ellos ha estado alguna vez en Argentina y conoce la ciudad de Buenos Aires.
- Aunque no hayan estado, pregúnteles qué saben sobre la ciudad de Buenos Aires: _¿dónde está?, ¿en que idioma hablan?, ¿cuáles son sus equipos de fútbol más conocidos?, ¿qué tipo de música es la tradicional?..._

1. Pida a sus alumnos que hagan una primera lectura del texto para localizar el vocabulario nuevo. Aclárelo con ellos. Después realice una segunda lectura.

2. Pida a los alumnos que hagan este ejercicio individualmente. Después corrija con ellos.

> **1.** Buenos Aires es probablemente la capital más destacada de Sudamérica.
> **2.** El barrio de La Boca es conocido por sus casas de metal pintadas de brillantes colores.
> **3.** El equipo de fútbol más popular tiene su cuna en el barrio de La Boca.
> **4.** El barrio de La Recoleta es uno de los más elegantes del país.
> **5.** El Moderno Palermo está lleno de árboles, tiene un zoo y bonitos parques y jardines.
> **6.** En el Palermo Viejo están los bares de moda.
> **7.** Los porteños suelen ser ciudadanos sociables y animados.

IDEAS EXTRA

- Pídales a sus alumnos que escriban un párrafo sobre su ciudad, similar al de Buenos Aires. Pueden hacerlo individualmente o en parejas.
- Dígales que es un escrito destinado a una revista de viajes.

A P **24. Tierras de España,** _Guía didáctica_, pp. 146-147.

A. Segunda mano

15

OBJETIVOS

Comunicación: Comprar y vender por teléfono.

Antes de empezar

- Explique a sus alumnos el concepto *segunda mano*: objetos utilizados que su dueño pone a la venta.

1. Haga la actividad con sus estudiantes. Pregúnteles y anote en la pizarra qué tipo de cosas se suelen comprar de segunda mano.

2. Aclare con sus alumnos las dudas de vocabulario en los anuncios del texto. Después los alumnos realizan la actividad individualmente. Corrija con ellos.

> **1.** Porque los dueños se cambian de domicilio.
> **2.** Vende un equipo de música.
> **3.** 210 €.
> **4.** Está en perfecto estado.
> **5.** Tiene dos puertas.

3. Los alumnos realizan el ejercicio individualmente. Corrija con ellos.

> **1.** ¿De qué color es la bicicleta?
> **2.** ¿Cuánto cuesta el equipo de música?
> **3.** ¿Cuántos programas tiene el lavavajillas?
> **4.** ¿Cómo está el piano?
> **5.** ¿A qué teléfono hay que llamar para comprar la cámara digital?

ESCUCHAR

4. Antes de escuchar prepare el vocabulario nuevo.

- Explique a sus alumnos el concepto *pagar al contado* (pagar la cantidad total en un solo pago) frente a *pagar a plazos* (repartir la cantidad total en distintos pagos).

- Los estudiantes escucharán la audición al menos dos veces: una primera vez para comprender el sentido global de la conversación y una segunda vez para completar los datos del ejercicio.

> A. ¿Dígame?
> B. ¡Hola, buenos días! ¿Es ahí donde venden una moto?
> A. Sí, sí, aquí es.
> B. El anuncio dice que es una <u>Yamaha,</u> ¿no?
> A. Sí, efectivamente, es una Yamaha de 600 centímetros cúbicos.
> B. ¿Y es muy antigua?
> A. ¡No, qué va! Sólo tiene cuatro años.
> B. ¿Y de qué color es?
> A. <u>Roja.</u>
> B. ¿Y cuánto pide?
> A. <u>3.600 € al contado</u>.
> B. Bien, mmm... ¿Cuándo puedo verla?
> A. Pues<u>... esta tarde a las cuatro.</u>
> B. ¿Me puede decir la dirección?
> A. Sí, claro. <u>Calle Toledo, 23.</u>
> B. ¿Puede repetir, por favor?
> A. Sí, calle Toledo, número 23.
> B. Gracias, ¡hasta luego!
> A. ¡Hasta luego!

> **1.** Yamaha.
> **2.** Roja.
> **3.** 3.600 €.
> **4.** Calle Toledo, n.º 23.
> **5.** A las cuatro de la tarde.

COMUNICACIÓN

En este apartado se presentan una serie de preguntas útiles para situaciones de compra-venta por teléfono.

Léalas en voz alta y pida a sus alumnos que las repitan haciendo hincapié en la entonación interrogativa.

HABLAR

5. Los estudiantes ponen en práctica los recursos comunicativos presentados para comprar y vender por teléfono. Tienen que preparar varias conversaciones telefónicas breves tomando como referencia los anuncios de la actividad 2. Pasee por la clase, aclarando las dudas que puedan aparecer. Si lo cree necesario, dígales que escriban los diálogos, así usted podrá comprobar la corrección de los mismos. Observe cómo lo hacen y tome nota de los errores más comunes que podrá corregir en la pizarra para todos.

- Elija tres parejas para que representen el diálogo y pida al grupo que corrija los posibles errores.

ESCRIBIR

6. Dé unos minutos a sus alumnos para que escriban el anuncio de la moto. Pasee por la clase corrigiendo los errores de concordancia y de cualquier otro tipo. Pida a algún alumno que lea el anuncio en voz alta para los demás.

7. Antes de realizar la actividad, explíqueles a sus alumnos que el periódico *Segunda mano* es una publicación española donde se pueden encontrar anuncios de compraventa de todo tipo de artículos de segunda mano: viviendas, muebles, electrodomésticos, vehículos... También se pueden encontrar ofertas de trabajo.

- Una vez realizada la actividad, pida a algunos de sus alumnos que lean su anuncio en voz alta para toda la clase.

ESCUCHAR Y HABLAR

8. Antes de escuchar, explique a sus alumnos la situación: es una encuesta en la calle sobre el dinero que se gasta durante el tiempo libre. Pregunte a sus estudiantes en qué se gasta la gente el dinero normalmente después de pagar lo básico. Escriba las ideas que surjan, algunas coincidirán con lo que dicen los encuestados. Aclare el vocabulario nuevo que aparece: *sobrar, ahorrar, tener en cuenta, intercambiar, colegas* (en la acepción de "amigo, compañero de grupo").

Los alumnos realizan la audición y contestan las preguntas. Corrija con ellos.

> REPORTERO: ¿En qué gastamos nuestro dinero durante el tiempo libre? Estamos haciendo una encuesta en la calle sobre las actividades de tiempo libre. Susana, ¿tú, en qué te gastas el dinero?

> SUSANA: Bueno, después de los gastos habituales, no me sobra mucho, pero algo sí. Mi marido y yo salimos todos los fines de semana al <u>cine</u> y, si se puede, cenamos en un <u>restaurante.</u> También ahorramos algo para las <u>vacaciones.</u> Nos gusta mucho viajar por España y, especialmente, conocer los pueblos de la montaña.
>
> REPORTERO: Y tú, Ángel, ¿cómo gastas tu dinero?
>
> ÁNGEL: Bueno, teniendo en cuenta que soy estudiante, pues no tengo mucho, la verdad. Pero vaya, me encanta la música, así que gasto mucho en <u>discos</u> y voy a <u>algún concierto</u> de vez en cuando. También me gustan mucho <u>los juegos de ordenador</u>, así que, cuando puedo, me compro alguno, o los intercambio con otros colegas.

> Susana se gasta el dinero en: ir al cine, cenar en algún restaurante e ir de vacaciones.

> Ángel se gasta el dinero en: discos, conciertos y juegos de ordenador.

9. Los estudiantes realizan la actividad por parejas. Pasee entre ellos y corrija los posibles errores gramaticales y de pronunciación.

10. Los alumnos realizan una primera lectura para localizar el vocabulario nuevo. Aclare con ellos los problemas de vocabulario. Después los alumnos realizan la actividad individualmente. Pídales que corrijan frases falsas. Corrija con ellos.

- Se llama "canguro" a la persona que los padres llaman para que se quede y cuide de su hijo-a pequeño-a cuando salen por la noche o por la tarde.

> **1.** V.
> **2.** F (Puedes encontrar las ofertas en el boletín que edita la asociación).
> **3.** F (Se han intercambian cosas que han dejado de ser útiles para su dueño).
> **4.** F (Los servicios que se intercambian son muy variados).
> **5.** V.

15

IDEAS EXTRA

● Una vez que los estudiantes han leído y comprendido el texto de la actividad 10, dígales que cierren el libro y léalo usted en voz alta. La idea es que ahora que ya conocen el contenido y el significado de las palabras, encontrarán motivador darse cuenta de que pueden entender la información del texto y relacionar el lenguaje escrito con el hablado.

B. En la compra

> **OBJETIVOS**
>
> **Vocabulario:** frutas y verduras.
> **Comunicación:** Conversaciones entre el cliente y el vendedor.
> **Gramática:** Indefinidos: *algo / nada, alguien / nadie, algún / ningún.*
> **Pronunciación y ortografía:** vocales que no forman diptongos.

Antes de empezar

● Pregunte a sus estudiantes si les gusta la fruta y la verdura, por qué y cuál les gusta más. Vaya anotando los nombres que le digan, ayúdeles cuando no conozcan el nombre español.

● Explique a sus estudiantes el concepto de "puesto de frutas y verduras" en un mercado español. Se trata de una mini-tienda dentro de un mercado organizado por materias: pescadería, carnicería, embutidos, etcétera.

1. Pida a sus alumnos que miren las fotografías y completen la tabla, utilizando también el vocabulario de la pizarra. Ayúdeles con el vocabulario nuevo.

Verduras	Frutas
coliflor	naranjas
judías verdes	limones
cebollas	uvas
pimientos	fresas
tomates	manzanas
espinacas	plátanos
...	...

2. Los estudiantes realizan la actividad por parejas. Ayúdeles con los problemas de vocabulario.

● Las "vueltas" o la "vuelta" es el dinero sobrante de la transacción comercial que el vendedor devuelve al cliente.

> 3, 6, 1, 4, 5, 2, 7, 12, 11, 10, 9, 8.

3. Los estudiantes escuchan y comprueban sus respuestas.

> VENDEDOR: Buenas tardes, ¿qué desea?
> CLIENTE: Quería comprar unas naranjas de zumo.
> VENDEDOR: ¿Cuántas quiere?
> CLIENTE: Dos kilos.
> VENDEDOR: Aquí las tiene, ¿algo más?
> CLIENTE: Sí, también quiero una lechuga.
> VENDEDOR: Lo siento no me queda ninguna. ¿Quiere unas judías verdes?
> CLIENTE: No, gracias. No quiero nada más. ¿Cuánto es?
> VENDEDOR: 5,25 €
> CLIENTE: Tome, ¿puede darme una bolsa, por favor?
> VENDEDOR: Sí, claro... Y aquí tiene sus vueltas. Muchas gracias.
> CLIENTE: Adiós, muchas gracias.

4. Los estudiantes realizan la actividad individualmente o por parejas. Corrija con ellos.

El vendedor dice	El cliente dice
¿Qué desea?	¿Cuánto cuesta?
¿Quiere algo más?	¿Cuánto es?
Aquí tiene la vuelta.	¿Pueden enviármelo a casa?
	Quería comprar...

HABLAR

5. Los estudiantes preparan la actividad por parejas. Una vez preparados los diálogos, pídales que los dramaticen ante la clase.

IDEAS EXTRA

A P **25. De compras,** *Guía didáctica,* pp. 148-149.

GRAMÁTICA

● Pida a sus alumnos que lean el cuadro de gramática y centren su atención en la diferencia entre los Indefinidos variables e invariables. ("Referencia gramatical", p. 185).

- Para comprobar la comprensión y practicar, haga una ronda haciendo preguntas a los estudiantes como las que siguen. Prepárese unas cuantas en un papel de forma que todos los estudiantes participen. Dígales que tienen que responder siempre negativamente:

  ¿Has comprado/tomado hoy algo? (No, no he comprado/tomado nada)

  ¿Has estudiado/visto/oído algo?

  Has visto/oído a alguien? ¿Ha llamado alguien? (No, no he visto a nadie)

  ¿Tienes en casa algún CD de Ricky Martin / alguna amiga japonesa / algunos pantalones a cuadros? (No, no tengo ningún/ninguna/ningunos…)

- También puede prepararlas para dárselas a los estudiantes y que practiquen en parejas.

6. Los alumnos realizan la actividad. Corrija con ellos.

> **1.** A. algo; B. nada. **2.** A. ningún / alguien; B. nadie. **3.** A. algo; B. algunos. **4.** A. alguna; B. ninguna; **5.** A. algo; B. nada.

7. Los alumnos realizan la actividad individualmente. Corrija con ellos.

> **1.** alguna. **2.** algunos. **3.** ningún. **4.** algunos. **5.** algún. **6.** ningún. **7.** algunas. **8.** alguna. **9.** ninguna. **10.** algunos.

PRONUNCIACIÓN Y ORTOGRAFÍA

Pida a sus alumnos que lean el cuadro sobre los diptongos e hiatos.

1. Los estudiantes escuchan y repiten en voz alta. Detecte los posibles errores y hágales repetir más veces si es necesario.

2. Los alumnos realizan la actividad a la vez que van escuchando la audición. Corrija con ellos.

> Radio: ra – dio, 2.
> Secretaría: se – cre – ta – rí – a, 5.
> Diez: diez, 1.
> Armario: ar – ma – rio, 3.
> Vacío: va – cí – o, 3.
> Mía: mí – a, 2.
> Rio: rio, 1.

> Alegría: a – le – grí – a, 4.
> Secretario: se – cre – ta – rio, 4.
> Cuadro: cua – dro, 2.
> Avión, a – vión, 2.
> Farmacia: far – ma – cia, 3.

3. Los alumnos realizan la actividad.

4. Los alumnos escuchan y comprueban.

> **1.** diez. **2.** secretaria. **3.** rio. **4.** río. **5.** secretaría. **6.** lío. **7.** hacia. **8.** hacía. **9.** Díez.

Diga a sus estudiantes que cierren el libro, ponga la audición una vez más y dígales que repitan las frases para afianzar la pronunciación.

c. cocina fácil

> **OBJETIVOS**
>
> **Vocabulario:** Verbos para cocinar.
> **Gramática:** Oraciones impersonales con *se*.
> **Comunicación:** Conversaciones en el restaurante. Entender y dar instrucciones para elaborar un plato.

15

Antes de empezar

- Pregúnteles a sus alumnos si les gusta cocinar y qué platos saben preparar. Pida a alguno que explique la elaboración de algún plato sencillo. Si nadie se anima, explique usted cómo elabora su plato favorito. Al explicarlo haga los gestos correspondientes a cada acción: *partir, pelar, picar, remover, echar sal…* con el fin de preparar el vocabulario correspondiente. Puede hacerlo en primera persona: *yo primero pelo las patatas, luego las parto…* para centrar la atención en la comprensión del significado de cada acción.

VOCABULARIO

1. Los estudiantes observan los dibujos y aprenden el nuevo vocabulario. Pídales que repitan la pronunciación correcta en voz alta, más de una vez si es necesario.

2. Los alumnos realizan la actividad por parejas para ayudarse con el vocabulario nuevo. Después escuchan y comprueban.

> trocear un calamar.
> machacar los ajos.
> picar la cebolla.
> cocer en agua.
> freír el pimiento.

1. b. **2.** a. **3.** e. **4.** c. **5.** d.

3. ● Antes de realizar la audición, pida a sus alumnos que lean la lista de ingredientes para aclarar el vocabulario. Después los alumnos escucharán la audición al menos dos veces.

● Una vez realizada la actividad, corrija con ellos.

> Primero se lavan las <u>gambas</u>, el calamar y los <u>mejillones</u>. Después se trocea el <u>calamar</u>.
> En una paellera, se calienta el <u>aceite</u> y se fríen el pimiento y la <u>cebolla</u> bien picada y luego el <u>tomate</u>. Cuando está todo frito, se echan los mariscos y las <u>verduras</u>. Se deja cocer, a fuego lento, unos diez minutos y luego se echa el <u>arroz</u> y a continuación el agua. La cantidad de agua será el doble de la de arroz. El arroz cocerá unos veinte minutos.
> Mientras se cuece, en un mortero, se machacan los <u>ajos</u> con la sal, el <u>azafrán</u> y se echa en la paellera. Se deja reposar unos minutos.

1. gambas. **2.** mejillones. **3.** calamar. **4.** aceite. **5.** cebolla. **6.** tomate. **7.** verduras. **8.** arroz. **9.** ajos. **10.** azafrán.

IDEAS EXTRA

A P **15. Cocina fácil,** *Libro del alumno,* pp. 163 y 169.

GRAMÁTICA Y COMUNICACIÓN

Lea con sus alumnos el cuadro de Gramática en el que se presentan las oraciones impersonales para dar instrucciones. ("Referencia Gramatical" p. 185).

4. Pida a los alumnos que realicen el ejercicio individualmente. Corrija con ellos.

> **1.** Se lavan.
> **2.** Se fríe.
> **3.** Se echa.
> **4.** se sirve.
> **5.** Se machacan.
> **6.** Se trocean.

5. ● Observe las fotografías con sus alumnos. Pídales que las comenten con sus compañeros.

● Explíqueles a sus alumnos que el aperitivo es muy típico en España. Se toma antes de la comida de mediodía y suele consistir en una bebida y una tapa.

● La comida de mediodía es la más importante en la dieta española; se suele hacer entre las dos y media y las tres de la tarde y consiste en tres platos: primer plato, segundo plato y postre.

● La merienda se toma a media tarde (entre las 5 y las 6) y es muy habitual entre los niños y las personas mayores. Suele constar de un vaso de leche y un dulce o un pequeño bocadillo.

● En el microdiálogo 4 se ejemplifica el momento de pedir la cuenta. Diga a sus estudiantes que cuando varias personas van a tomar algo (el aperitivo, por ejemplo), al final uno de ellos paga todo. Es normal que haya una pequeña "discusión" entre los que pretenden pagar.

a. Merienda. **b.** Aperitivo. **c.** Comida.

6. Los estudiantes realizan la actividad por parejas para ayudarse con los problemas de vocabulario.

7. Los estudiantes escuchan la audición y comprueban.

> 1. A. Por favor, pónganos dos cañas y un vino.
>   B. <u>¿Quieren algo de tapa?</u>
>   C. Sí, pónganos tres tapas de morcilla.
>
> 2. A. ¿Qué tal está la paella?
>   B. Está buenísima, y el salmón, ¿qué tal está?
>   A. Está un poco soso. Camarero, <u>traiga la sal</u>, por favor.

3. A. ¿Qué van a comer?

   B. Yo quiero de primero ensaladilla rusa y de segundo ternera asada.

   C. Pues a mí póngame menestra de verduras y de segundo cordero.

   A ¿Y de beber?, ¿qué quieren?

   B. Vino de la casa y agua, por favor.

   A. Por favor, ¿me cobra?

   B. Sí, enseguida. Son 5,30 €.

   C. Deja, deja. Hoy me toca pagar a mí.

5. A. Buenas tardes. ¿Qué van a tomar?

   B. Pónganos dos cafés con leche y un té con limón.

   A. ¿Quieren algo de comer?

   B. Sí, traiga unos churros, por favor.

---

1. ¿Quieren algo de tapa?
2. traiga la sal.
3. ¿Qué van a comer?
4. Yo quiero.
5. póngame.
6. ¿Y de beber?
7. ¿me cobra?
8. ¿Qué van a tomar?
9. Pónganos.
10. ¿Quieren algo de comer?

HABLAR

8. En parejas realizan la actividad. Primero pueden escribirlo y después memorizarlo para, una vez practicado, dramatizarlo ante la clase. Pasee entre los alumnos para corregir los posibles errores de concordancia o pronunciación.

Autoevaluación

1.

1. zapatos.   2. ropa.   3. carne.   4. pescado.
5. bolígrafo.   6. pollo.

2.

1. nadie. 2. algo. 3. nada. 4. alguien. 5. nadie.
6. nada. 7. algo. 8. nadie. 9. alguien. 10. nada.

3.

1. algunos amigos. 2. algunas esculturas.
3. ninguna oveja. 4. algún chiste. 5. alguna moneda. 6. ningún día.

4.

1. ternera. 2. cocer. 3. agua. 4. pica. 5. fríen.
6. ajos. 7. cebolla. 8. picada. 9. cucharada.
10. freír.

5.

1. se venden. 2. se lava. 3. se encuentra.
4. se escriben. 5. se sabe. 6. se escribe.

De acá y de allá

1. Pregúnteles a sus alumnos sobre la comida típica de su país. Por parejas, pueden intentar escribir una receta. Ayúdeles con las dudas de vocabulario y concordancia gramatical. Una vez realizada, pueden leerla para el resto de la clase.

2. Pida a sus alumnos que lean el menú del Restaurante Internacional y aclare las dudas de vocabulario que aparezcan.

3. Pida a los alumnos que respondan a las preguntas y después pueden conversar en grupos pequeños o con toda la clase, si no es muy numerosa.

- Anime a todos los alumnos a participar en la conversación

15

A. Este verano, salud

OBJETIVOS

Vocabulario: La playa. La salud.
Comunicación: Dar instrucciones.
Gramática: Imperativo afirmativo y negativo y su
uso con pronombres.

Antes de empezar

- Diga a sus alumnos que tienen dos minutos para escribir todas las palabras que puedan sobre lo necesario para pasar unos días agradables en la playa: *bañador, crema protectora, sombrilla, toalla...*

- Escriba las palabras y expresiones que le vayan diciendo. Ayúdeles si es necesario.

1. Para entrar en el tema, pregunte a sus estudiantes si van a la playa, con cuánta frecuencia, adónde, o si prefieren otro tipo de lugares.

2. Antes de escuchar, diga a sus alumnos que lean el texto una vez y aclaren el vocabulario nuevo. Ponga la audición dos veces al menos, la segunda con el libro cerrado.

3. Los alumnos hacen el ejercicio individualmente. Corrija con todos.

> **1.** Después de una comida abundante o de un ejercicio intenso.
> **2.** Poco a poco.
> **3.** No tirar basura y utilizar la papelera.
> **4.** Si estás cansado de nadar.
> **5.** Ducharse.
> **6.** Tomar el sol poco a poco y ponerse siempre crema protectora.

GRAMÁTICA

- Se les llama la atención sobre el cuadro de gramática: ya conocen el imperativo, que sirve para dar órdenes, consejos o instrucciones. Asimismo, se resalta cómo el imperativo puede ir acompañado de pronombres, y se explica cómo se colocan.

- Practique el imperativo con los alumnos: usted dice un verbo o frase en imperativo afirmativo y señala a un estudiante, que tiene que convertir en negativo, y viceversa.

4. Los estudiantes subrayan los imperativos. En la puesta en común vaya escribiéndolos en la pizarra y clasificándolos con la ayuda de los alumnos en tres columnas según su conjugación. Es interesante hacer notar el cruce de vocales como truco para aprender la conjugación (entr**ar** → entr**e**; com**er** → com**a**; viv**ir** → viv**a**) y destacar que la segunda y la tercera se conjugan igual en imperativo.

5. Los estudiantes hacen la actividad. Corrija entre todos.

> **1.** salgas.
> **2.** ponte.
> **3.** bebas.
> **4.** entre.
> **5.** póngase.
> **6.** te bañes.
> **7.** dale.

6. Los estudiantes hacen la actividad. Intercambian el libro con un compañero y cada uno corrige al otro. Después se realiza la puesta en común. Es importante anotar en la pizarra la solución de estos dos últimos ejercicios para que no haya confusiones sobre la colocación de los pronombres.

> **1.** No te pongas el bañador rojo.
> **2.** No tires esos papeles a la papelera.
> **3.** No bebas más líquido.
> **4.** No me des la toalla.
> **5.** No me pongas más crema protectora.
> **6.** No salgas del agua.
> **7.** No lleves el perro a la playa.
> **8.** No te pongas las zapatillas.

7. Antes de escuchar, anime a los alumnos a leer el diálogo e imaginar por parejas cuáles son las palabras que faltan. Después escuchan, corregimos y vemos cuántas han acertado. Solucione posibles dudas de vocabulario y pronunciación. Si lo desea, pida a tres alumnos que lean el diálogo.

1. ¿qué le pasa?
2. quítese.
3. ¿Cuánto tiempo?
4. protectora.
5. me duele.
6. crema.
7. pastillas.
8. sombrilla.

DOCTOR: Buenas tardes, ¿qué le pasa?
JUAN: Mire, es que hemos estado en la playa y tengo la espalda roja.
DOCTOR: A ver, quítese la camisa. Se ha quemado la espalda. ¿Cuánto tiempo ha estado al sol?
JUAN: Unas dos horas
DOCTOR: ¿Y no se ha puesto crema protectora?
ELENA: Yo se lo he dicho, pero los hombres…
JUAN: Y también me duele la cabeza…
DOCTOR: Bueno, para tomar el sol hay que tomar precauciones. Ahora póngase esta crema contra las quemaduras y tómese estas pastillas para el dolor de cabeza. Y otra vez, póngase crema protectora y cómprese una sombrilla. No es bueno tomar tanto sol.
JUAN: Sí, doctor, gracias.

HABLAR

8. Prepare la actividad dándoles otros términos relacionados con la salud. Dígales que consulten la conversación de la actividad 7. Pasee entre las parejas y escuche las interacciones de los alumnos, corrigiendo lo que haga falta. No deben escribirlo primero, sino pasar directamente a la práctica oral. Después, ponga en común los errores más frecuentes o relevantes.

IDEAS EXTRA

1. Pida a los estudiantes que hagan un decálogo de instrucciones para una campaña de concienciación. Escoja un tema que esté cercano a sus intereses. Por ejemplo, "instrucciones para ahorrar agua en época de sequía" es un tema recurrente en España, pero quizás no sea adecuado en su país. Algunas ideas:

a) Instrucciones para mantener limpia la ciudad / la playa.
b) ¿Cómo ahorrar energía eléctrica?
c) Instrucciones para tener buena salud.

Haga grupos de 4 alumnos y pida que elaboren el decálogo. Luego lo ponen en común, bien de forma oral o pegándolo en la pared de la clase donde todos puedan leerlo.

A P   **26. Buenos consejos,** *Guía didáctica,* pp. 150-151.

A P   **16. Poema,** *Libro del alumno,* pp. 163 y 169.

B. Mi jefe está de mal humor

OBJETIVOS

Vocabulario: Expresiones para hablar de estados de ánimo y estados en general.
Comunicación: Hablar del estado de ánimo y describir estados.
Gramática: Usos de *ser* y *estar*.

Antes de empezar

16

• Diga a sus alumnos que lean las expresiones del ejercicio 1. Para asegurarse de que las entienden, proponga distintas situaciones para que los alumnos describan el estado de ánimo de una serie de personas usando algunas de esas expresiones:

Manolo tiene un examen.
Gema ha encontrado trabajo.
He llegado tarde otra vez y mis amigas…
Se me ha estropeado el coche.
Hoy hace muy buen día, por eso…

• Subraye que todas se construyen con *estar.*

• Una vez aclarado el sentido de estas, anime a sus alumnos a decir otras que conozcan para hablar de estados de ánimo. El profesor puede aprovechar para el repaso de sinónimos y antónimos y la concordancia de género y número.

1. Pregunte usted a algunos de sus alumnos cómo están hoy y por qué.

2. Los alumnos hacen el ejercicio individualmente. Al corregirlo, en el caso de a), b) y c), tienen que decir por qué creen que esas personas están así.

1. a.   **2.** f.   **3.** c.   **4.** b.   **5.** e.   **6.** d.

3. Completan individualmente el ejercicio. ¿Han acertado los motivos de a), b) y c)? Corrigen escuchando la audición.

> 1. cansado.
> 2. harta.
> 3. caliente.
> 4. enamorada.
> 5. desordenada.
> 6. deprimida.

GRAMÁTICA

● Escriba en la pizarra unas cuantas frases sencillas de contraste entre *ser* y *estar* en las que falta el verbo. Pregunte a los alumnos cuál de las dos formas creen que hay que escribir en cada frase. Vaya orientándolos y razonando con ellos cada elección. Lea con ellos el recuadro de gramática y explique que usamos *ser* para describir características de personas o cosas, y *estar* para hablar de los estados. Observar que se usa *estar* con adjetivos cuando hay una idea de cambio (*la sopa está caliente*, pero dentro de un momento *estará fría*. *Las peras están maduras*, pero antes *estaban verdes*. En cambio, *Sara es española, rubia, simpática*, y eso no cambia).

● Cuando *estar* se utiliza para expresar "lugar" no existe esa idea de cambio: *Madrid está en el centro de España*.

5. Por parejas hacen el ejercicio. El profesor puede pedir que expliquen por qué han elegido una forma u otra.

> 1. estoy.
> 2. está.
> 3. son.
> 4. están.
> 5. estábamos.
> 6. es.

6. Hacen el ejercicio. Al corregir, el profesor pregunta qué puede estar libre, reservado, vacío, animado… (una persona, una mesa, un asiento en el metro, un cine, una botella…).

> **1.** c. **2.** g. **3.** f. **4.** b. **5.** e. **6.** d. **7.** a.

GRAMÁTICA

● Diga a sus alumnos que miren el esquema de gramática. Explique el sentido de esas expresiones según aparezcan con *ser* o con *estar*.

7. Los alumnos hacen el ejercicio en parejas. Corrija entre todos.

> **1.** g. **2.** f. **3.** c. **4.** a. **5.** d. **6.** b. **7.** e.

8. Los alumnos hacen el ejercicio. Pueden construir sus frases sobre personas de la clase.

ESCUCHAR

9. Antes de escuchar explique la situación y el vocabulario nuevo: tensión alta. Deje tiempo para que lean las afirmaciones.

Por parejas comparan sus resultados, se escucha otra vez y se corrige en la pizarra. Mientras corrige, haga preguntas más complejas: *¿Cómo está el padre de Marisa? ¿Qué le pasa? ¿Por qué el hermano está deprimido?* Se escucha de nuevo para ver las respuestas. Esta audición puede usarse para ver expresiones de cortesía, de interés por los asuntos del otro, cómo se sigue la conversación, se expresa tristeza, sorpresa, se consuela al otro…Y, de paso, para practicar la entonación. Dígales que consulten la transcripción.

> **1.** V. **2.** F. **3.** F. **4.** F. **5.** V. **6.** V.

> CARMEN: Hola, Marisa, ¿qué tal estás?
> MARISA: Hola, Carmen. Bueno, yo no estoy mal, pero en mi familia estamos regular.
> CARMEN: ¿Qué ha pasado?
> MARISA: Pues, mira, mi madre está enferma, tiene la tensión alta. Mi padre está mejor, pero le duelen las piernas y no puede andar mucho.
> CARMEN: Ya…
> MARISA: Y luego, mi hermano. Resulta que se ha separado de su mujer y está deprimido.
> CARMEN: ¡No me digas! ¿Cuándo ha sido?
> MARISA: Estaban mal desde hace tiempo, pero este verano tuvieron una pelea y decidieron separarse…
> CARMEN: ¡Qué pena! ¿Y los niños?
> MARISA: Los niños están con mi cuñada. Por eso mi hermano está deprimido, porque no los ve…

16

CARMEN: Bueno, mujer, son cosas que pasan, con el tiempo se pondrá bien.

MARISA: Sí, ¿y tú?, ¿qué tal tu familia?

CARMEN: Yo estoy bien, resulta que tengo un trabajo nuevo…

10. Los alumnos leen el texto en parejas para ayudarse en los problemas de vocabulario. Durante la corrección, vaya escribiendo en la pizarra las expresiones de ánimo que los alumnos han entresacado de la historieta.

1. Que está deprimido.
2. ¡Venga, hombre! /
   ¡La vida es bella!/
   ¡Arriba ese ánimo!/
   ¡Despierta, muchacho!/
   Venga…
3. No, está peor porque las formas de Leo son muy agresivas. Ahora, además de deprimido está herido, magullado.

c. ¡Que te mejores!

OBJETIVOS
Comunicación: Expresar deseos.
Gramática: Presente de subjuntivo con fórmulas de cortesía.

Antes de empezar

- Explique a sus alumnos que va a hacer una serie de afirmaciones y que tienen que reaccionar con una frase o palabra adecuadas. Se trata de hacer un sondeo para ver lo que saben y, al mismo tiempo, de preparar las actividades siguientes. Por ejemplo, si decimos *Hoy es mi cumpleaños*, seguramente algún estudiante nos dirá *Felicidades*; si decimos *Me ha tocado la lotería, ¿sabes?*, alguien expresará su alegría diciendo *¡Qué bien!*; si decimos: *Mi padre murió hace un mes*, puede que alguien conteste *Lo siento*, o *Vaya*. El profesor irá anotando en la pizarra las distintas expresiones que aparezcan, organizándolas según su contenido. Explique a sus alumnos que son frases de cortesía, para expresar nuestra alegría, tristeza o interés por lo que le pasa a alguien. Y que a veces también contesta-

mos expresando nuestros buenos deseos, lo que queremos para los demás.

1. Los alumnos marcan la opción que crean correcta, y que en este caso es la número 1. Se corrige y el profesor escribe en la pizarra, junto a la frase *¡Que te mejores!*, la estructura: *¡Que + presente de subjuntivo!*

2. Por parejas, los alumnos hacen el ejercicio. Al corregir tienen que explicar qué está pasando en cada imagen y qué les dicen a esas personas. El profesor debe aclarar la diferencia entre frases del tipo *¡Que te mejores!* y *¡Qué bien!*, explicando que unas expresan deseos y otras sentimientos de alegría, tristeza…

- La estructura *que + subjuntivo* depende de un verbo principal en indicativo que se sobreentiende (*quiero, deseo*). Es decir que aquí el *que* es una conjunción, a diferencia del *que* de las expresiones *¡qué bien! ¡qué mala suerte*, donde es un pronombre exclamativo y está señalado con la tilde.

1. b. **2.** a. **3.** c. **4.** d. **5.** e.

GRAMÁTICA

- Se presentan por primera vez las formas de subjuntivo, aunque en el apartado anterior ya se habían adelantado con el imperativo. Diga a sus alumnos que el modo indicativo se utiliza casi siempre en oraciones subordinadas de otra oración principal. La forma sigue el mismo esquema que el imperativo. Ponga varios ejemplos de cada uno de los tres casos presentados y practique brevemente con sus alumnos, sobre todo el contraste entre *Espero que tú encuentres trabajo* y *Espero encontrar trabajo*, para ver si lo han entendido. Es importante hacerles notar que la estructura sin verbo principal se usa ante situaciones como frase de cortesía, como una fórmula más o menos fija, mientras que las otras dos estructuras expresan deseos concretos.

3. Los alumnos realizan el ejercicio individualmente y se corrige entre todos.

1. vaya. **2.** vengan. **3.** tengamos. **4.** sea.
5. venga. **6.** cumplas. **7.** estudien. **8.** me case.
9. vivas. **10.** sea. **11.** tenga. **12.** terminen.
13. seamos. **14.** mejoren. **15.** vaya. **16.** escribas.
17. vengáis. **18.** tengas.

IDEAS EXTRA

● Practicar los verbos por parejas con un dado. Cada número del dado corresponde a una persona gramatical (el uno es *yo*, el dos *tú*…) El profesor escribe en la pizarra una lista de verbos. Un alumno elige un verbo, su compañero tira el dado y ha de decir la persona de ese verbo que corresponde al número que le ha salido. Por ejemplo: si el alumno dice *beber* y al tirar el dado sale un seis, su compañero deberá decir *beban*.

● Se reparten tarjetas con distintas situaciones *(Es tu cumpleaños / Te vas de viaje / Tu novio y tú vais a una fiesta…)* para que los alumnos, de tres en tres, establezcan pequeños diálogos expresando sus buenos deseos, su alegría, pena… El profesor pasará por los grupos para corregir y ayudar si es necesario.

4. Por parejas, cada alumno cuenta a su compañero lo que sus padres esperan de él. El compañero ha de apuntarlo y corregir los errores. Después, el profesor pedirá a algunos alumnos que expresen alguna de esas expectativas.

ESCUCHAR

5. Los alumnos escuchan la grabación dos veces, primero seguida y después con un corte que separa lo que dice Roberto y lo que dice Maribel. Completan y se corrige el ejercicio. Antes de ponerlo en común con la clase, pueden hacerlo con el compañero.

> Roberto espera acabar sus estudios, encontrar algún trabajo y vivir tranquilo. También espera casarse y tener hijos.
>
> Maribel espera que su hijo mayor sea músico y que su hija sea periodista. Además, espera que sus hijos tengan suerte, que les vaya bien en la vida y que no sufran.

> MARIBEL: A ver, Roberto, ¿puedes decirme cuáles son tus expectativas para el futuro?
> ROBERTO: Sí, claro. Primero, yo espero acabar mis estudios, luego espero encontrar algún trabajo, quizás en el extranjero, y vivir tranquilo.
> MARIBEL: ¿No quieres casarte?
> ROBERTO: Bueno, sí, si encuentro la mujer de mi vida espero casarme y tener hijos, pero más tarde. Y tú Maribel, ¿qué deseos tienes para el futuro?

> MARIBEL: Yo estoy casada y tengo un buen trabajo…, dos hijos, así que espero que mi hijo mayor sea músico, pues está estudiando piano, y mi hija creo que será periodista. Espero que tengan suerte, que les vaya bien en la vida, que no sufran, vamos, lo que quieren todas las madres para sus hijos.

HABLAR

6. Los alumnos escriben sus frases y hablan de sus deseos al resto de la clase. El profesor podrá corregir al final los errores más frecuentes y relevantes.

IDEAS EXTRA

● En grupos de cinco. El profesor reparte unas tarjetas con diferentes personajes (una estudiante, un preso, una secretaria, un señor sin pelo, una señora mayor). El alumno se pone en la piel de ese personaje y explica cuáles son sus deseos. A través de ellos, los compañeros tienen que adivinar de qué personaje se trata.

ESCRIBIR

7. Los estudiantes hacen el ejercicio individualmente y se corrige entre todos.

IDEAS EXTRA

● Resalte las expresiones que aparecen en este correo que le parezcan útiles en la comunicación o puedan plantear dudas *(resulta que…, no tienes más que decírmelo)*. A continuación, proponga que escriban un correo para un conocido anunciándole que van a ir a su ciudad unos días y les gustaría alojarse en su casa.

PRONUNCIACIÓN Y ORTOGRAFÍA

1. Antes de poner la audición, haga prácticas de pronunciación de los dos sonidos. La mayor o menor dificultad dependerá de la lengua materna de sus alumnos.

2. Los alumnos hacen el ejercicio individualmente.

> 1. Dame una pala para trabajar.
> 2. Este jersey es muy caro, y además tiene una tara.
> 3. Quiero un polo de moras.
> 4. El perro de Rosa se llama Toby.
> 5. Maribel tiene la cara sucia.
> 6. En México los coches se llaman carros.
> 7. Los alumnos comprueban. A continuación, dígales que lean las palabras y frases en voz alta una o varias veces hasta que la pronunciación sea aceptable.

Autoevaluación

1. Completa la tabla.

Afirmativo	Negativo
Báñate	No te bañes
Pasa	No pases
Ábrelo	No lo abras
Cómpralo	No lo compres
Cómelo	No lo comas
Sal	No salgas
Entra	No entres
Espere	No esperes
Beba	No beba
Siéntate	Siéntate

2.

> ¿Qué le pasa? / encuentro / me duele / tengo / ¿Cuándo / Hace / Tiene / termómetro / Tome / Beba / salga / Venga.

3.

> 1. nervioso.
> 2. triste.
> 3. animado.
> 4. lleno.
> 5. divertido.
> 6. sucio.
> 7. desordenado.
> 8. ocupado.
> 9. descansado.
> 10. frío.

4.

> 1. ¡Que te diviertas!
> 2. ¡Que tengas suerte!
> 3. ¡Que descanses!
> 4. ¡Que les aproveche!
> 5. ¡Que te mejores!
> 6. ¡Que tengas buen viaje!

5.

> 1. Nosotros esperamos que mañana no llueva.
> 2. Él espera que su hijo estudie Medicina.
> 3. Espero que Ricardo venga pronto.
> 4. María espera acabar ya los estudios.

> 5. Esperamos que estéis bien.
> 6. Espero que pases buen día de cumpleaños.
> 7. Espero que Lucía se case conmigo.
> 8. Espero que me escribas pronto.

De acá y de allá

1. Se presenta un tema de actualidad del que todos hemos oído hablar. Anime a sus alumnos a conversar sobre su conocimiento previo del tema (si es necesario formulando alguna pregunta o escribiendo algunas palabras clave en la pizarra), para luego concentrarse en la lectura, que presenta un caso concreto.

2. Leen el texto en voz baja y completan las frases. Después se corrige. Aclare posibles dudas de vocabulario (*tener inquietudes y ambiciones, vocación, alejarse de, adaptarse a, desenvolverse*) pidiendo a los alumnos que expliquen cierta frase, o bien anímeles directamente a que pregunten el significado de lo que no entiendan.

> 1. de Ecuador / en 1988.
> 2. era joven, tenía inquietudes y ambiciones / una prima / Los Ángeles.
> 3. trabajaba / estudiaba / mejorar su inglés.
> 4. te alejas de la gente que te quería, de tu tierra y tienes que adaptarte a otro lugar y otras maneras de vivir.
> 5. vuelve / cada año / ver a su familia y sus amigos.

3. Anime a sus alumnos a hablar sobre este tema aprovechando la experiencia que cuenta Paloma y partiendo de las preguntas de esta actividad.

16

17

A. Buscando trabajo

OBJETIVOS

Gramática: Profesiones.
Comunicación: Hablar sobre las condiciones de
trabajo.

Antes de empezar

- Pregunte a sus alumnos en qué trabajan ellos, o los miembros de su familia.
- Escriba en la pizarra un listado con las profesiones que vayan surgiendo en la conversación.
- Haga en la pizarra un listado de los lugares donde se realizan estas profesiones y relacione ambas listas.

1. Los alumnos realizan la actividad por parejas. Ayúdelos con los problemas de vocabulario. Comente con ellos las cuestiones de horarios laborales: *¿A qué hora entras?, ¿A qué hora sales?, ¿Trabajas los sábados?...*

2. Los alumnos realizan la actividad individualmente. Corrija con ellos.

3. Los alumnos realizan la actividad con el compañero. Ayúdeles con los problemas de pronunciación y entonación. Corrija con ellos.

periódico – periodista
agencia de viajes – guía turística
taller mecánico – mecánico
peluquería – peluquero/a
supermercado – dependiente
colegio / instituto – profesor/a
restaurante – cocinero/a
empresa de transporte – conductor de autobús
hospital – enfermera
empresa informática – programador

4. Los alumnos realizan la actividad individualmente o par parejas para ayudarse con los problemas de vocabulario. Corrija con ellos.

1. el conductor de autobús.
2. la peluquera.
3. el mecánico.
4. la guía turística.
5. el profesor.

HABLAR

5. Los alumnos realizan la actividad. Si lo considera necesario, puede pedir a sus alumnos que la realicen primero por escrito, así usted podrá comprobar errores de concordancia y vocabulario en la redacción. Después pueden exponer su descripción por parejas. Puede hacer una demostración para toda la clase con un alumno aventajado.

6. Los alumnos tratan de completar el texto individualmente. Después escuchan y comprueban. Corrija con ellos.

ALICIA: Mira, aquí hay un anuncio donde necesitan un pintor de coches.
PEDRO: ¿Qué piden?
ALICIA: Piden algo de experiencia, tener el carné de conducir y vivir en Madrid.
PEDRO: ¡Ah, muy bien! Voy a llamar. Buenos días. Llamo por el anuncio del periódico. Soy pintor de coches y quiero enterarme de las condiciones del trabajo.
EMPRESARIO: Sí, dime, ¿qué quieres saber?
PEDRO: ¿Dónde está el taller?
EMPRESARIO: En el kilómetro 16 de la carretera de La Coruña.
PEDRO: Y, ¿qué horario de trabajo tienen?
EMPRESARIO: Empezamos a las ocho y media de la mañana y acabamos a las cinco y media de la tarde, con una hora para comer. Trabajamos un sábado sí y otro no.
PEDRO: ¿Y cuánto es el sueldo?
EMPRESARIO: Para empezar, son catorce pagas de 1.000 euros, y luego... ya hablaremos.
PEDRO: Bueno, pues... me pasaré mañana para hablar con ustedes...

1. ¿Qué piden?
2. llamo por el anuncio del periódico.
3. ¿qué horario de trabajo tienen?
4. ¿Y cuánto es el sueldo?

HABLAR

7. Los alumnos realizan la actividad por parejas con ayuda del texto del ejercicio anterior. Paséese por la clase controlando los problemas de pronunciación y entonación.

- En el segundo anuncio hablan de "Cooperativa de profesores". Una cooperativa es un tipo de empresa en la que los trabajadores son a la vez propietarios de ella, de tal manera que a final de año suelen repartir los beneficios (o pérdidas) que haya habido.

8. Los alumnos realizan una primera lectura para localizar los posibles problemas de vocabulario. Acláreselos. Explique el significado de la palabra *propina* (*cantidad voluntaria de dinero que los clientes dan al trabajador si han quedado satisfechos con el servicio*). Después, los alumnos realizan la actividad individualmente. Corrija con ellos.

1. Es peluquero.
2. Trabaja en una peluquería de Madrid.
3. Trabaja seis días a la semana.
4. Termina a las 6 de la tarde.
5. Penélope Cruz.
6. No gana mucho, pero tiene buenas propinas.
7. Quiere montar su propia peluquería.

ESCUCHAR

9. Antes de escuchar, explique las palabras nuevas (*agotador, turnos*).

Los alumnos realizan la actividad individualmente, tras haber realizado la audición al menos dos veces. Corrija con ellos.

ELENA: ¡Hola, Sofía! ¿Qué tal? ¿Has encontrado trabajo?
SOFÍA: Sí. Estoy trabajando de enfermera desde el mes pasado en el hospital de San Rafael de Barcelona.
ELENA: ¿Trabajas mucho?

SOFÍA: Sí, es bastante duro porque cada semana cambio de turno: una semana trabajo por la mañana, otra por la tarde y la tercera por la noche. Luego tengo un descanso de cuatro o cinco días.
ELENA: ¿Te gusta tu trabajo?
SOFÍA: Bueno, es bastante agotador, pero me gusta mucho trabajar con los niños pequeños. Estoy en la sección de maternidad y cada día nacen varios bebés. Es un trabajo precioso. Las madres siempre están muy contentas con sus niños recién nacidos y a los padres se les cae la baba. De todas formas, me gustaría tener un turno fijo para poder seguir estudiando.

1. V. 2. V. 3. V. 4. F. 5. V.

HABLAR

10. Se trata de una actividad de adivinación. Un estudiante piensa en una profesión y mediante preguntas el resto tiene que adivinar cuál es. Haga una demostración: usted piensa la profesión y sus estudiantes le hacen preguntas hasta que la adivinen.

Después, los alumnos realizan la actividad en grupos de tres o cuatro. Monitorice la actividad corrigiendo los posibles errores de pronunciación y entonación.

IDEAS EXTRA

1. Si sus alumnos son adultos que trabajan habitualmente, pídales que hagan una composición de unas 150 palabras describiendo cuál es su trabajo, qué hacen, dónde trabajan y cuáles son las condiciones de trabajo: horarios, sueldos, expectativas. Pueden escribirlo en casa y luego exponerlo al resto de la clase. Dígales que utilicen el vocabulario aprendido en la unidad.

A P **27. Cosas del pasado,** *Guía didáctica,* pp. 152-153.

B. Sucesos

OBJETIVOS

Vocabulario: Secciones de un periódico.
Gramática: Diferencia de uso y forma entre el pretérito indefinido y la forma *estar + gerundio*. Pretérito pluscuamperfecto: Forma y uso.

Antes de empezar

- Pregunte a sus alumnos si acostumbran a leer el periódico.
- Sería aconsejable que llevara a clase distintos periódicos de habla hispana y analizasen el significado de las distintas secciones.
- Pídales que opinen sobre qué sección del periódico les gusta o interesa más.

1. Anote las respuestas en la pizarra. Pregunte qué tipo de periódicos son y si saben qué tirada tienen.

2. Aclare con sus alumnos las distintas secciones que aparecen en el recuadro. Después los alumnos realizan el ejercicio. Corrija con ellos.

- Es importante que informe a sus alumnos de que este periódico está publicado en Madrid, para que puedan diferenciar entre las secciones locales y nacionales.

> **1.** h. **2.** f. **3.** d. **4.** a. **5.** g. **6.** e. **7.** b. **8.** c.

3. Esta actividad sirve de presentación y reconocimiento de la estructura *estaba + gerundio, pretérito indefinido*. Es una estructura que se utiliza cuando una acción en desarrollo es interrumpida por otra. Suele referirse a acciones inesperadas y propias de las noticias de sucesos. Los alumnos realizan el ejercicio. Corrija con ellos.

> **1.** b. **2.** d. **3.** a. **4.** c. **5.** e.

GRAMÁTICA

En el cuadro se explica el uso de la perífrasis *estar + gerundio*, en relación con el pretérito indefinido. ("Referencia gramatical" p. 187).

4. Los alumnos realizan el ejercicio. Ayúdeles con el vocabulario nuevo. Corrija con ellos.

> **1.** detuvieron.
> **2.** encontró
> **3.** estaban buscando.
> **4.** escaparon.
> **5.** empezó.

> **6.** estaba sirviendo.
> **7.** detuvieron.

5. Corrija con sus alumnos una vez realizado el ejercicio.

> **1.** Cuando estaba esquiando, se cayó.
> **2.** Cuando estaba esperando a mi novia, me encontré con unos amigos.
> **3.** Cuando estábamos comiendo, llegó Laura.
> **4.** Cuando estábamos llegando a Madrid, el coche tuvo una avería.
> **5.** Cuando estaba corriendo por la playa, vi a Juan.
> **6.** Estaba hablando con mi hermana cuando se quemó la comida.

GRAMÁTICA

En este apartado se presenta el pretérito pluscuamperfecto y su uso.

El uso del pretérito pluscuamperfecto no suele ofrecer problemas, salvo que a veces se deja de usar porque es sustituido por el pretérito indefinido. También los hablantes nativos tienden a usarlo cada vez menos. Aquí se presenta porque pertenece también al grupo de verbos de la narración utilizados frecuentemente en las noticias periodísticas y como adelanto para su utilización en el estilo indirecto.

De momento sólo presentamos la forma y su uso más básico: una acción pasada y acabada, anterior a otra pasada.

Escriba varios ejemplos en la pizarra:

Le pusieron una multa porque se había saltado el semáforo en rojo. (= la acción de saltarse el semáforo fue claramente anterior)

Cuando llegamos al cine, la película había empezado ya.

6. Los alumnos realizan el ejercicio. Corrija con ellos.

> **1.** llamó / se había ido.
> **2.** perdió / habían regalado.
> **3.** descubrió / habían escondido.
> **4.** vino / había olvidado.
> **5.** se enfadó / había llegado.

17

IDEAS EXTRA

1. Con el fin de practicar el pretérito pluscuamperfecto, dígales a sus estudiantes que imaginen que vuelven de las vacaciones o de un viaje y se encuentran con que han robado en su casa. Un día más tarde le cuentan a un amigo qué había pasado antes de volver. Escriba usted en la pizarra:

Cuando llegamos de viaje, vimos que alguien:
– había abierto la puerta del garaje

y dígales que añadan otras expresiones.

Cada estudiante debe escribir dos o tres. Usted puede escribirlas en la pizarra a medida que se las dictan.

C. Excusas

<table>
<tr><td>

Objetivos

Gramática : Estilo indirecto (información).
Pronunciación y ortografía : Oposición /**p**/ y /**b**/

</td></tr>
</table>

Antes de empezar

● Para introducir el tema del estilo indirecto cuando no hay implicada ninguna orden, presente una situación cotidiana a sus alumnos. Explíqueles que ayer se encontró con un amigo y luego escriba lo que le dijo.
Ayer me encontré en la calle a un amigo que (hacía tiempo no veía) y me contó muchas cosas; me dijo que:
estaba muy contento porque había encontrado un buen trabajo. También me dijo que ya no jugaba al fútbol como antes y al final me comentó que iba a comprarse un piso en el centro porque últimamente había heredado algún dinero de su tío el soltero .

● Pídales a sus estudiantes que traten de adivinar qué dijo realmente su amigo. Deje tiempo para que lo piensen.
Fernando: "Hola, …, pues sí, estoy muy contento porque he encontrado / encontré un buen trabajo. Ya no juego al fútbol como antes. (Sí, antes jugaba al fútbol, pero ahora ya no). Voy a comprarme un piso en el centro porque he heredado algún dinero de mi tío, el soltero".

Este precalentamiento sirve como ejemplo de situación en la que se usa el estilo indirecto. Explique que al repetir a un tercero la información que alguien nos ha dado solemos hacer algunas transformaciones lingüís-

ticas que es conveniente conocer y trabajar. No obstante, no podemos esperar que en este momento del aprendizaje los estudiantes lleguen a utilizar fluidamente estas estructuras. Se trata de que conozcan y "adviertan" el fenómeno lingüístico.

1. Se presenta otra situación donde es necesario utilizar el estilo indirecto. Deles tiempo a sus estudiantes para que asimilen la información. Dígales que subrayen los cambios que observan en las formulaciones en estilo directo (viñeta de la izquierda) y estilo indirecto (viñeta de la derecha).

GRAMÁTICA

● En este apartado se presentan los cambios que afectan al verbo al transformar una información de estilo directo a estilo indirecto. ("Referencia gramatical" p. 188).
● Comente con sus alumnos los cambios que afectan a los pronombres personales, a los pronombres objeto, a los posesivos y a las expresiones de tiempo.
Mis padres me compraron una moto el año pasado.
Me dijo que sus padres le habían comprado una moto el año anterior.

2. Los alumnos realizan el ejercicio individualmente. Corrija con ellos.

<table>
<tr><td>

1. Juan dijo que cuando era joven trabajaba en un laboratorio fotográfico.
2. Juan dijo que le gustaba mucho su trabajo.
3. Juan dijo que tenía un equipo de tres compañeros estupendos.
4. Juan dijo que el verano anterior había hecho un reportaje muy interesante sobre el Sáhara.
5. Juan dijo que hacía unos días que les habían dado un premio por ese reportaje.
6. Juan dijo que el mes siguiente iban a viajar a Costa Rica para realizar un nuevo trabajo.

</td></tr>
</table>

GRAMÁTICA

● En este segundo apartado se presenta cómo realizar preguntas en estilo indirecto.
● Comente con sus alumnos que los cambios que afectan al verbo, pronombres y adjetivos son los mismos que en las oraciones enunciativas.

IDEAS EXTRA

1. Dicte a sus alumnos cinco preguntas que puede hacer un médico a un paciente, por ejemplo:
¿Qué le pasa?, ¿Cuánto tiempo lleva sintiendo esas molestias?, ¿Cuándo tuvo el accidente?, ¿Qué ha tomado desde entonces?, ¿Qué tipo de ejercicios realizaba antes del accidente?...

- Pídales que transformen las preguntas a estilo indirecto.

2. Dígales a sus alumnos que escriban en un papel cinco frases verdaderas y cinco falsas sobre ellos mismos: *Ejemplo: Mi padre es médico. Yo trabajo de camarero/a los fines de semana.*

Tienen que pasarles el papel a un compañero y éste decidirá las que son falsas y las que son verdaderas. Luego se lo explica en estilo indirecto al resto de la clase:
Arthur me <u>dijo</u> que su padre <u>era</u> médico, pero yo pienso que es mentira.

ESCUCHAR

3. Realice una primera audición para que los alumnos comprendan la situación y una segunda audición para que los alumnos completen el ejercicio.
Corrija con ellos.

---

1. ¡Hola, soy Carlos! He comprado <u>las entradas</u> para el concierto. ¿Quedamos <u>mañana</u> a las <u>5 de la tarde</u> en la puerta del teatro?
2. Soy Paloma. Ya he terminado de leer <u>tu libro</u>. <u>¿A qué</u> hora paso a dejártelo?
3. ¡Buenos días! Llamamos del <u>supermercado</u>. Su pedido ya está preparado. Puede recogerlo <u>después de las cuatro.</u>
4. ¡Hola, soy Manuel! <u>La semana pasada</u> me llamó Luisa. He quedado con ella para <u>mañana por la mañana.</u> ¿Te vienes a comer?
5. Llamo de la consulta del doctor Ramírez. La cita de <u>mañana </u>ha sido aplazada para <u>el próximo viernes</u> a la misma hora. Gracias.

---

1. las entradas / mañana / 5 de la tarde.
2. tu libro / a qué.
3. supermercado / después de las cuatro.

---

4. la semana pasada / mañana por la mañana.
5. mañana / el próximo viernes.

---

4. Los alumnos tienen que pasar los cinco mensajes anteriores a estilo indirecto. Corrija con ellos.

---

1. Llamó Carlos y dijo que había comprado las entradas para el concierto y quería saber si quedabais mañana a las cinco de la tarde en la puerta del teatro.
2. Llamó Paloma y dijo que había terminado de leer tu libro y quería saber a qué hora pasaba a dejártelo.
3. Llamaron del supermercado para decir que tu pedido estaba preparado y que podías recogerlo después de las cuatro.
4. Llamó Manuel para decirte que la semana pasada le había llamado Luisa y que había quedado con ella para mañana por la mañana. Quería saber si ibas a comer con ellos.
5. Llamaron de la consulta del doctor Ramírez para decirte que la cita de mañana había sido aplazada para el próximo viernes a la misma hora.

PRONUNCIACIÓN Y ORTOGRAFÍA

1. Los alumnos escuchan la grabación y repiten.

2. Los alumnos escuchan la grabación y repiten. Hágales observar que no existe ninguna diferencia de pronunciación entre la *b* y la *v*, realizándose las dos como el fonema /b/.

3.

---

1. Valencia. 2. pan. 3. paño. 4. vista. 5. poda.
6. piso. 7. batata. 8. vino. 9. bollo. 10. berro.

Autoevaluación

1.

---

1. profesor.
2. peluquero / a.
3. enfermero / a.
4. cocinero / a.
5. programador.

---

6. conductor.
7. mecánico.
8. músico.
9. pintor.
10. guía.

2.

1. había encontrado.
2. se habían casado.
3. habían comprado.
4. se había jubilado.
5. había tocado.

3.

El policía le preguntó cómo se llamaba y el motorista respondió Juan Gutiérrez. Luego le preguntó de quién era la moto y este le dijo que la había comprado hacía una semana. El policía le preguntó si tenía permiso de conducir y él respondió que sí lo tenía. El policía le preguntó que si podía verlo y el motorista le respondió que no lo llevaba encima. El policía quería saber si podía llevarlo a la oficina de tráfico lo antes posible y él respondió que no había ningún problema. Finalmente el policía le dijo que podía continuar.

4.

1. estaba escuchando / llamó.
2. estaban pensando / propuso.
3. llegaron / estaban usando.
4. compró / estaba esperando.
5. estaban jugando / empezó.

De acá y de allá

Antes de realizar la lectura de estos textos sobre dos importantes escritores de habla hispana (Isabel Allende y Manuel Vázquez Montalbán), pregunte a sus alumnos si conocen alguna de sus novelas, traducidas a muchos idiomas diferentes.

1. Pida a sus alumnos que lean los textos individualmente y aclare las dudas de vocabulario.

- Puede pedir a diferentes alumnos que lean en voz alta distintos párrafos del texto para así poder ayudarlos con los problemas de pronunciación y entonación.

2. Los alumnos realizan la actividad individualmente. Pídales que transformen las frases falsas en verdaderas. Corrija con ellos.

1. V.
2. F (Isabel Allende escribió su primera novela en el exilio, Venezuela).
3. V.
4. V.
5. F (Isabel Allende con sus obras ha ganado reconocimiento internacional).
6. V.
7. V.
8. F (Murió de un paro cardiaco en Tailandia.)

17

A. ¿cuánto tiempo llevas esperando?

OBJETIVOS

Comunicación: Expresar la duración de una actividad que empezó en el pasado y continúa en el presente.
Gramática: *Llevar + gerundio.*

Antes de empezar

● Escriba en la pizarra 4 o 5 fechas relacionadas con usted y después, desordenadas, anote las actividades correspondientes a esas fechas. Deben referirse a actividades que comenzaron en el pasado y continúan hoy.

1989	aprender ruso.
Enero	salir con Jaime.
El año pasado	trabajar.
La semana pasada	daros clase de español a vosotros.

● Pida a sus alumnos que trabajen de tres en tres y decidan cuándo creen que **empezó** usted a realizar cada actividad, escribiendo frases como esta:
   *El año pasado **empezaste a** aprender ruso* (es sólo un ejemplo, puede ser verdadera o falsa).
● Cuando tengan listas sus hipótesis, pídales a algunos grupos que las lean y diga cuántas de ellas son verdaderas, y así sucesivamente hasta que den con la información cierta (puede darles alguna pista si ve que el ejercicio se alarga demasiado o les empieza a aburrir). Escriba entonces las frases verdaderas en un lado de la pizarra y déjelas ahí para usarlas después.
   En 1989 empezaste a trabajar.
   En enero empezaste a darnos clase de español.
   El año pasado empezaste a vivir con Jaime.
   La semana pasada empezaste a aprender ruso.

1. Entre todos hacemos el ejercicio. Los alumnos deben justificar sus respuestas describiendo lo que ven.

2. Este ejercicio y los dos siguientes sirven para que los alumnos, poco a poco, descubran por sí mismos el funcionamiento de la perífrasis *llevar + gerundio.*

3. Los alumnos hacen el ejercicio y tres parejas leen en voz alta cada diálogo para corregirlos.

> **1.** trabajando, lleva trabajando.
> **2.** lleva trabajando, estudiando.
> **3.** esperando, lleva, lleva esperando.

4. Entre todos contestamos a estas preguntas (las cuales tienen todas respuesta afirmativa) a modo de reflexión sobre lo visto. Al hilo de las preguntas, explique: *Entonces, Pilar empezó a trabajar en el hospital ayer. Lleva trabajando allí un día...* Pida a sus alumnos que transformen las frases que escribimos en la pizarra durante el precalentamiento en frases con *llevar + ...ndo* (gerundio). Esto debe hacerse oralmente, entre todos, sin escribir las frases previamente.

GRAMÁTICA Y COMUNICACIÓN

● Se presenta el uso de la perífrasis *llevar + gerundio.* ("Referencia gramatical", p. 189).

5. Los estudiantes hacen la actividad individualmente, luego comprueban con el compañero, antes de corregir entre todos.

> **1.** Carlos lleva tocando el piano una hora.
> **2.** Yo llevo viviendo en Segovia seis meses.
> **3.** Los niños llevan viendo la tele desde las tres.
> **4.** David lleva saliendo con Margarita desde septiembre.
> **5.** Diana lleva un año trabajando en Argentina.
> **6.** Mis amigos llevan dos años estudiando español.
> **7.** Nosotros llevamos mucho tiempo cantando en un coro.
> **8.** Miguel lleva jugando al ajedrez varios años.
> **9.** Ellos llevan esperándonos media hora.

6. Los alumnos hacen las preguntas y luego practican con el compañero.

1. ¿Cuánto tiempo lleva tocando el piano Carlos?
2. ¿Cuánto tiempo llevas viviendo en Segovia?
3. ¿Cuánto tiempo llevan los niños viendo la tele?
4. ¿Cuánto tiempo lleva David saliendo con Margarita?
5. ¿Cuánto tiempo lleva Diana trabajando en Argentina?
6. ¿Cuánto tiempo llevan tus amigos estudiando español?
7. ¿Cuánto tiempo lleváis cantando en el coro?
8. ¿Cuánto tiempo lleva Miguel jugando al ajedrez?
9. ¿Cuánto tiempo llevan esperándonos?

7. Antes de escuchar, prepare a los alumnos para la actividad. Dígales que van a hablar dos jóvenes que llevan muchos años viviendo en España, pero sus padres provienen de culturas diferentes y ellos expresan sus sentimientos ante la situación. Los alumnos escuchan una vez la grabación e intentan responder. Después, ponen en común sus respuestas con su compañero. Escuchan de nuevo la grabación y se corrige entre todos. El profesor podrá ir un poco más allá pidiendo otras informaciones sobre lo escuchado (qué les gusta de España a los padres de Miguel, por ejemplo).

Una vez completada la actividad de escuchar, dígales que lean el texto de la transcripción, explique el vocabulario nuevo y si hay estudiantes "interculturales" (que viven entre dos culturas), anímeles a que hablen sobre su experiencia.

A .
1. V. **2.** F. (Llevan nueve años viviendo en España). **3.** V. **4.** F. (Chen se encuentra bien tanto aquí como en China). **5.** V. **6.** F. (Chen lleva jugando en un equipo de fútbol tres años).
B.
1. F. (Los padres son británicos). **2.** F. (Se siente más cerca de las costumbres inglesas). **3.** F. (Llevan viviendo en España casi treinta años). **4.** V. **5.** V.

A. Chen
Mis padres tienen un restaurante en Toledo. Llevamos nueve años viviendo en España, y yo soy su traductor e intérprete porque ellos no hablan español, es demasiado difícil. Yo me encuentro bien tanto aquí como en China, pero me gusta un poco más la cultura española. Allí el nivel del colegio es más alto, los chicos tienen

que trabajar más en el colegio, pero aquí la gente es más abierta y divertida. De mayor me gustaría estudiar Económicas. También me gusta mucho jugar al fútbol. Llevo tres años jugando en el equipo de mi barrio.

B. Miguel Thompson
Yo nací en Toledo, pero mis padres son británicos, así que no sé bien de dónde soy. Mis amigos ingleses me consideran español y, al revés, los españoles me llaman "el inglés". Yo me siento más apegado a las costumbres inglesas, porque mis padres me han educado así. Ellos llevan viviendo aquí casi treinta años porque les gusta tanto el clima como las relaciones que hay en las familias españolas. Los ingleses son más reservados. Por otro lado, ser bilingüe tiene muchas ventajas, entiendes mejor a la gente, aunque a veces choco con personas muy cerradas.

HABLAR

8. Hemos observado que nuestros estudiantes no utilizan la estructura presentada *(llevar + gerundio)* en sus producciones orales a pesar de ser tan habitual en la lengua hablada, y a pesar de que nuestros estudiantes la oyen muy a menudo. La actividad que sigue tiene como objetivo dar otra oportunidad de que la practiquen de la forma más "realista" posible.

● Dígales que se preparen individualmente una lista de actividades, unas reales y otras inventadas, que estén realizando en este momento. Puede escribir unos ejemplos en la pizarra usted mismo y hacer una demostración con un estudiante.

Estudiar árabe > 3 años.
Salir con Pilar > 3 meses.
Trabajar de camarero > 1 mes.

A continuación, con la lista en la mano, deben interactuar con el compañero siguiendo el modelo que se da.

B. ¿Qué has hecho el fin de semana?

OBJETIVOS

Vocabulario: Léxico para hablar de películas. Expresiones de cantidad.
Comunicación: Hablar del pasado. Expresar la cantidad.
Gramática: Contraste entre pretérito indefinido y pretérito perfecto.

Antes de empezar

● Comente a sus alumnos alguna película hispana que haya visto. Si sus estudiantes son aficionados al cine, cuénteles el argumento y pídales que adivinen el título. Si no, hábleles un poco de lo que piensa usted del cine español e hispanoamericano.

1. Enlazando con el precalentamiento, anime a sus alumnos a hablar basándose en estas y otras preguntas relacionadas (*¿Cuándo has visto esa película? ¿Recuerdas alguna que no te ha gustado? ¿Por qué?*) Y en las carátulas incluidas en este ejercicio: *¿Qué saben de esas películas* (nacionalidad, director, actores, trama…)? Pida a algún alumno que cuente la última película que ha visto, o una que le ha impactado…

ESCUCHAR

2. Prepare a sus estudiantes para la audición. Dígales que van a escuchar tres conversaciones en las que se habla del fin de semana. Una vez realizada y corregida la actividad, pida a sus alumnos que miren la transcripción y la lean en parejas, con el fin de prepararse para la actividad 3.

> **1.** F.   **2.** F.   **3.** V.   **4.** V.   **5.** F.

> **1.**
> CARLOS: ¡Hola, Pepa! ¿Qué tal el fin de semana?
> PEPA: Bien, el sábado fui al cine.
> CARLOS: ¿Y qué viste?
> PEPA: Una película argentina: El hijo de la novia.
> CARLOS: ¿Y qué tal?
> PEPA: Es una comedia muy divertida.
> **2.**
> ALBERTO: ¿Qué tal, Beatriz? ¿Qué has hecho este fin de semana?
> BEATRIZ: Muy bien, el sábado fuimos a cenar a un restaurante catalán.
> ALBERTO: ¿Y el domingo, qué hicisteis?
> BEATRIZ: El domingo fuimos a la playa con los amigos de Juan y nos lo pasamos muy bien...
> **3.**
> NURIA: ¡Hola, Mariano! ¿Qué tal lo habéis pasado este fin de semana?
> MARIANO: Bueno, la verdad es que no hemos hecho nada especial. Nos hemos quedado en casa para ver la final del Campeonato de Europa de Fútbol.
> NURIA: ¿Y qué tal el partido?
> MARIANO: Bastante aburrido

GRAMÁTICA

● Se presenta en el esquema el contraste de uso entre pretérito perfecto y pretérito indefinido en el español hablado en España. En el español de América se prefiere el uso del pretérito indefinido en muchas situaciones en que en España se utiliza el pretérito perfecto. ("Referencia gramatical", p. 189).

HABLAR

3. Este ejercicio puede hacerse por parejas o de tres en tres y servirá para practicar el contraste de tiempos. Paséese por la clase y revise las producciones de los alumnos. Corrija los errores de uso de los tiempos.

4. Dé tiempo a los estudiantes para que hagan el ejercicio. Después, diga algunos títulos de películas muy conocidas o cuya carátula aparece en esta página y pídales que adivinen de qué tipo creen que son (comedia, drama…).

> **1.** a. **2.** e. **3.** a. **4.** b. **5.** d. **6.** h. **7.** f. **8.** g.

VOCABULARIO

5. Los alumnos hacen individualmente el ejercicio y se corrige. Pídales después que opinen sobre algunas películas que todos conozcan, diciendo si les gustó o no y por qué. Pueden usar los adjetivos vistos y otros que conozcan.

Opiniones positivas	Opiniones negativas
interesante	rara
divertida	aburrida
maravillosa	horrible
original	estúpida
emocionante	desagradable

LEER

6. y 7. Pida a los alumnos que hagan una lectura rápida y detecten y aclaren entre todos el vocabulario nuevo. En una segunda lectura completan los huecos. Por último, responden a las preguntas de comprensión. Se corrige entre todos.

> (1) argentina. (2) actores. (3) guión. (4) risa. (5) crisis. (6) director. (7) ópera. (8) famoso. (9) premio.

> 1. Argentina.
> 2. Ricardo Darín y Héctor Alterio.
> 3. Divertida y emocionante.
> 4. Carlos Saura.
> 5. Española.
> 6. Es un musical.

8. Asegúrese de que el grupo comprende las expresiones del recuadro y pídales que hagan el ejercicio individualmente o por parejas. Después se corregirá entre todos. Insista en la gramática de estas expresiones (*la mayoría **de**, casi la mitad **de**...*) (*La mayoría de los jóvenes va/van a conciertos*, aunque la primera opción es más correcta…).

> 1. **Casi la mitad** de los jóvenes visitan museos y exposiciones.
> 2. **Muy pocos** asisten a conferencias.
> 3. **La mayoría** lee libros.
> 4. **La mayoría** escucha música en directo.
> 5. **Todo el mundo** escucha música grabada.
> 6. **Casi la mitad** de los jóvenes oye la radio.
> 7. **Casi todo el mundo** va al cine.
> 8. **Todos los jóvenes** salen con los amigos.
> 9. **Pocos jóvenes** colaboran con alguna ONG.

IDEAS EXTRA

1. En función de los recursos de sus estudiantes, dígales que escriban una crítica similar a las que aparecen en la actividad 6, buscando información si es necesario. Tendrán que hablar de su nacionalidad, de cómo es la película, del reparto de actores, de su director, de la trama, de premios recibidos… Algunos alumnos leerán su texto a la clase, y el resto podrá preguntar lo que quiera sobre la película.

2. Juegue a las películas. Un estudiante cuenta el argumento de una película y el resto de la clase (o del grupo) debe adivinar el título de la película. Haga usted una demostración explicando el argumento de una película conocida.

c. ¿Qué te parece este...?

> **Objetivos**
>
> **Vocabulario:** Adjetivos de opinión. Problemas sociales.
> **Comunicación**: Expresar gustos y opiniones y su coincidencia o no con las de otros.
> **Gramática:** A mí también/ A mí tampoco/ A mí no…
> **Pronunciación y ortografía:** Sonido /θ/. La **c** y la **z**.

Antes de empezar

● Muestre a sus alumnos una imagen (un póster, una fotografía encontrada en una revista…). Tienen un minuto para escribir, sin mirar en el libro, todos los adjetivos que se les ocurran para describirla. Después, se pondrán en común y usted los irá escribiendo en la pizarra en dos listas, según sean positivos o negativos. Esta actividad servirá de precalentamiento y también de repaso de los adjetivos ya vistos en esta unidad.

1. Cuente a sus alumnos que Pablo y Ana están buscando un póster para su habitación. Los alumnos tienen que pensar dos adjetivos para cada póster; después, escucharán el diálogo entre Pablo y Ana y verán si su opinión coincide más bien con la de él o con la de ella.

ESCUCHAR

2. Los alumnos escuchan la grabación una vez y rellenan los huecos en blanco. Se escucha de nuevo, pidiéndoles que presten atención a la entonación y a las frases que utilizan para opinar y expresar sus gustos. Corregimos entre todos

> 1. bonito. 2. el tercero. 3. la moto. 4. te parece.
> 5. aburrido.

HABLAR

3. Los alumnos, por parejas, opinan sobre los pósters basándose en el diálogo que han escuchado y en las pautas dadas en este ejercicio. Luego se ponen en común sus opiniones con las del resto de la clase. Pregunte a los alumnos qué les parecen las imágenes y opine usted también: cuál le gusta más y por qué, etc.

● Pida a sus estudiantes que trabajen por parejas. Divídalos en el alumno A y el alumno B; comparten piso y uno de ellos (A) quiere poner ese póster que usted les ha mostrado en el precalentamiento en la pared del salón, donde se vea bien. Al alumno B no le gusta nada; los dos van a intentar convencerse mutuamente.

4. Anime a los alumnos a decir al resto de la clase cuáles son los problemas que más les preocupan (pueden añadir otros a la lista).

5. Se escucha una vez la grabación y cada estudiante pone en común con su compañero los temas que cree que han mencionado Roberto y Julia. ¿Nombran alguno más que no esté en la lista?

> El paro, las discusiones con los padres, la contaminación y el medio ambiente, la vivienda, la falta de dinero, (el alcohol, la forma de vestir…)

ENTREVISTADOR: Estamos haciendo una encuesta sobre los problemas que preocupan actualmente a los jóvenes. ¿Podéis contestarme?
JULIA: Sí, claro.
ENTREVISTADOR: ¿Veis la tele? ¿Leéis las noticias? ¿Qué pensáis de lo que pasa en el mundo?
ROBERTO: Bueno, sí, yo veo las noticias de la tele, pero no me importa mucho la política, a mí me preocupa la contaminación, eso sí, yo creo que cada día hay más contaminación en las playas, en el aire.
JULIA: A mí sí me interesa la política, lo que pasa es que no creo mucho en los políticos, pienso que no son sinceros.
ROBERTO: Eso, todos dicen que van a arreglar el problema del paro pero es dificilísimo encontrar un buen trabajo.
JULIA: Sí, los trabajos son cada vez peores: trabajamos más y ganamos menos. Y otro problema importante, creo yo, es la vivienda. Los pisos están carísimos, no podemos marcharnos de casa, toda la vida con nuestros padres…
ROBERTO: Jo, sí, ¡menudo rollo! Ahora yo estoy bien con mis padres, pero antes, todos los días discutíamos: por el pelo, por la ropa, por el *piercing*, por las tareas de la casa… La verdad es que si no tienes trabajo, ni tienes dinero, ¿adónde vas los fines de semana? Pues a beber alcohol al parque, que es más barato.
JULIA: Bueno, tampoco es eso, hay otras formas de pasar el fin de semana…

6. Ponga de nuevo la grabación para que los alumnos contesten individualmente verdadero o falso y rectifiquen las frases falsas. Corrijan entre todos los ejercicios 5. y 6.

> **1.** V. **2.** V. **3.** F. (Julia piensa que los políticos no son sinceros). **4.** V. **5.** F. (La vivienda es un problema importante). **6.** F. (Antes discutía todos los días con sus padres, ahora está bien con ellos). **7.** V.

COMUNICACIÓN

● Revise el esquema con sus alumnos. Pregúnteles si conocen otras formas de expresar opiniones (*Me parece que…*).
Asegúrese de que comprenden el uso de *A mí sí / no / también / tampoco* y *Yo sí / no / también / tampoco*.

● Pregunte la opinión o los gustos de varios alumnos sobre algo y, basándose en sus diferentes respuestas, ponga ejemplos de las distintas posibilidades en forma de diálogos:
¿Te interesa la política?
¿Crees que los españoles somos impuntuales?

	¿Te interesa la política?	¿Crees que somos...?
Chen	Sí	Sí
Ana	Sí	Sí
Sarah	No	No
Dong	No	No
Ali	Sí	Sí
Yatiara	Sí	Sí

CHEN: A mí me interesa mucho la política.
ANA: A mí también.
ALI: Y a mí.
DONG: Pues a mí no.
_____
SARAH: Yo creo que los españoles son bastante impuntuales.
YATIARA: Pues yo no lo creo.
ALI: Yo tampoco.

7. Los alumnos hacen este ejercicio individualmente expresando su opinión y después, durante la corrección, el profesor pregunta a distintos alumnos sobre las afirmaciones del ejercicio para practicar las expresiones vistas.

8. Cada alumno elige uno de los temas para escribir su párrafo. Lo lee a sus tres compañeros y se establece un diálogo en el que todos opinan sobre el asunto. Pasee entre los grupos revisando las producciones de los alumnos, resolviendo dudas e interviniendo.

IDEAS EXTRA

1. ☐ A P ☐ **17. A mí también**, *Libro del alumno*, pp. 164 y 170.

PRONUNCIACIÓN Y ORTOGRAFÍA

● Después de hacer el ejercicio 1. y 2., el profesor puede hacer un dictado-concurso de palabras con **c** y **z** = /θ/. Se corregirá en la pizarra y ganarán los alumnos que tengan menos fallos.

3. Otros trabalenguas que pueden dictarse o decir los alumnos son los siguientes, especialmente el segundo si conviene diferenciar el sonido /θ/ del sonido /s/.

Cerezas comí, cerezas cené, de tanto comer cerezas me encerecé.

Si cien sierras sierran cien cipreses, seiscientas sierras sierran seiscientos cipreses.

Autoevaluación

1.

> **1.** Javier y Margarita *llevan saliendo* juntos dos años.
> **2.** Ellos *llevan buscando* piso desde el año pasado.
> **3.** ¿Cuánto tiempo *llevas jugando* al tenis?
> **4.** Juan *lleva trabajando* en esta empresa desde el año pasado.
> **5.** Yo *llevo aprendiendo* inglés toda mi vida.
> **6.** Mis amigos y yo *llevamos bailando* flamenco toda la noche.
> **7.** ¿Cuánto tiempo *lleváis viviendo* en Madrid?

2.

> **1.** ¿Cuánto tiempo llevas jugando al tenis?
> **2.** ¿Cuánto tiempo llevas participando en torneos profesionales?
> **3.** ¿Cuánto tiempo llevas viviendo en Mónaco?
> **4.** ¿Cuánto tiempo llevas haciendo yoga?
> **5.** ¿Cuánto tiempo llevas entrenando con Alberto Costa?
> **6.** ¿Cuánto tiempo llevas saliendo con ese actor?

3.

> (1) éxito. (2) obra. (3) terror / humor.
> (4) humor / terror. (5) divertida / original
> (6) original / divertida. (7) actriz.

4.

> **1.** Todo el mundo piensa que aprender español es muy útil.
> **2.** La mayoría de los jóvenes salen con sus amigos los fines de semana.
> **3.** Casi la mitad de la población mundial vive en China.
> **4.** A muy pocos niños les gusta la verdura.

5.

> (1) Me preocupa. (2) Creo. (3) piensan.
> (4) preocuparse. (5) Espero.

De acá y de allá

Antes de empezar

● Busque información sobre fiestas importantes de España (las fallas valencianas, los sanfermines…) Escriba en la pizarra una lista con los nombres de las fiestas y sus lugares de origen y otra con una breve y clara descripción de esas fiestas. Los estudiantes deberán, a través de sus conocimientos sobre la cultura hispana, relacionar los elementos de una lista con los de la otra.

1. Tras leer y escuchar los tres textos, se resuelven las posibles dudas de vocabulario. Si en el grupo hay personas que conocen estas fiestas, bien porque son de estos países o porque han tenido la oportunidad de visitarlos, pídales que comenten su experiencia, enriqueciendo la información que proporcionan los textos. Anime a otros estudiantes a satisfacer su curiosidad haciéndoles preguntas.

2. Los alumnos hacen el ejercicio individualmente y se corrige entre todos, rectificando las frases falsas. El profesor puede hacer alguna pregunta para asegurarse de que se han comprendido los textos o destacar alguna información que considere interesante.

> **1.** F. **2.** V. **3.** F. **4.** F. **5.** F. **6.** V.

3. Este ejercicio puede hacerse en forma de redacción y también de modo que algunos alumnos expongan brevemente cómo es la fiesta que han elegido, mostrando imágenes de las que dispongan y que pueden colocarse, junto a lo que han escrito, en el mural de la clase.

18

Ideas y juegos

1. La pelota

> **Objetivo:** Presentarse el primer día de clase.

• Con una pelota, los estudiantes y el profesor se colocan de pie en círculo. El profesor tira la pelota a un estudiante, al mismo tiempo que dice su nombre. El estudiante que la recibe la tira a otro estudiante y dice su nombre, así hasta que todos se han presentado. Entonces cambian las reglas. El estudiante que tiene la pelota la tira diciendo al mismo tiempo el nombre del estudiante a quien va dirigida la pelota. Si se equivoca, le es devuelta la pelota y lo intenta otra vez.

2. Veo, veo

> **Objetivo:** repasar vocabulario y los nombres de las letras.

• Escriba en la pizarra:
  A. Veo, veo.
  B. ¿Qué ves?
  A. Una cosita.
  B. ¿Con qué letrita está escrita?
  A. Con la ……

• Dígales que usted va a decir la parte de A y ellos deben decir la B.
• Cuando llegue al final debe decir la inicial del nombre de un objeto de la clase, por ejemplo: *ele.*
• Los alumnos deben adivinar la palabra *(libro).*
• Hágalo tres veces hasta que todos aprendan la dinámica del juego.
• Luego pueden jugar en parejas o en grupos de tres o cuatro como máximo.
• También se puede jugar con otros campos semánticos (frutas, deportes, ropa) siempre que tenga material visual para ello: láminas con dibujos o fotos.

3. ¡Bingo!

> **Objetivo:** Repasar los números, las letras del alfabeto, los verbos irregulares en presente o en pretérito indefinido.

• Dibuje en la pizarra un rectángulo dividido en 6 cuadrículas.
• Dígales a los alumnos que escriban seis números (entre 1 y 30 por ejemplo).
• Diga seis números en voz alta, (es preferible que los tengas escritos en un papel) y dígales que vayan tachando en su papel los que coincidan.
• Ganará el alumno que tenga más números tachados.

Letras del alfabeto. Se puede hacer lo mismo con las letras del alfabeto.
Verbos irregulares en presente.
• Dígales a los alumnos que escriban en su rectángulo algunas formas de los verbos irregulares en presente: *voy, tengo, conozco, vamos, viene, son, estoy,* etc.
• Diga en voz alta seis infinitivos: *tener, ir, ser, dormir, estar…*
• Deben tachar cualquier forma correspondiente a esos infinitivos.

4. El ahorcado

> **Objetivo:** Repasar vocabulario y el nombre de las letras.

• Piense una palabra según el campo semántico que le interese repasar, por ejemplo, de comidas: *tomate,* y trace en la pizarra seis rayas, una por cada letra:

  _ _ _ _ _ _

• Dígales a los alumnos que vayan diciendo letras (uno a uno). Si la letra que dice el alumno está en *tomate,* escríbela encima de la raya correspondiente. Si no está en la palabra *tomate,* entonces empiece a dibujar (dibujo del ahorcado). Por cada letra equivocada, haga un trazo, hasta completar el dibujo.
  El objetivo es que el alumno encuentre cuál es la palabra antes de que se complete el dibujo.
• Se puede jugar en parejas o en grupos de tres.

5. Pares de contrarios

> **Objetivo:** Repasar los adjetivos y los verbos contrarios.

• Escriba en varios papelitos pares de adjetivos contrarios: *alto/bajo; guapo/feo; cómodo/incómodo; grande/pequeño; antiguo/moderno; viejo/nuevo; joven/mayor; bueno/malo; largo/corto; ancho/estrecho.*
• Reparta un papel a cada estudiante y dígales que busquen al estudiante que tenga el adjetivo contrario.

- Se puede utilizar este juego para formar parejas antes de una actividad o como colofón de una clase.

- También se puede hacer con pares de verbos: *entrar/salir; ir/venir; pagar/cobrar; reír/ llorar; acostarse/ levantarse; traer/llevar; ganar/perder.*

6. Ayer fui al mercado y compré...

> **OBJETIVO:** Repasar vocabulario de cualquier tipo.

- Después de presentar el pretérito indefinido se puede hacer este juego para repasar el léxico, por ejemplo, de comidas. Los estudiantes se sientan en círculo. El número del equipo puede variar entre 4 y 9. El primero dice *ayer fui al mercado y compré aceitunas* (es decir, una palabra que empieza por la primera letra del abecedario. El segundo estudiante dice: *Ayer fui al mercado y compré aceitunas y bananas.* El tercero tendrá que repetir todo lo anterior más una palabra que empiece por *c.* Seguirán así hasta acabar con todas las letras del abecedario. A veces es difícil encontrar nombres de alimentos con determinadas letras, entonces pueden sustituirlo por otra palabra, aunque no sea comestible.

7. Adivinar palabras por su definición

> **OBJETIVO:** Repasar vocabulario variado.

Esto se puede hacer de dos maneras.
Diga a un estudiante que salga a una silla colocada enfrente de la clase, dando la espalda a la pizarra.
- Escriba en la pizarra una letra aprendida recientemente, o durante el curso, para repasar.
- Los compañeros tienen que explicarle de qué se trata y el que está solo tendrá que adivinar la palabra en cuestión.

- Otra posibilidad es que usted haga unas 20 tarjetas en cartulina con palabras (o dibujos, si tuviera) aprendidas en el curso.
- Los estudiantes se sientan en grupos de tres.
- Reparta un par de tarjetas a cada uno.
- Por turnos, cada uno coge una tarjeta y explica a los otros dos de qué se trata, y éstos tienen que adivinar la palabra en cuestión.

8. Encuentra a alguien que...

> **OBJETIVO:** Preguntar y responder sobre hábitos.

- A partir de la unidad 5, momento en que ya disponen de recursos lingüísticos como hablar de hábitos y bastante vocabulario (comidas, actividades de tiempo libre, familia, etc.) puede elaborar un juego del tipo *Encuentra a alguien que...* tomando como base la información que conoce de sus estudiantes. Si tiene estudiantes adultos con familia, por ejemplo, puede incluir la frase: *"Encuentra a alguien que tiene dos hijos"; "Encuentra a alguien casado-a"; "Encuentra a alguien que trabaja en un banco".* En cambio, si son jóvenes, puede incluir frases sobre sus gustos *"Encuentra a alguien a quien le gusta X (cantante de su zona) o "Encuentra a alguien que practica el baloncesto/ fútbol/etc. "Encuentra a alguien que vive en el barrio X...".*
- Escriba unas 10 afirmaciones de ese tipo en un papel (también puede escribirlas en la pizarra) y dele una hoja a cada uno.
- Los estudiantes tienen que moverse por la clase y buscar a la persona que cumple esa característica. Cuando lo encuentren, anotan su nombre al lado de la afirmación y siguen buscando al siguiente.
- ¡OJO! Previamente, al explicar el procedimiento repase los exponentes lingüísticos que necesitarán para la interacción: *¿Te gusta el fútbol? ¿Practicas baloncesto?*

9. Entrevista a un famoso

> **OBJETIVO:** Practicar las preguntas.

- Escoja a dos estudiantes para que hagan el papel de un famoso (puede ser actor/actriz, cantante o futbolista) y su manager. Dígales que van a ser objeto de una rueda de prensa, así que tienen que prepararse algunas respuestas que deberán dar: edad, estado civil, hijos, aficiones de tiempo libre, gustos gastronómicos, lugar de residencia, etcétera.
- Al resto de la clase dígales que van a celebrar una rueda de prensa y van a tener que hacer preguntas a un famoso, así que tendrán que preparar algunas preguntas para la ocasión.
- Si juegan después de la unidad 8 pueden practicar las preguntas en pretérito indefinido: *¿Qué comiste ayer? ¿Dónde cantaste la última vez? ¿Qué hiciste el verano pasado?*
Déjeles tiempo para preparar las preguntas y aníméles a hacer preguntas variadas.
- Es más motivadora la actividad si el elegido para famoso-a da respuestas exageradas y divertidas.

10. El juego de las 10 preguntas

Objetivo: Practicar preguntas y vocabulario.

- Dígales que a usted le gusta un cantante / escritor / actor o actriz. Escriba en una hoja de papel el nombre y no lo enseñe. Ellos tienen que adivinar quién es, haciéndole como máximo 10 preguntas. Usted sólo puede responder sí o no.
- Tiene que ser un personaje conocido entre sus estudiantes.
- Si no lo adivinan con 10 preguntas, déjeles que hagan más o deles alguna pista para ayudarles.
- Este mismo juego puede hacerse con actividades de tiempo libre *(adivina qué es lo que me gusta hacer en mi tiempo libre)* o para practicar el pasado *(adivina qué hice yo ayer)*.

11. Las categorías

Objetivo: Practicar vocabulario variado.

- Dígales que copien en su cuaderno una tabla de varias categorías (5 pueden ser suficientes). Usted deberá seleccionar las categorías que le interese practicar, pueden ser actividades de cualquier tipo o animales, comida, deportes, bebidas, ropa, países, frutas, colores.
- Una vez que hayan copiado la tabla, dígales que va a decir una letra (por ejemplo la *p*), y que tienen que escribir una palabra en cada columna que empiece por *p* y que corresponda a esa categoría.

  Deje un minuto y diga otra letra, así hasta que usted vea que se va agotando la lista o que los estudiantes no tienen más vocabulario. Gana el estudiante que ha conseguido más palabras. Pueden jugar haciendo equipos de 2.

letra	Actividades	ropa	frutas	países
p	*pintar*	*pantalones*	*Plátano*	*Portugal*

Actividades en pareja

1. Deletrear

A

Deletrea a tu compañero/a los nombres de las ciudades españolas e hispanoamericanas siguientes.

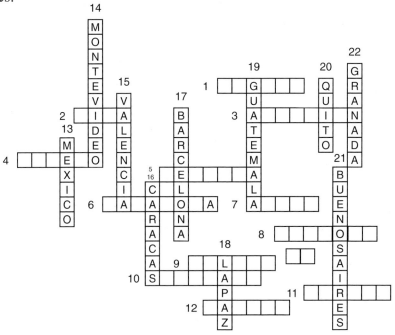

B

Deletrea a tu compañero/a los nombres de las ciudades españolas e hispanoamericanas siguientes.

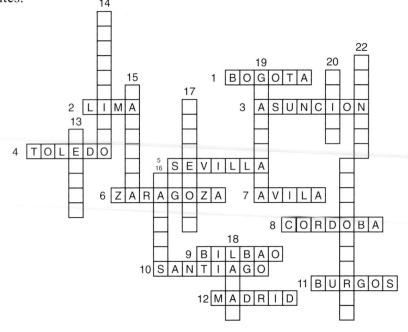

2. Identificación personal

A

1. Haz estas preguntas a B. Escribe las respuestas que te da tu compañero/a.

  1. Mira, te presento a Roberto _____

  2. ¿Dónde vives? _____

  3. ¿Cómo te llamas? _____

  4. ¿Cuál es tu número de teléfono? _____

  5. ¿A qué te dedicas? _____

  6. ¿Eres mexicana? _____

  7. ¿Eres español? _____

  8. ¿Dónde trabajas? _____

  9. ¿Qué estudia Rosa? _____

10. ¿Qué hacen Pilar y Antonio? _____

2. Responde a las preguntas de tu compañero con la información siguiente.

  a) Luis Rodríguez.

  b) No, soy actor.

  c) En una empresa de ordenadores.

  d) Yo Derecho, y él Filosofía.

  e) No, somos alemanas.

  f) Es torero.

  g) Hola, Andrés, ¿qué tal?

  h) Bien, ¿y tú?

  i) Hola, buenas tardes.

  j) Es el 95 7 23 62 31

B

1. Responde a las preguntas de A con esta información.

  a) Rosalía Martínez.

  b) No, soy italiano.

  c) Medicina.

  d) En un banco.

  e) Encantado, Roberto.

  f) El 91 567 53 23

  g) Soy cartero.

  h) No, soy española.

  i) Estudian en la universidad.

  J) En la calle Mayor, número 3.

2. Haz estas preguntas a tu compañero. Escribe las respuestas.

  1. ¡Buenas tardes! _____

  2. ¿Cómo se llama usted? _____

  3. ¿Cuál es su número de teléfono? _____

  4. ¿Dónde trabaja Mario? _____

  5. ¿A qué se dedica su marido? _____

  6. ¿Qué estudiáis? _____

  7. ¿Sois francesas? _____

  8. ¿Eres taxista? _____

  9. Mira, Pilar, este es Andrés, un compañero _____

10. Hola, ¿qué tal? _____

TAREA 1

3. Familia

A

1. Tu compañero tiene que completar el árbol genealógico de la familia Ferrer. Primero completa las frases y léeselas a tu compañero para que tenga algunas pistas:

Familia Ferrer

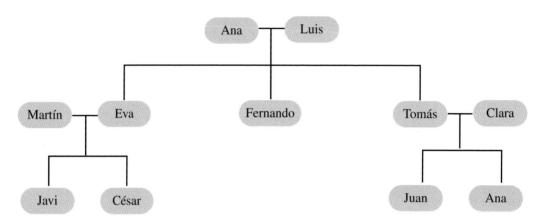

- El yerno de Ana se llama _____.
- El padre de Eva se llama _____.
- _____ es el único hijo soltero de Luis.
- Javi y Juan son _____.
- César es uno de los cuatro _____ de Luis.
- Clara es la _____ de Eva.

2. Completa el árbol genealógico de la familia Castillo con la información que va a darte tu compañero.

Familia Castillo

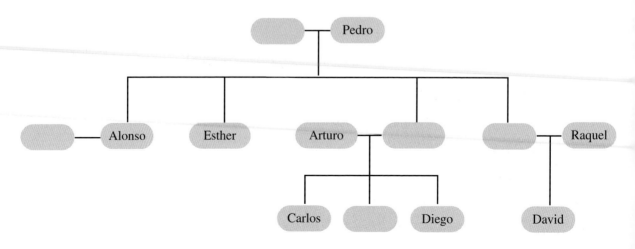

3. Familia

1. Completa el árbol genealógico de la familia Ferrer con la información que va a darte tu compañero.

Familia Ferrer

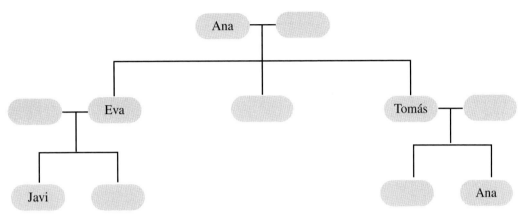

2. Tu compañero tiene que completar el árbol genealógico de la familia Castillo. Primero completa las frases y léeselas a tu compañero para que tenga algunas pistas:

Familia Castillo

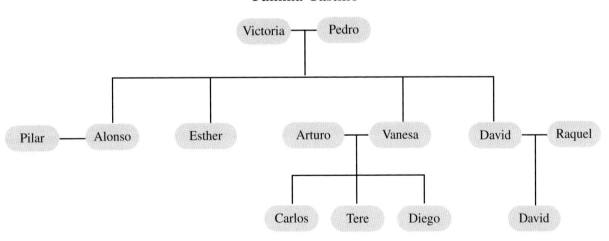

• Victoria es la _____ de Arturo.

• El _____ de Raquel se llama como su hijo.

• _____ y Alonso son un matrimonio sin hijos.

• _____. es hermana de Alonso.

• La _____ de Victoria se llama Raquel.

• El _____ de Tere se llama Pedro.

TAREA 2

Pregunta a tus compañeros y completa.

NOMBRE	**Li**	**Marcio**	**Bárbara**
NACIONALIDAD	china		
EDAD	17		
PROFESIÓN	estudiante		
HERMANOS	No		
ESTADO CIVIL	Soltera		
HIJOS	No		
DOMICILIO	Beijing		

Pregunta a tus compañeros y completa.

NOMBRE	**Li**	**Marcio**	**Bárbara**
NACIONALIDAD		brasileño	
EDAD		35	
PROFESIÓN		Informático	
HERMANOS		2	
ESTADO CIVIL		casado	
HIJOS		2	
DOMICILIO		Río de Janeiro	

Pregunta a tus compañeros y completa.

NOMBRE	**Li**	**Marcio**	**Bárbara**
NACIONALIDAD			mexicana
EDAD			28
PROFESIÓN			fotógrafa
HERMANOS			3
ESTADO CIVIL			casada
HIJOS			1
DOMICILIO			Oaxaca

4. ¿Qué hora es?

Pregunta a tu compañero y completa la hora.

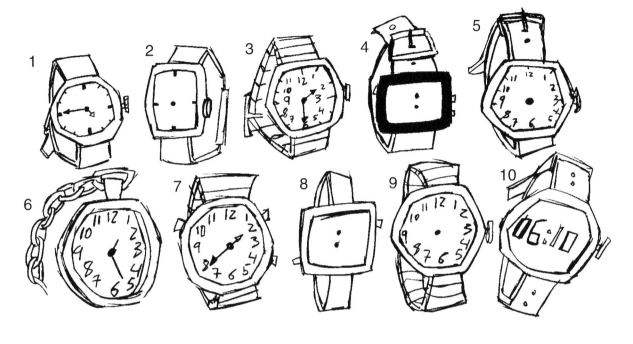

Pregunta a tu compañero y completa la hora.

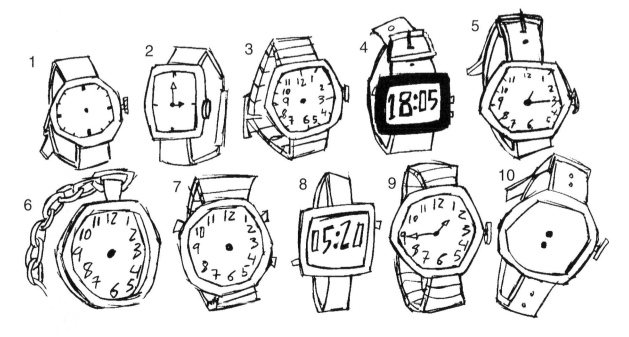

5. Hábitos

1. Pregunta a tu compañero lo que hace Carlos normalmente. Utiliza los verbos del recuadro y escribe la hora.

    ¿A qué hora se levanta Carlos?

CARLOS	
levantarse:	8:00
ducharse:	_____
desayunar:	_____
ir al trabajo:	_____
empezar a trabajar:	_____
terminar de trabajar:	_____
comer:	_____
ir al gimnasio:	_____
cenar:	_____
acostarse:	_____

2. Mira los dibujos de María y responde a tu compañero.

---

1. Responde a tu compañero sobre lo que hace Carlos.

2. Pregunta a tu compañero sobre lo que hace María. Utiliza los verbos del recuadro y escribe la hora.

    ¿A qué hora se despierta María?

MARÍA	
despertarse:	7:30
desayunar:	_____
ir al trabajo:	_____
empezar a trabajar:	_____
comer:	_____
salir de trabajar:	_____
cenar:	_____
ducharse:	_____
acostarse:	_____

6. ¿Qué profesión es?

1. Dile a tu compañero qué hacen estos profesionales. Él dice el nombre entre paréntesis.

2. Escucha a tu compañero y escribe qué profesión es.

1. Cura a los enfermos.	*(médico)*
2. Vende comida.	*(dependiente)*
3. Apaga incendios.	*(bombero)*
4. Corta el pelo.	*(peluquero)*
5. Actúa en películas.	*(actor, actriz)*
6. Toca un instrumento musical.	*(músico)*
7. Pinta cuadros.	*(pintor)*

1. _____*Profesor*_____
2. _____
3. _____
4. _____
5. _____
6. _____
7. _____

----

1. Escucha a tu compañero y escribe qué profesión es.

1. _____*Médico*_____
2. _____
3. _____
4. _____
5. _____
6. _____
7. _____

2. Dile a tu compañero qué hacen estos profesionales. Él dice el nombre entre paréntesis.

1. Enseña matemáticas.	*(profesor)*
2. Sirve en un restaurante.	*(camarero)*
3. Reparte cartas.	*(cartero)*
4. Conduce un taxi.	*(taxista)*
5. Lava la ropa, hace la comida, cuida a su hijos…	*(ama de casa)*
6. Conduce el autobús.	*(conductor)*
7. Hace la comida en un restaurante.	*(cocinero)*

7. Juego

En grupos de 4. Los estudiantes tiran el dado por turnos y contestan las preguntas de cada casilla.

1	**2**	**3**	**4**	**5**
Presente de *volver*, vosotros.	Completa: ¿___ qué hora ___ acuestan tus hijos? ___ las 10 ___ la noche.	Presente de *vestir*, nosotros.	Presente de *cerrar*, tú.	Presente de *venir*, yo.
6	**7**	**8**	**9**	**10**
Completa: ¿___ vas ___ trabajo? Voy ___ metro.	Presente de *acostarse*, él.	¿Qué día de la semana hay después del martes?	¿Quién trabaja con	Pronuncia correctamente *guapo, gato, gorro, guerra, guitarra, gas*.
11	**12**	**13**	**14**	**15**
Completa: C_f_ c_n l_ch_ M_nt_q_ _ll_ Z_m_ d_ n_r_nj_	¿Quién trabaja con	Completa B_c_d_ll_ d_ j_m_n T_ c_n l_ch_	¿Qué día de la semana hay antes del lunes?	¿Verdadero o falso? En Argentina los bancos abren por la tarde.
16	**17**	**18**	**19**	**20**
¿Qué día de la semana hay antes del viernes?	Pronuncia correctamente *agua, gafas, gratis, guión gusto, guerra*	Completa: ¿___ qué hora ___ levantas? ___ levanto ___ las 8 ___ la mañana.	¿Quién trabaja con	Completa: Trabajo ___ las 3 ___ las 10 ___ la noche.
21	**22**	**23**	**24**	**25**
Presente de *empezar*, ellos	¿Quién trabaja con	¿Qué día hay entre el martes y el jueves?	Completa: T_st_d_s M_rm_l_d_ M_ _sl_	Conjuga el verbo *acostarse*.

8. El carro de la compra

1. Mira la lista de la compra. Pregunta a tu compañero y señala lo que tiene.

LISTA DE LA COMPRA			
azúcar	☐	limones	☐
carne	☐	huevos	☐
pescado	☐	café	☐
leche	☐	tomates	☐
arroz	☐	judías verdes	☐
piña	☐	aceite	☐
patatas	☐	gambas	☐
plátanos	☐	pollo	☐

2. Mira tus dibujos y contesta a tu compañero.

A. *¿Tienes azúcar?*
B. *No, no tengo.*

---

1. Mira tus dibujos y contesta a tu compañero.

A. *¿Tienes azúcar?*
B. *No, no tengo.*

2. Mira la lista de la compra. Pregunta a tu compañero y señala lo que tiene.

LISTA DE LA COMPRA			
azúcar	☐	limones	☐
carne	☐	huevos	☐
pescado	☐	café	☐
leche	☐	tomates	☐
arroz	☐	judías verdes	☐
piña	☐	aceite	☐
patatas	☐	gambas	☐
plátanos	☐	pollo	☐

9. Instrucciones de los bomberos

Completa las instrucciones de los bomberos con la ayuda de tu compañero.

1.

Entregue las llaves de su piso a los bomberos para que puedan entrar en él.
ENTREGAR

2.

_____ al exterior e _____ su posición.
SALIR - INDICAR

3.

_____ a los bomberos, no salte por la ventana.
ESPERAR

4.

Si hay humo, _____ en casa, _____ todas las puertas y _____ toallas para que no entre el humo.
QUEDARSE – CERRAR - PONER

5.

Si el incendio es en su casa, _____ salir cerrando todas las puertas.
INTENTAR

6.

_____ por las escaleras, no use el ascensor
BAJAR

7.

Si sabe que hay un incendio _____ a los bomberos y _____ la alarma.
LLAMAR - DAR

8.

_____ todas las puertas con precaución. Si hay humo no salga. El humo mata más que el fuego.
ABRIR

9

_____ a una parte alta de la casa y _____ a los bomberos.
SUBIR – ESPERAR

10.

_____ sin recoger nada. Lo más valioso es la vida.
SALIR

10. ¿Cómo es? ¿Dónde está?

Pregunta a tu compañero y comprueba si tu dibujo es igual.

¿Cómo es la bicicleta?	¿Cómo es la mujer del banco?
¿Cómo es el coche?	¿Dónde están los niños?
¿Cómo es la moto?	¿Dónde está la pelota?

Pregunta a tu compañero y comprueba si tu dibujo es igual.

¿Cómo es la bicicleta?	¿Cómo es la mujer del banco?
¿Cómo es el coche?	¿Dónde están los niños?
¿Cómo es la moto?	¿Dónde está la pelota?

11. ¿Qué estás haciendo?

A

Pregunta a tu compañero para saber qué están haciendo las personas del recuadro. Después escríbelo en su recuadro correspondiente.

A. *¿Qué está haciendo Susana?*
B. *Está lavándose el pelo/ Se está lavando el pelo.*

Alberto	**Antonio**	**Susana**	**Pedro y Margarita**	**Mercedes y Javier**
Jaime	**Carlos**	**Andrés**	**Julia**	**Carolina**

B

Pregunta a tu compañero para saber qué están haciendo las personas del recuadro. Después escríbelo en su recuadro correspondiente.

B. *¿Qué está haciendo Alberto?*
A. *Está tocando la guitarra.*

Alberto	**Antonio**	**Susana**	**Pedro y Margarita**	**Mercedes y Javier**
Jaime	**Carlos**	**Andrés**	**Julia**	**Carolina**

12. ¿cómo es?

A

1. Describe a Juan y a Lidia a tu compañero. Utiliza las palabras del recuadro.
   Juan es una persona joven. Tiene el pelo....

2. Dibuja a María y a Jorge, siguiendo la descripción de tu compañero.

> joven – mayor – largo – corto – rubio – moreno – liso
> rizado – claros – oscuros – gafas – barba – bigote

JUAN	MARÍA
JORGE	LIDIA

B

1. Escucha a tu compañero y dibuja a Juan y a Lidia con sus instrucciones.

2. Describe a María y a Jorge. Utiliza las palabras del recuadro.
   María es una persona joven. Tiene el pelo....

> joven – mayor – largo – corto – rubio – moreno – liso
> rizado – claros – oscuros – gafas – barba – bigote

JUAN	MARÍA
JORGE	LIDIA

13. Canción "Guantanamera"

Guantanamera

Guantanamera,
Guajira guantanamera
Guantanamera,
Guajira guantanamera

Yo soy un hombre (1) _____
De donde crece la palma
Yo soy un hombre (2) _____
De donde crece la palma
Y antes de morirme (3) _____
Echar mis versos del alma

Guantanamera,
Guajira guantanamera
Guantanamera,
Guajira guantanamera

Mi verso es de un (4) _____ claro
Y de un jazmín encendido
Mi verso es de un (5) _____ claro
Y de un jazmín encendido
Mi verso es un ciervo (6) _____
Que busca en el monte amparo

Guantanamera,
Guajira guantanamera
Guantanamera,
Guajira guantanamera

Por los (7) _____ de la tierra
Quiero yo mi suerte echar
Por los (8) _____ de la tierra
Quiero yo mi suerte echar
El arrullo de la (9) _____
Me complace más que el (10) _____

Guantanamera,
Guajira guantanamera
Guantanamera,
Guajira guantanamera

Guantanamera,
Guajira guantanamera
Guantanamera,
Guajira guantanamera

14. ¿Qué hizo ayer...?

Pregunta a tu compañero qué hicieron ayer Ana, José, Andrea y Sergio.

¿Qué hizo ayer Ana?
Fue al cine

Pregunta a tu compañero qué hicieron ayer Raquel, Alicia, Enrique y Ricardo.

¿Qué hizo ayer Raquel?
Escuchó música

15. ¿Qué hizo ayer?

A

David es periodista deportivo y ésta es su agenda del sábado pasado. Pregunta a tu compañero para completar los datos que te faltan y contesta sus preguntas.

A. ¿Qué hizo a las 8 de la mañana?
B. Se levantó.

8.00	**8.30** (Desayunar)
9.00	.... (Escuchar la radio)
10.30 (Hacer la maleta)	**11.30** (Viajar a Barcelona)
13.30	**17.00** (Ver el partido de baloncesto)
.... (Ir al hotel)	**19.30** (Escribir el reportaje)
21.00 (Cenar en un restaurante)	**22.00** ....
.... (Ver un documental en la TV)	**23.30** (Acostarse)

B

David es periodista deportivo y ésta es su agenda del sábado pasado. Pregunta a tu compañero para completar los datos que te faltan y contesta sus preguntas.

B. ¿Qué hizo a las 8 y media?
A. Desayunó.

8.00 (Levantarse)	**8.30** ....
9.00 (Ir al gimnasio)	**10.00** ....
10.30	.... (Viajar a Barcelona)
13.30 (Comer en el hotel)	**17.00** ....
19.00 (Ir al hotel)	.... Escribir el reportaje
21.00	**22.00** (Relajarse en el hotel)
22.30 (Ver un documental en la TV)	.... (Acostarse)

16. Descripciones

A

Describe a una de estas personas. Tu compañero tiene que adivinar quién es.

Rosa   Virginia   Paloma   Pablo   Ángel   David

B

Describe a una de estas personas. Tu compañero tiene que adivinar quién es.

Rosa   Virginia   Paloma   Pablo   Ángel   David

17. Comparativos

Con tu información y la de tu compañero averigua el precio de estos objetos.

1. La moto grande es más barata que el coche moderno.
2. El coche antiguo vale lo mismo que el coche moderno y la moto grande.
3. La bicicleta nueva vale 300 euros.
4. El coche moderno vale 15.000 euros más que la moto grande.

Con tu información y la de tu compañero averigua el precio de estos objetos:

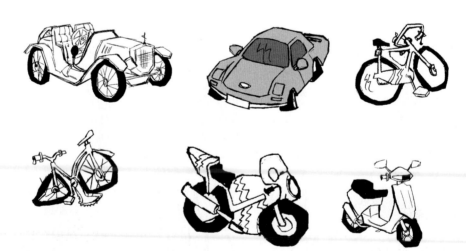

1. La moto grande vale diez veces más que la bicicleta nueva.
2. La moto pequeña vale el doble que la bicicleta nueva.
3. El coche moderno es más caro que la moto grande.
4. La bicicleta vieja vale la mitad que la bicicleta nueva.

18. Consejos

A

1. Mira los dibujos y explica a B qué te pasa. Él te dará un consejo.

A. Tengo mucha fiebre.
B. Toma ... / ¿Por qué no tomas...?

2. Escucha qué le pasa a B y dale uno de estos consejos.

- tomar aspirina
- relajarse en casa
- dejar de hablar
- tomar manzanilla con miel y limón
- ir al médico
- no coger peso
- acostarse y descansar

B

1. Escucha qué problema tiene A y dale un consejo. Mira el recuadro.

- ir al dentista
- tomar una aspirina
- comer alimentos suaves
- no beber alcohol
- lavarlos con agua caliente
- descansar
- beber mucha agua

A. Me duele ...
B. Toma ... / ¿Por qué no tomas ...?

2. Mira los dibujos y dile a A qué problema tienes. Él te dará un consejo.

19. Planes

Pregunta y responde a tu compañero para completar la agenda de Julián.

A. ¿Adónde va a ir de viaje Julián el lunes por la mañana?
B. Va a ir a Sevilla.
A. ¿Qué va a hacer el lunes por la tarde?
B. Va a reunirse con Ana.

Lunes

MAÑANA: Ir a ....

TARDE: Reunirme con Ana.

NOCHE : Ir a la ópera.

Martes

MAÑANA: .... con Miguel.

TARDE: Visitar la ....

NOCHE: Cenar con Guillermo.

Miércoles

MAÑANA: Viajar a ....

TARDE: Visitar la Mezquita.

NOCHE: Ir al cine.

Jueves

MAÑANA: Buscar.............................. para Sofía.

TARDE: Tomar café con Pedro.

NOCHE: Ir a la fiesta de Sara.

Viernes

MAÑANA: ....

TARDE: Jugar al tenis con Emilio.

NOCHE: Ver .... en la TV.

Pregunta y responde a tu compañero para completar la agenda de Julián.

A. ¿Adónde va a ir de viaje Julián el lunes por la mañana?
B. Va a ir a Sevilla.
A. ¿Qué va a hacer el lunes por la tarde?
B. Va a reunirse con Ana.

Lunes

MAÑANA: Ir a Sevilla

TARDE: ....

NOCHE : Ir a ....

Martes

MAÑANA: Desayunar con Miguel.

TARDE: Visitar la catedral.

NOCHE: Cenar con ....

Miércoles

MAÑANA: Viajar a Córdoba.

TARDE: ....

NOCHE: Ir a ....

Jueves

MAÑANA: Buscar un regalo para Sofía.

TARDE: .... con Pedro.

NOCHE: ....

Viernes

MAÑANA: Trabajar en casa.

TARDE: Jugar .... con Emilio.

NOCHE: Ver una película en la TV.

20. Gente famosa

A

1. Primero lee este texto sobre una famosa actriz española. Luego, pregunta a tu compañero para completar la información que falta. ¿Sabes quién es?

P_ _ _ _ _ _ _ C _ _ _

Esta actriz nació en Madrid el _____. Es morena, de ojos oscuros y mide _____. Su carrera artística se inició en la televisión con su participación en varias series, programas, anuncios publicitarios y un videoclip. Su primera película fue _____ (1991) y luego rodó *Jamón, jamón,* que destaca por ser la más polémica de sus películas, y *Belle Epoque* (1994), que consiguió un Oscar a la mejor película de habla no inglesa y la convirtió en una actriz famosa internacionalmente. Otras de sus películas son *La niña de mis ojos* y *Volaverunt.*

Su mayor vicio es _____, y su mayor defecto es ser _____. Sus principales aficiones son la _____, la _____, la _____, la _____, el _____ y _____ (el récord lo tiene en 18 horas seguidas). Odia _____. Le encanta la comida japonesa y su bebida preferida es _____. Estuvo saliendo con el famoso actor norteamericano _____, con el que trabajó en la película _____. Ahora prepara *Volver*, la nueva película del director español _____.

2. Lee este texto sobre un piloto español de Fórmula 1. Responde a tu compañero.

FERNANDO ALONSO

Este piloto de Fórmula 1 nació el **29 de julio de 1981** en **Oviedo**. A los tres años, su padre le regaló un kart y ganó su primera carrera, organizada en un centro comercial. A los **siete** años se convirtió en campeón infantil de Asturias. Comenzó a correr en la Fórmula 1 en el año 2001; **en el 2003** se convirtió en el piloto más joven en ganar un gran premio (el Gran Premio de Hungría). El 20 de marzo de 2005 consiguió su segunda victoria ganar otro campeonato: **el Gran Premio de Malasia,** y se convirtió en el primer español que llega a liderar el mundial de pilotos.

Curiosamente, se sacó el carné de conducir con **18** años, después de ganar numerosas carreras.

Es un apasionado de todos los deportes, que utiliza como entrenamiento: practica el **ciclismo**, el **tenis**, la **natación** y el **fútbol** (su equipo preferido es el **Real Madrid**). Su comida favorita es **la pasta**, le encanta el cine de terror y su ídolo deportivo es **el ciclista estadounidense Lance Armstrong**. Conoció a su actual novia, Rebeca, en un **campeonato**. Actualmente vive en **Oxford.**

B

1. Lee este texto sobre una famosa actriz española. Responde a tu compañero.

PENÉLOPE CRUZ

Esta actriz nació en Madrid el **28 de abril de 1974**. Es morena, de ojos oscuros y mide **1,68**. Su carrera artística se inició en la televisión con su participación en varias series, programas, anuncios publicitarios y un videoclip. Su primera película fue ***El laberinto griego*** (1991) y luego rodó *Jamón, jamón,* que destaca por ser la más polémica de sus películas, y *Belle Epoque* (1994), que consiguió un Oscar a la mejor película de habla no inglesa y la convirtió en una actriz famosa internacionalmente. Otras de sus películas son *La niña de mis ojos* y *Volaverunt.*

Su mayor vicio es **comprar ropa**, y su mayor defecto es ser **cabezota**. Sus principales aficiones son **la música clásica, la lectura, la danza, la natación, el cine y dormir** (el récord lo tiene en 18 horas seguidas). Odia **a los paparazzi**. Le encanta la comida japonesa y su bebida preferida es **la Coca-Cola**. Estuvo saliendo con el famoso actor norteamericano **Tom Cruise**, con el que trabajó en la película ***Vanilla Sky***. Ahora prepara *Volver*, la nueva película del director español **Pedro Almodóvar**.

2. Primero lee este texto sobre un piloto español de Fórmula 1. Luego, pregunta a tu compañero para completar la información que falta. ¿Sabes quién es?

F_ _ _ _ _ _ _   A_ _ _ _ _ _

Este piloto de Fórmula 1 nació el _____ en _____. A los tres años, su padre le regaló un kart y ganó su primera carrera, organizada en un centro comercial. A los _____ años se convirtió en campeón infantil de Asturias. Comenzó a correr en la Fórmula 1 en el año 2001; _____ se convirtió en el piloto más joven en ganar un gran premio (el Gran Premio de Hungría). El 20 de marzo de 2005 consiguió su segunda victoria al ganar otro campeonato: _____, y se convirtió en el primer español que llega a liderar el mundial de pilotos.

Curiosamente, se sacó el carné de conducir con __ años, después de ganar numerosas carreras.

Es un apasionado de todos los deportes, que utiliza como entrenamiento: practica el _____, el _____, la _____ y el _____ (su equipo preferido es el _____). Su comida favorita es _____, le encanta el cine de terror y su ídolo deportivo es _____ _____. Conoció a su actual novia, Rebeca, en un _____ _____. Actualmente vive en _____

21. Historias de gente corriente

A

1. Tu compañero te va a contar una historia sobre Jorge, con gestos, sin hablar. Tú tienes que escribirla en pasado. Después, comprueba con él el resultado.

   Una mañana de verano, Jorge se levantó _____

   _____

   _____

2. Cuenta la historia de Eva a tu compañero, pero sin hablar: sólo con tus gestos. Él tiene que escribirla. Después, comprueba qué tal lo ha hecho.

   Una noche de invierno, Eva cenó un huevo frito, vio la tele un rato, se lavó los dientes, se puso el pijama y se acostó a las 11. Dos horas después oyó un ruido y se despertó. Salió de su habitación a oscuras y muy despacio, pero se cayó. Cuando se levantó y encendió la luz, vio a su gato y, al lado, un vaso roto en el suelo....

B

1. Cuenta la historia de Jorge a tu compañero, pero sin hablar: sólo con tus gestos. Él tiene que escribirla. Después, comprueba qué tal lo ha hecho.

   Una mañana de verano, Jorge se levantó a las 10, se duchó, se afeitó, se vistió y salió enseguida de casa. Compró un ramo de flores precioso y cogió el autobús. A las 11.30 llegó a casa de su novia. Llamó a la puerta y, cuando ella abrió sorprendida, él le dio el ramo y dijo: ¡Feliz cumpleaños!

2. Tu compañero te va a contar una historia sobre Eva, con gestos, sin hablar. Tú tienes que escribirla en pasado. Después, comprueba con él el resultado.

   Una noche de invierno, Eva cenó _____

   _____

   _____

22. Experiencias

A

Pregunta a varios compañeros de clase si han hecho estas cosas alguna vez y cuántas veces las han hecho. Para ganar este concurso tienes que encontrar antes que tu compañero B a personas que han hecho estas cosas más de una vez.

> ✓ Estar en un país de Hispanoamérica.
> ✓ Ganar un premio.
> ✓ Salir en televisión.
> ✓ Viajar en barco.
> ✓ Pasar una temporada en el hospital.
> ✓ Comprar una cosa completamente inútil.
> ✓ Conocer a alguien interesante por Internet.

A. *¿Alguna vez has estado en un país de Hispanoamérica?*
B. *Sí, claro.*
A. *¿Cuántas veces?*
B. *Sólo una.*

B

Pregunta a varios compañeros de clase si han hecho estas cosas alguna vez y cuántas veces las han hecho. Para ganar este concurso tienes que encontrar antes que tu compañero A a personas que han hecho estas cosas más de una vez.

> ✓ Estar en un país de Hispanoamérica.
> ✓ Ganar un premio.
> ✓ Salir en la televisión.
> ✓ Viajar en barco.
> ✓ Pasar una temporada en el hospital.
> ✓ Comprar una cosa completamente inútil.
> ✓ Conocer a alguien interesante por Internet.

A. *¿Alguna vez has estado en un país de Hispanoamérica?*
B. *Sí, claro.*
A. *¿Cuántas veces?*
B. *Sólo una.*

23. Casa en venta

A

Imagina que tienes que vender tu casa porque tu empresa te ha trasladado. Llama a una agencia y dale los datos que te pide, según la información siguiente.

> Me llamo Jorge Franco García y vivo en un chalé adosado de veinte años, en la calle Goya, 5, en Villaviciosa de Odón, a unos 20 km de la capital. Tiene dos plantas principales, una buhardilla y un sótano. Hay espacio para dos coches. Tengo un cuarto de baño principal en la primera planta y un aseo en la planta baja. En la planta baja está el salón y la cocina, y en la primera planta hay tres dormitorios, además del cuarto de baño. También tenemos un jardín mediano. En total son unos 150 m² construidos.
>
> Cerca del chalé hay un centro comercial con todo tipo de establecimientos.
>
> Mi número de teléfono es: 606249130.

B

Imagina que trabajas en una agencia inmobiliaria. Un cliente te llama para ofrecerte su casa. Hazle las preguntas necesarias para completar el formulario.

INMOBILIARIA MICASA

Nombre: ....
Apellidos: ....
Dirección: ....
Ciudad: ....
Tel.: ....

Chalé: .... Piso: .... Adosado: ✔.....
Planta: .... Exterior: ..... Interior: .....
Antigüedad: .... años.
Superficie: .... metros cuadrados.
Dormitorios: .... Cuartos de baño: ...
Aseo: ....
Ascensor: ......Plaza de aparcamiento : ....
Jardín: .....
Cerca del centro: .... Lejos: ....

24. Tierras de España

A

Los dos tenéis un mapa de Castilla-León incompleto: a ti te faltan los nombres de cuatro provincias y a tu compañero le faltan los nombres de otras cuatro. Para completar el mapa, pregunta a tu compañero y dale pistas haciendo comparaciones sobre **el número de habitantes, la extensión y el número de letras** de las provincias. Utiliza también la información que tienes sobre **sus monumentos**. Después, comprobad juntos si el mapa es correcto.

A. *¿Cuál es la provincia n.º 5?*
B. *La provincia n.º 5 es la que tiene más km² que Soria, pero menos que Salamanca.*

PROVINCIA	EXTENSIÓN	POBLACIÓN
LEÓN	15.468 km²	488.751 hab.
PALENCIA	8.029 km²	174.143 hab.
BURGOS	14.269 km²	348.934 hab.
VALLADOLID	8.202 km²	498.094 hab.
ZAMORA	10.559 km²	199.090 hab.
SORIA	10.287 km²	90.717 hab.
SEGOVIA	6.949 km²	147.694 hab.
ÁVILA	8.048 km²	163.442 hab.
SALAMANCA	12.336 km²	345.609 hab.

En esta provincia está la catedral gótica más famosa de España.

En esta provincia está la universidad hispana más antigua que se conoce actualmente.

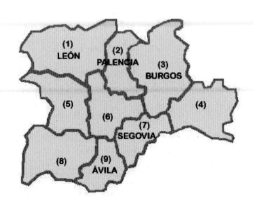

24. Tierras de España

B

Los dos tenéis un mapa de Castilla-León incompleto: a ti te faltan los nombres de cuatro provincias y a tu compañero le faltan los nombres de otras cuatro. Para completar el mapa, pregunta a tu compañero y dale pistas haciendo comparaciones sobre **el número de habitantes, la extensión y el número de letras** de las provincias. Utiliza también la información que tienes sobre **sus monumentos**. Después, comprobad juntos si el mapa es correcto.

A. *¿Cuál es la provincia n.º 1?*
B. *La provincia n.º 1 es la más grande de todas.*

PROVINCIA	EXTENSIÓN	POBLACIÓN
LEÓN	15.468 km^2	488.751 hab.
PALENCIA	8.029 km^2	174.143 hab.
BURGOS	14.269 km^2	348.934 hab.
VALLADOLID	8.202 km^2	498.094 hab.
ZAMORA	10.559 km^2	199.090 hab.
SORIA	10.287 km^2	90.717 hab.
SEGOVIA	6.949 km^2	147.694 hab.
ÁVILA	8.048 km^2	163.442 hab.
SALAMANCA	12.336 km^2	345.609 hab.

En esta provincia está la catedral gótica más famosa de España.

En esta provincia está la universidad hispana más antigua que se conoce actualmente.

25. De compras

Eres un turista. Estás en el Rastro, un mercadillo al aire libre muy famoso en Madrid que se puede visitar los domingos. Quieres comprar unos recuerdos de Madrid para ti y tu familia. Ves un puesto donde venden muchos objetos curiosos y variados. Tu compañero es el vendedor. Pregúntale por los objetos de la lista.

- Un póster de un torero.
- Un póster de Antonio Banderas.
- Algo típico para comer.
- Algo típico para beber.
- Una antigüedad.
- Un traje de gitana para tu sobrina de diez años.
- Algún mueble.
- Un botijo.
- Algunos llaveros para regalar a tus amigos.
- Unas castañuelas.

A. *¿Tiene pósters de toreros?*
B. *No, no me queda ninguno. Pero mire qué mantón de Manila.*
A. *¡Qué bonito! ¿Cuánto vale?*

25. De compras

B

Eres vendedor en un puesto de el Rastro, un mercadillo al aire libre muy famoso en Madrid que se puede visitar los domingos. Tu compañero es un turista que quiere comprar unos recuerdos de Madrid. Dile si las tienes o no e intenta venderle todo lo que puedas. Las cosas que tienes en el puesto están marcadas con una ✓.

• ROPA:
   gorras típicas de madrileño ✓
   mantones de Manila ✓
   trajes de gitana ✓

• PÓSTERS:
   de cantantes españoles ✓
   de actores españoles ✓
   de toreros
   de películas de Pedro Almodóvar ✓
   de futbolistas

• MUEBLES Y OTROS OBJETOS:
   sillas ✓
   mesas ✓
   percheros
   botijos ✓
   espejos ✓
   llaveros ✓
   castañuelas

• ANTIGÜEDADES:
   máquinas de coser antiguas ✓
   baúles ✓
   lámparas

• DULCES TÍPICOS:
   rosquillas de San Isidro ✓
   churros ✓
   buñuelos
   barquillos

• BEBIDAS:
   vino de Rioja
   sangría
   limonada

26. Buenos consejos

A

1. Eres profesor de español. Un alumno viene a hablar contigo para pedirte algunos consejos. Responde adecuadamente en imperativo utilizando estas ideas:

No preocuparse demasiado por cometer errores.

Leer mucho.

Escribir correos electrónicos o cartas a tus amigos de habla hispana.

✔ Escribir frases con las palabras más difíciles.

✔ Repasar de vez en cuando el vocabulario.

Escuchar canciones.

✔ Ordenar las palabras por temas.

Ver películas en español.

Viajar por España e Hispanoamérica.

No desanimarse.

No ser tímido.

Prestar mucha atención cuando alguien habla español e imitar su manera de hablar.

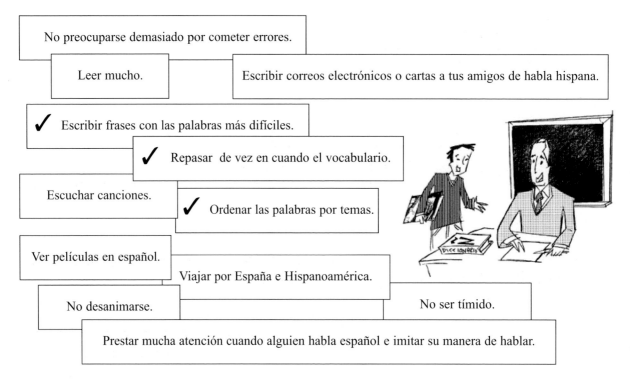

B. *¿Qué hago para aprender fácilmente el vocabulario y no olvidarlo?*
A. **Ordena** *las palabras por temas,* **repasa** *de vez en cuando el vocabulario y* **escribe** *frases con las palabras más difíciles.*

2. No te encuentras muy bien y quieres cuidarte un poco y mejorar tu salud. Tu compañero es médico: pídele algunos consejos para conseguir estas cosas:

➤ Para estar en forma.
➤ Para dejar de fumar.
➤ Para perder peso.
➤ Para cuidar tu tensión.
➤ Para estar fuerte y no ponerte enfermo.
➤ Para el dolor de espalda.
➤ Para descansar más.

A. *¿Qué hago para estar en forma?*
B. **Camina** *una hora al día y* **practica** *algún deporte.*

26. Buenos consejos

B

1. Estás aprendiendo español y quieres mejorar. Tu compañero es profesor de español. Pídele consejo para conseguir estas cosas:

> ➤ Aprender fácilmente el vocabulario y no olvidarlo.
> ➤ Perder el miedo a hablar en español.
> ➤ Mejorar tu pronunciación.
> ➤ Escribir mejor.
> ➤ Entender lo que te dicen en español.
> ➤ Conocer mejor la cultura hispana.
> ➤ Aprender español mejor y más deprisa.

B. *¿Qué hago para aprender fácilmente el vocabulario y no olvidarlo?*
A. ***Ordena*** *las palabras por temas,* ***repasa*** *de vez en cuando el vocabulario y* ***escribe*** *frases con las palabras más difíciles.*

2. Eres médico. Tu compañero lo sabe y te pide algunos consejos para mejorar su salud. Responde adecuadamente en imperativo utilizando estas ideas:

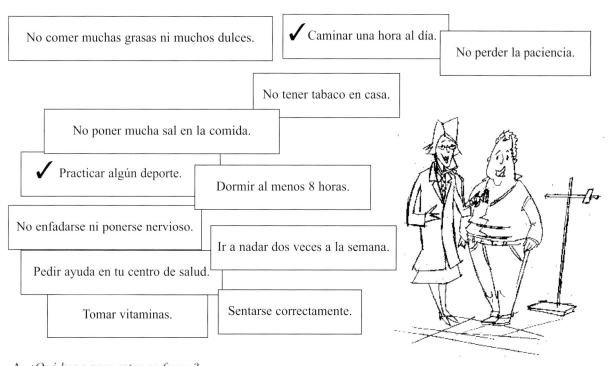

No comer muchas grasas ni muchos dulces.

✓ Caminar una hora al día.

No perder la paciencia.

No tener tabaco en casa.

No poner mucha sal en la comida.

✓ Practicar algún deporte.

Dormir al menos 8 horas.

No enfadarse ni ponerse nervioso.

Ir a nadar dos veces a la semana.

Pedir ayuda en tu centro de salud.

Tomar vitaminas.

Sentarse correctamente.

A. *¿Qué hago para estar en forma?*
B. ***Camina*** *una hora al día y* ***practica*** *algún deporte.*

27. Cosas del pasado

Tu compañero es la famosa actriz argentina Daniela Olivetti. Tienes que escribir su biografía, pero no sabes exactamente cuándo pasaron algunas cosas. Hazle preguntas para poder relacionar cada acontecimiento con su fecha.

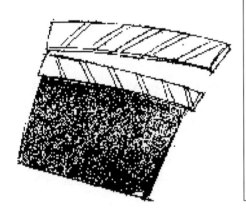

1912 Nace Daniela Olivetti.
1917 ⑧
1918 Muere su querido gatito Chus. Esto marca a Daniela.
1930
1931 Empieza a trabajar como modelo.
1932
1933 Se casa con el director Osvaldo Velasco.
1934 Entre muchas otras jóvenes actrices, la eligen para el papel principal de *La rosa de mi jardín* (del célebre director Osvaldo Velasco).
1935
1938
1949
1960 Consigue un Oscar a la mejor actriz por *La triste vida de Angustias*.
1963
1967 Vuelve a actuar.
1970
1980
1995
2001 Recibe un Oscar al conjunto de su carrera.

A. *Señora Olivetti, ¿fue en 1917 cuando apareció por primera vez en una película?*
B. *Sí, efectivamente.*

① Se casa con el millonario Richard de la Plata. Participa en varias películas: *El hundimiento del Reina Luisa*, *El café de la esquina de enfrente*, y el aplaudido musical *El tesoro del abuelo Warren.*.

② Emigra con su familia a Estados Unidos.

③ Se divorcia de Osvaldo Velasco.

④ Se traslada a Londres, donde vive actualmente.

⑤ Tiene un grave accidente de coche y abandona por un tiempo el cine.

⑥ Un cazatalentos se fija en ella y hace su primer papel importante en el cine.

⑦ Rueda su última película, *Ver, oír y callar*. Deja el cine para dedicarse a la defensa de los animales.

⑧ Aparece por primera vez en una película.

⑨ Publica un libro sobre sus aventuras amorosas. Se divorcia de Richard de la Plata.

⑩ Rueda *Tranvías que vienen y van*, gran éxito de público y crítica. Se convierte en la actriz favorita de los espectadores según la revista *Imagen*.

27. Cosas del pasado

B

Eres la famosa actriz argentina Daniela Olivetti. Tu compañero tiene que escribir tu biografía, pero no sabes exactamente cuándo pasaron algunas cosas. Contesta a sus preguntas según este ejemplo:

A. *Señora Olivetti, ¿fue en 1917 cuando apareció por primera vez en una película?*
B. *Sí, efectivamente.*

1912 Nace Daniela Olivetti.

1917 Aparece por primera vez en una película.

1918 Muere su querido gatito Chus. Esto marca a Daniela.

1930 Emigra con su familia a Estados Unidos.

1931 Empieza a trabajar como modelo.

1932 Un cazatalentos se fija en ella y hace su primer papel importante en el cine.

1933 Se casa con el director Osvaldo Velasco.

1934 Entre muchas otras jóvenes actrices, la eligen para el papel principal de *La rosa de mi jardín* (del célebre director Osvaldo Velasco).

1935 Rueda *Tranvías que vienen y van*, gran éxito de público y crítica. Se convierte en la actriz favorita de los espectadores según la revista *Imagen*.

1938 Se divorcia de Osvaldo Velasco.

1949 Se casa con el millonario Richard de la Plata. Participa en varias películas: *El hundimiento del Reina Luisa*, *El café de la esquina de enfrente*, y el aplaudido musical *El tesoro del abuelo Warren*.

1960 Consigue un Oscar a la mejor actriz por *La triste vida de Angustias*.

1963 Tiene un grave accidente de coche y abandona por un tiempo el cine.

1967 Vuelve a actuar.

1970 Rueda su última película, *Ver, oír y callar*. Deja el cine para dedicarse a la defensa de los animales.

1980 Publica un libro sobre sus aventuras amorosas. Se divorcia de Richard de la Plata.

1995 Se traslada a Londres, donde vive actualmente.

2001 Recibe un Oscar al conjunto de su carrera.

EXAMEN UNIDADES 1-2

1. Escribe las preguntas.

1. A. ¿_____?
   B. Carmen Rodríguez.
2. A. ¿_____?
   B. Soy colombiana.
3. A. ¿_____?
   A. No, estoy soltera.
4. A. ¿_____?
   B. Soy enfermera, pero ahora no tengo trabajo.
5. A. ¿_____?
   B. En un hospital en Bogotá.
6. A. ¿_____?
   B. No, soy mexicana.
7. A. ¿_____?
   B. Inglés y un poco de italiano.
8. A. ¿_____?
   B. Sí, un niño de tres años.
9. A. ¿_____?
   B. En la c/ Huertas, 7.
10. A. ¿_____?
    B. El 91 345 30 21

2. Relaciona los elementos de cada columna.

Mis padres	trabaja	hijos
Carlos	viven	en el hospital
Elena	comemos	con sus padres
Raquel	no tiene	en París
Nosotros	vive	en casa todos los días

3. Completa con los verbos

tener – ser – trabajar – estar – vivir

Lucía _____(1) profesora de matemáticas, _____(2) en la Universidad Complutense de Madrid. Está casada y _____(3) una niña de dos años. _____(4) en Barcelona.

Alberto y Marta _____(5) en Mallorca. _____(6) dos hijos: Lourdes, de 5 años, y Pablo, de 3. Alberto _____(7) informático y _____(8) en una oficina. Su mujer _____(9) ama de casa.

4. Escribe en la columna correspondiente.

gafas – móvil – madre – mapa – abuela
paraguas – televisión – reloj – sofá – coche

MASCULINO	FEMENINO

5. Ordena las frases.

1. Antoine / Soy / me / francés / y / llamo

   _____

2. profesora / Jenny / es / inglés / de

   _____

3. ¿Granada / hijos / Tus / viven / en?

   _____

4. La / debajo / mochila / la / de / silla / está

   _____

5. ¿Tus / médicos / son / padres?

   _____

6. oficina / en / Nosotras / una / trabajamos

   _____

7. hijo / Mi / enfermero / es

   _____

8. informática / inglés / Yo / estudio / e

   _____

9. ¿Buenos Aires / de / Vosotros / sois?

   _____

10. en / viven / Mis / la / hermanos / calle / Goya

    _____

6. Completa con las palabras

pero – y – de – en

1. A. ¿_____ dónde son Roberto _____ Ana?

   B. Son _____ Guatemala _____ viven _____ Sevilla.

2. A. ¿Dónde está el libro?

   B. Encima _____ la mesa.

3. A. ¿Qué hora es?

   B. Son las doce_____ media.

4. A. ¿Dónde vive tu hija?

   B. Vive _____ Toledo, _____ trabaja _____ Madrid.

7. Elige la respuesta correcta.

1. El hermano de mi padre es mi _____
   a) tío   b) abuelo   c) nieto

2. El hijo de mi padre y mi madre es mi _____
   a) hermano   b) abuelo   c) nieto

3. Mi hija pequeña tiene 23 años y su _____ tiene 24.
   a) hijo   b) nieto   c) marido

4. El hermano del hijo de mi hijo es mi _____.
   a) hermano   b) abuelo   c) nieto

5. Yo vivo con mi _____: mi padre, mi madre y mis dos hermanos.
   a) amiga   b) familia   c) abuela

6. A. ¿Qué _____ es?
   B. Son las tres y media.
   a) día   b) hora   c) semana

7. En esa _____ hay muchos alumnos.
   a) clase   b) trabajo   c) colegio

8. Nosotros no trabajamos los _____.
   a) días   b) coches   c) domingos

9. En mi país la _____ desayuna a las 9.
   a) gente   b) persona   c) habitante

10. En España los _____ son diferentes.
    a) comidas   b) horarios   c) trabajos

8. Completa.

1. 12   doce
2. 48   _____ y ocho
3. 87   _____ y siete
4. 102   ciento _____
5. 124   ciento _____
6. 131   _____ treinta _____
7. 249   _____ cuarenta _____
8. 636   _____ _____ y seis
9. 1.410   _____ cuatrocientos _____
10. 2.500   _____ mil _____

9. Lee este texto y contesta verdadero/falso.

Mi marido y yo vivimos en un pueblo pequeño. Yo tengo 67 años y mi marido 65, ya no trabajamos. Tenemos tres hijos que viven en Valencia. El mayor está casado y tiene una niña de 10 años. Los otros dos están solteros y no tienen hijos. Todos los domingos comemos en nuestra casa.

1. Trabajan en un pueblo. ☐
2. Sus hijos viven en Toledo. ☐
3. Sus hijos no están casados. ☐
4. Tienen una nieta. ☐
5. Los domingos comen todos en el pueblo. ☐

10. Escribe un párrafo sobre ti. Di cómo te llamas, cuántos años tienes, a qué te dedicas, cómo es tu familia...

_____

_____

_____

_____

_____

_____

_____

_____

_____

EXAMEN UNIDADES 3-4

1. Completa con las preposiciones

a – de – en – hasta – desde – por

Carmen García tiene 7 años. Se levanta todos los días ___ (1) las ocho ___(2) la mañana y sale de casa ____(3) las ocho y media. Va al colegio ____(4) autobús. Está en el colegio ____(5) las 9 ____(6) la 1. Vuelve ____(7) casa a comer. ____(8) la tarde tiene clase ____(9) 3 ____(10) 5. Los sábados y los domingos se levanta más tarde.

2. Completa con el verbo en el tiempo adecuado.

1. A. ¿A qué hora (volver, él) _____ a casa después del trabajo?
   B. (volver) _____ sobre las 8.30 de la tarde.

2. A. ¿A qué hora (empezar, vosotros) _____ las clases en la universidad?
   B. Depende. Yo (empezar) _____ a las 9, pero otros cursos (empezar) _____ antes.

3. A. ¿Adónde (ir, tú) _____ de vacaciones este año?
   B. Pues (ir) _____ a un pueblo que está en la montaña, ¿y vosotros?
   A. Nosotros (ir) _____ a la playa, como siempre.

4. A. ¿Por qué (acostarse, tú) _____ hoy pronto?
   B. Porque mañana (salir) _____ de viaje muy temprano.

3. Escribe el nombre de 5 muebles o electrodomésticos que encontramos en estas habitaciones.

COCINA	SALÓN-COMEDOR	CUARTO DE BAÑO

4. Relaciona.

1.

1. Encima	a. abajo
2. Delante	b. lejos
3. Dentro	c. debajo
4. Arriba	d. detrás
5. Cerca	e. fuera

2.

1. Ir	a. despertarse
2. Entrar	b. levantarse
3. Dormir	c. terminar
4. Sentarse	d. volver
5. Empezar	e. salir

5. Completa con los verbos.

hay – está – están – tiene – tienen

1. El cuarto de baño _____ a la derecha de la cocina.

2. ¿Dónde _____ los servicios, por favor?

3. ¿_____ un restaurante chino cerca de aquí?

4. Las gafas _____ encima de la mesa.

5. En esa calle _____ tres bancos.

6. Mi hermano _____ un coche nuevo.

7. ¿Cuántos alumnos _____ en esta clase?

8. En el frigorífico no _____ nada para comer.

9. ¿_____ hijos?

10. Carlos y Miriam _____ una casa en la playa y otra en la ciudad.

6. Completa con la palabra adecuada.

1. A. ¿En qué _____ vives?
   B. En el cuarto.
   a) piso   b) casa   d) habitación

2. El coche está en el _____.
   a) terraza b) jardín c) garaje

3. Mi piso es pequeño, sólo tiene 40 _____.
   a) kilómetros b) baños c) metros

4. Somos dos, queremos una habitación _____.
   a) compleja b) doble c) dúplex

5. Los niños están jugando en el _____ del colegio.
   a) clase b) patio c) parque

6. Los _____ son las personas que viven en el mismo edificio.
   a) vecinos b) compañeros c) habitantes

7. A. Hotel Continental, ¿dígame?
   B. Quiero hacer una _____ para el próximo fin de semana.
   a) prueba b) solicitud c) reserva

8. ¿Cómo va a pagar, en efectivo o _____.
   a) por el banco b) con tarjeta c) con dinero

9. En la costa mediterránea hay muchas _____ para los turistas.
   a) urbanizaciones b) pisos c) hoteles

10. En las grandes ciudades hay _____ de pisos y apartamentos.
    a) chalés b) casas c) bloques

7. Lee la postal de José y contesta verdadero/falso.

> Granada, 20 de mayo
>
> Querida Maite:
>
> Te escribo desde Granada, estoy en un hotel precioso, muy cerca del centro. Mi habitación está en la quinta planta y tengo unas vistas fantásticas. Es la segunda vez que vengo y cada vez me gusta más esta ciudad.
>
> Mañana vamos a Córdoba, queremos ver la Mezquita y algunos de los famosos patios cordobeses. Al día siguiente vamos a la playa, que está a una hora más o menos de Granada, así que podemos darnos un baño, comer tranquilamente y volver por la noche.
>
> Ahora me voy, vamos a ver la ciudad por la noche, igual que los cientos de turistas que hay aquí.
>
> Muchos besos. Nos vemos pronto.
>
> José

1. Desde el hotel hay buenas vistas. ☐

2. Es la primera vez que José va a Granada. ☐

3. Mañana va de excursión para ver la Mezquita de Córdoba. ☐

4. Al día siguiente va a la playa y ya no vuelve a Granada. ☐

5. Esta noche no va a salir porque está muy cansado. ☐

6. En Granada hay muchos turistas. ☐

8. Describe en un párrafo cómo es tu dormitorio.

_____

_____

_____

_____

_____

_____

_____

_____

_____

_____

_____

EXAMEN UNIDADES 5-6

1. Completa las frases con el vocabulario del recuadro.

> ensalada – plátanos – carne con tomate
> tomate – taza

1. Yo de segundo quiero _____.
2. Póngame una _____ de café.
3. Los vegetarianos comen mucha _____.
4. Los italianos preparan una deliciosa salsa de
   _____.
5. Pela los _____ y córtalos en rodajas.

2. Relaciona los verbos con sus complementos.

1. Nadar	a. el libro de poesía.
2. Pintar	b. en bicicleta una hora.
3. Montar	c. un cuadro.
4. Ir	d. una hora en la piscina.
5. Leer	e. al cine con Alicia.

3. Completa las frases con un pronombre (*me, te, le...*) y *gusta* o *gustan*.

1. A Juan _____ la música.
2. A mí no _____ bailar.
3. A Pedro y a mí _____ mucho leer.
4. A mí _____ los documentales sobre la naturaleza.
5. A los vegetarianos no _____ la carne.
6. A mis hijos no _____ las verduras.
7. A nosotros _____ los conciertos de música clásica.
8. ¿A vosotros _____ el gazpacho?
9. ¿A ti _____ ir al cine?
10. A mi novio y a mí _____ mucho viajar.

4. Completa las frases con el imperativo de los verbos del recuadro.

> escuchar – sentarse – poner – venir – hacer
> terminar – ayudar – comer – cerrar – llamar

1. _____ la puerta, por favor. (tú).
2. _____ a mi oficina cuando pueda (usted).
3. _____ lo que te estoy diciendo (tú).
4. _____ fruta para desayunar (usted).
5. _____ el trabajo cuanto antes (usted).
6. _____ la cama antes de irte (tú).
7. Luis, _____ a tu padre por teléfono (tú).
8. _____ a mi lado, por favor (tú).
9. _____ a tu hermano a poner la mesa (tú).
10. _____ los libros en la estantería (tú).

5. Transforma las frases como en el ejemplo.

¿Puede cerrar la puerta, por favor?
Cierre la puerta, por favor.

1. ¿Puedes encender la luz, por favor?

_____

2. ¿Puedes poner el abrigo en el perchero, por favor?

_____

3. ¿Puede escribir aquí su nombre, por favor?

_____

4. ¿Puede avisar al señor González, por favor?

_____

5. ¿Puedes hacer una tortilla de patatas para cenar?

_____

6. Escribe la forma correcta del verbo *ser* o *estar*.

1. Mi barrio _____ tranquilo.
2. Mi casa _____ cerca de la catedral.
3. Los transportes públicos _____ baratos.
4. Estos ejercicios _____ mal hechos.
5. Los bares _____ muy ruidosos.
6. Enfrente del ayuntamiento _____ el teatro de la Ópera.
7. La parada del autobús _____ cerca de mi casa.
8. Su coche nuevo _____ muy bonito.
9. Este trabajo _____ muy bien hecho.
10. Mi apartamento _____ muy pequeño.

7. Lee el texto y contesta las preguntas.

> Jóvenes y tiempo libre
>
> *El deporte y la música son las aficiones preferidas de los jóvenes. A los chicos normalmente les gusta el fútbol y el baloncesto; las chicas prefieren nadar o jugar al tenis. A los jóvenes les gusta oír música y tocar algún instrumento. La mayoría ve la televisión unas dos horas al día. Utilizan los ordenadores en su tiempo libre para navegar por Internet o enviar correos electrónicos. Les gusta más ir de compras que comprar por Internet.*
>
> *A los jóvenes de hoy no les gustan las mismas cosas que a los jóvenes del pasado, porque los jóvenes de hoy realizan muchas actividades utilizando las nuevas tecnologías.*

1. ¿Qué deportes prefieren los chicos?

_____

2. ¿Cuánto tiempo dedican a ver la televisión?

_____

3. ¿Para qué usan los ordenadores?

_____

4. ¿Les gusta comprar por Internet?

_____

5. ¿En qué se diferencian los jóvenes de ahora de los de antes?

_____

8. ¿Quieres conocer nuevos amigos españoles? Escribe un correo electrónico de presentación.

Párrafo 1: preséntate (nombre, nacionalidad, edad, dirección...)

Párrafo 2: describe tus gustos y aficiones.

Párrafo 3: pregunta a tus nuevos amigos sobre sus gustos y aficiones.

_____
_____
_____
_____
_____
_____
_____
_____
_____
_____

9. Completa los huecos.

> estación – cuánto – viajes – por favor – barato
> plano – billetes – gracias – línea – amable

Raúl: ¿Puede decirme cómo se va al palacio Real, (1) _____?

Taquillera: ¿Tiene usted un (2) _____ del metro?

Raúl: No, no tengo.

Taquillera: Yo le doy uno. Mire, estamos en la (3) _____ de Méndez Álvaro y tenemos que llegar a Ópera. Entonces, coja la (4) _____ 6 en dirección Oporto y allí cambie a la línea 5 que le lleva hasta Ópera.

Raúl: Muy bien, no parece muy difícil. Deme dos (5) _____, por favor.

Taquillera: ¿No prefiere un billete de diez (6) _____? Le sale más (7) _____.

Raúl: Sí, mejor deme uno de diez. ¿(8)_____ es?

Taquillera: Son 6 €.

Raúl: Muchas (9) _____, es usted muy (10) _____.

EXAMEN UNIDADES 7-8

1. Describe a estos cuatro personajes.

1._____

_____

2._____

_____

3._____

_____

4._____

_____

2. Completa las frases con el adjetivo de carácter correspondiente.

1. Tomás no habla mucho cuando conoce gente nueva. Es muy _____.

2. Siempre está feliz y sonriente. Es una persona muy _____.

3. Juan nunca respeta el turno de palabra de los demás. Es un _____.

4. Irene no se calla nunca. Habla sin parar. Es muy _____.

5. Enrique nunca sonríe ni gasta bromas. Es muy _____ .

6. Alicia siempre saluda amablemente a sus vecinos. Es muy _____.

3. Completa las frases con los establecimientos correctos.

1. Vamos al _____ a comprar sellos.

2. Me duele la cabeza. Voy a la _____ a comprar aspirinas.

3. No hay fruta en la nevera. Voy al _____ a comprar peras y plátanos.

4. Quiero comprar una revista de decoración. Voy a por ella al _____.

5. Tengo que pedir un pasaporte nuevo. Mañana voy a la _____.

4. Escribe frases con la estructura *estar + gerundio*.

1. Elena / desayunar.

_____

2. (Yo) / afeitarse.

_____

3. Carlos y Manuel / jugar / a las cartas.

_____

4. ¿Qué / (tú) / hacer?

_____

5. (Nosotros) / vestirse / para la fiesta.

_____

6. Luis y su novia / discutir.

_____

7. (Nosotros) / hablar / de política.

_____

8. ¿(Vosotros) / estudiar / español?

_____

9. Los niños / bañarse / en el mar.

_____

10. (Tú) / comer / demasiado.

_____

5. Completa el texto con el pretérito indefinido de los verbos entre paréntesis.

Ayer (yo) (1) _____ (levantarse) a las 7:30 de la mañana. Después de ducharme, (2) _____ (desayunar) en la cocina y me (3) _____ (ir) a la oficina. A las 9 mi jefe y yo (4)_____ (tener) una reunión. Antes de salir hacia el aeropuerto (yo) (5) _____ (entrar) en un bar y (6) _____ (comer) un bocadillo de jamón. El avión (7) _____ (salir) sobre las 3 de la tarde con destino a Sevilla. Allí me (8) _____ (recibir) mis colegas. A las 6 de la tarde todos nosotros (9) _____ (reunirse) y después (10) _____ (cenar) juntos.

6. Lee el correo y contesta las preguntas.

Vigo, 15 de abril

Querido David:

Te escribo desde un camping en Galicia, en el norte de España. Estoy con un grupo de amigos y nos lo estamos pasando muy bien. El camping es estupendo, tiene supermercado, restaurante y piscina.

El tiempo no es muy bueno. Está nublado y llueve casi todos los días, pero no hace mucho frío. Ayer hicimos una excursión en bicicleta. Fue muy divertido pero muy difícil, porque hacía mucho viento.

El único problema es la tienda de campaña. La estoy compartiendo con Pepa. A ella no le gusta nada el camping y está quejándose todo el tiempo. No duerme por la noche, se levanta a las seis de la mañana y me despierta cuando yo estoy durmiendo.

Hoy vamos a Santiago de Compostela. Te llamo cuando vuelva.

Un beso.

Laura

1. ¿Dónde está Laura de vacaciones?

_____

2. ¿Qué instalaciones tiene el camping?

_____

3. ¿Qué tiempo está haciendo?

_____

4. ¿Qué tiempo hizo durante la excursión en bicicleta?

_____

5. ¿Qué problema tiene Laura?

_____

7. Imagina que estás de vacaciones en España. Escribe una carta a un amigo contándole: qué estás haciendo en este momento, qué tiempo hace, qué hiciste ayer, qué problemas tienes, cómo te lo estás pasando...

_____

_____

_____

_____

_____

_____

_____

_____

8. Completa la siguiente conversación telefónica con las expresiones del recuadro.

¿Dónde quedamos? Lo siento, no puedo. ¿Por qué no vienes? ¿De acuerdo? ¿A qué hora quedamos?

A: ¿Está Roberto?

B: Sí, soy yo.

A: ¡Hola! ¿Qué estás haciendo?

B: Estoy estudiando.

A: Voy al Museo del Prado esta tarde.
   (1)_____.

B: (2)_____ Tengo mañana un examen. ¿Por qué no vamos mañana después de mi examen?

A: Venga, vale. (3)_____.

B: ¿Te parece bien a las 5? El examen es por la mañana.

A: No, mejor a las cinco y media, después de la siesta. (4)_____.

B: Vale. (5)_____.

A: En la salida del metro de Atocha.

B: Vale, allí nos vemos.

EXAMEN UNIDADES 9-10

1. Pon el nombre de las prendas de vestir que aparecen en los dibujos.

1............   2............   3............

4............   5............   6............

7............   8............   9............

10............

2. Mira los siguientes personajes. ¿Qué llevan puesto? Utiliza en la descripción los adjetivos del recuadro.

corto – largo – claro – oscuro – ancho – estrecho

1. Elena lleva _____

_____

2. Gerardo _____

_____

3. Rosa _____

_____

4. Miguel _____

_____

5. Luis _____

_____

3. Completa las siguientes frases con el vocabulario del cuerpo humano.

1. Cada _____ tiene cinco dedos.

2. Al final de la pierna está el _____.

3. Utilizo los _____ para ver.

4. En los hombros se unen los _____ con el cuerpo.

5. En las _____ me pongo los pendientes.

4. Completa las frases con los pronombres *lo, la, los, las*.

1. Me gusta tu falda. ¿Me ___ dejas?

2. ¡Qué zapatos tan bonitos! Me ____ llevo.

3. No tengo dinero para pagar el café. Pága ___ tú, por favor.

4. Las llaves están en mi bolso. Cóge ____.

5. Me gustan tus gafas de sol. ¿Dónde _____ compraste?

5. Completa las frases con *más, menos, tan, como, que, mejor/es, peor/es, mayor/es, menor/es.*

1. Pablo es más alto _____ Andrés.
2. Mi coche no es _____ caro como el tuyo.
3. El tren no es _____ rápido _____ el avión.
4. Raquel tiene un año más que Rocío. Raquel es _____ que Rocío.
5. Mis notas son malas. Las tuyas son buenas. Mis notas son _____ que las tuyas.
6. No vayas al cine. La película de la televisión es _____ que la del cine.
7. Juan es mayor que su hermano José. José es _____ que Juan.
8. Las verduras son _____ sanas _____ la carne.
9. Mario no es tan guapo _____ su hermano.
10. Iván gana más dinero que yo. Su sueldo es _____ que el mío.

6. Escribe frases como en el ejemplo, utilizando el presente y el pretérito imperfecto.

(ellos) / vivir / campo-ciudad
Ahora viven en el campo. Antes vivían en la ciudad.

1. Yo / trabajar / oficina–supermercado

_____

2. Ana / comer / verduras–carne

_____

3. (Tú) / salir / novia–amigos

_____

4. (Nosotros) / ser / mayores–jóvenes

_____

5. Vosotros / ir / cine–teatro

_____

7. Completa la siguiente entrevista con la forma *ir + infinitivo*. Utiliza los verbos del recuadro.

> estar – tener – buscar – concentrarse – cambiar
> oír – cantar (x2) – hablar – gustar

Nacho: Hoy tenemos en nuestro estudio a Jesús Orozco, cantante del grupo "Tribus Urbanas". Él (1)_____ su última canción, pero antes de nada, Jesús nos (2)_____ de su nuevo disco.
Jesús: Gracias, Nacho. El álbum (3)_____ en las tiendas la próxima semana. Es fantástico, te (4)_____ mucho.
Nacho: ¿Cómo (5)_____ vuestra vida en el futuro.
Jesús: Mis compañeros y yo (6)_____ una nueva compañía discográfica y nos (7)_____ en nuestro trabajo.
Nacho: Bueno, es fantástico. Antes de oírte, Jesús, ¿qué canción (8)_____?
Jesús: Todos vosotros (9)_____ por primera vez una canción del nuevo álbum que se titula *Amor en Madrid*.
Nacho: Muchas gracias, Jesús. Estoy seguro de que vosotros (10)_____ mucho éxito.

8. Escribe un pequeño texto contando tus planes para las próximas vacaciones y el próximo curso.

Estas vacaciones

_____

_____

_____

_____

_____

_____

El próximo curso

_____

_____

_____

_____

EXAMEN UNIDADES 11-12

1. Completa las preguntas con el interrogativo adecuado.

1. ¿_____ deporte prefieres, el fútbol o el tenis?

2. ¿_____ es tu cantante favorito?

3. A. ¿_____ naranjas compro?
   B. Compra cinco.

4. ¿_____ prefieres, carne o pescado?

5. ¿_____ terminan las clases?

6. A. ¿De _____ son estas gafas?
   B. De Manuel

7. ¿_____tomas el café, solo o con leche?

8. ¿_____ agua debo beber al día?

2. Escribe el verbo en pretérito indefinido.

1. Ir, yo: _____

2. Venir, vosotros: _____

3. Decir, tú: _____

4. Estudiar, yo: _____

5. Ser, nosotros: _____

6. Poder, ustedes: _____

7. Dar, ella: _____

8. Hacer, él: _____

9. Estar, vosotras: _____

10. Salir, nosotros: _____

3. Completa el texto con los verbos del recuadro en indefinido.

> nacer – morir – casarse – actuar
> hacer – empezar – tener – luchar

MARIO MORENO "Cantinflas"
(1911–1993)

(1)_____ en la Ciudad de México en 1911. Abandonó la escuela médica para ganarse la vida interpretando pequeños papeles en espectáculos de variedades. Sin embargo, pronto (2)_____ a hacer papeles protagonistas en el teatro. En 1934 (3)_____ con una actriz de origen ruso, con la que (4)_____ su único hijo. (5)_____ por primera vez en el cine en 1936, en *No te engañes corazón*, de Miguel Contreras. (6)_____ casi 50 películas, entre las que destacan, entre otras, *El bolero de Raquel*, *Sube y baja*, *El padrecito*, *El profe*, y *Pepe*. En la vida real, (7)_____ por la justicia social trabajando en varias fundaciones. (8)_____ el 20 de abril de 1993 en su ciudad natal.

4. Escribe las siguientes fechas y cantidades.

1. 23–1–1978: _____

2. 30–9–2005: _____

3. 7–7–1945: _____

4. 28–3–1789: _____

5. 15.000 alumnos: _____

6. 596.000 habitantes: _____

7. 2.334.722 estrellas: _____

8. 857 km: _____

5. En algunas palabras falta la tilde. Ponla sólo si es necesario.

1. Ayer llego mi novio de Estocolmo.

2. Ana vio a sus amigos en un bar.

3. Estas chicas si hablan español.

4. A. ¿Como estas hoy, abuela?
   B. Regular, hija, regular.

5. Se levanto a las 8.00.

6. ¿Que te gusta hacer los fines de semana?

7. El lunes pasado vine muy tarde a casa.

8. ¿Cuando empezaste a jugar al golf?

6 Escribe el participo de estos verbos.

1. *Volver*: _____. 2. *Hacer*: _____.

3. *Estar*: _____. 4. *Morir*: _____.

5. *Abrir*: _____. 6. *Escribir*:_____.

7. *Ser*: _____. 8. *Venir*: _____.

9. *Ir*: _____. 10. *Llegar*: _____.

7 Completa con el pretérito perfecto de los verbos entre paréntesis.

Este mes (1)_____ (ser) muy complicado para mí. (2)_____ (tener, yo) mucho trabajo, y algunos días (3)_____ (salir) tardísimo de la oficina. Además, mi marido (4)_____ (romperse) una pierna y casi no (5)_____ (poder) ayudarme con las tareas de la casa. Pero hoy por fin (6)_____ (empezar) las vacaciones: los niños (7)_____ (ir) al cumpleaños de un compañero de clase y nosotros (8)_____ (descansar) un poco.

8. Elige pretérito perfecto o pretérito indefinido.

Esta mañana la policía (1) *ha encontrado / encontró* en un sótano el valioso cuadro que (2) *ha desaparecido / desapareció* misteriosamente del Museo del Prado el mes pasado. Parece ser que el día 23 de enero, unos ladrones de obras de arte (3) *han robado / robaron* el cuadro a pesar de las fuertes medidas de seguridad. Nadie sabía dónde estaba hasta que un desconocido se lo (4) *ha dicho / dijo* ayer por teléfono a la policía. Hoy lo han (5) *recuperado / recuperaron* y por fin vuelve a estar en su sitio.

9. Completa con *hay que / no hay que / se puede / no se puede.*

1. Para ser azafata _____ saber idiomas.

2. En España _____ levantarse cuando el profesor entra en clase.

3. En España _____ fumar en muchos lugares públicos, pero en Estados Unidos _____ _____.

4. En el avión _____ llevar encendido el móvil.

10. Escribe sobre tus últimas vacaciones. ¿Adónde fuiste? ¿Con quién? ¿Qué hiciste?

_____

_____

_____

_____

_____

_____

_____

EXAMEN UNIDADES 13-14

1. Continúa la serie.

1. BAÑO: Bañera, ducha, _____, _____.

2. COCINA: Horno, nevera, _____, _____.

3. SALÓN-COMEDOR: Mesa, silla, ____, ____.

4. DORMITORIO: Cama, _____, _____.

2. Forma frases usando el futuro o el pretérito imperfecto.

1. Mañana / venir / mis tíos.

_____

2. La próxima semana / salir (nosotros) a cenar / a un restaurante griego.

_____

3. Dentro de un año / mi hermana / terminar sus estudios.

_____

4. Esta tarde / no poder (yo) / acompañarte.

_____

5. ¿Hacer (vosotros) / algún viaje al extranjero el mes que viene?

_____

3. Completa estos consejos para tener una vida más sana y feliz.

1. Si _____ (comer, tú) más verduras, _____ (estar) más sano.

2. Si _____ (dormir) bien, _____ (trabajar) mejor.

3. Si _____ (evitar) el estrés, _____ (vivir) más.

4. Si _____ (sonreír), todo_____ (ser) más fácil.

5. Si _____ (organizarse, tú) bien, _____ (tener) más tiempo libre.

4. Responde usando pronombres.

1. ¿Le has dado el regalo a Pablo?

Sí, ya _____.

2. ¿Me has preparado las tostadas?

Sí, ya _____.

3. ¿Quién os ha enviado esas flores?

_____ nuestros hijos.

4. ¿Has mandado la postal a tus abuelos?

Sí, ya _____.

5. ¿Quién le ha comprado ese helado a David?

_____ su tío.

5. Subraya la forma correcta.

1. Antes *tocaba / toqué* el piano todos los días, pero ya no tengo tiempo.

2. Hace 100 años la vida en mi ciudad *era / fue* muy diferente.

3. En 1910, como no *había / hubo* televisión, los niños *jugaban / jugaron* más entre ellos.

4. La primera vez que *viajé / viajaba* al extranjero yo todavía *era / fui* una niña.

5. El lunes nos *encontrábamos / encontramos* a Jorge en el teatro.

6. Casi todos los sábados *íbamos / fuimos* al cine.

6. Completa estas comparaciones.

1. ¿Federico tiene 20 años? Entonces es _____ que mi hijo Víctor, porque él cumple 18 en abril.

2. Este coche cuesta _____ como aquel, pero es _____ porque tiene más prestaciones: aire acondicionado, doble air-bag…

3. Luisa es _____ delgada como tú, pero _____ alta: sólo mide 1,60, y tú mides 1,68.

4. El guepardo es el animal _____ rápido _____ mundo. Y el _____ rápido es la tortuga.

7. ¿Dónde está Pedro? Escribe frases.

1. _____.

2. _____.

3. _____.

4. _____.

5. _____.

8. Completa con la palabra adecuada.

1. Cuando el _____ está en verde, puedo cruzar. Cuando está en rojo, pasan los coches.

2. Todos los días voy a nadar a la _____ municipal de mi barrio.

3. Los medios de transporte que más usa la gente para moverse por esta ciudad son el autobús y el _____. Aquí casi nadie va en bicicleta, no tenemos tranvía y el tren se prefiere para viajes más largos.

4. Carmen, ve a la _____ y compra estas medicinas.

5. Tengo que ir a la oficina de _____ a mandar este paquete postal y dos cartas urgentes.

9. Completa los diálogos.

1. A. _____, ¿podría decirme dónde hay una papelería?
   B. Sí, claro: siga todo _____ y en esa esquina verá una.

2. (En un bar)
   A. Por favor, _____ dos cañas y un zumo de naranja.
   B. ¿Quieren algo de _____?

3. (Por teléfono)
   A. ¿_____?
   B. Hola, buenas tardes. Llamo por lo del anuncio…

10. Escribe una redacción explicando qué hacías normalmente de niño para divertirte, y cuenta también un día que recuerdas que fue muy especial.

_____
_____
_____
_____
_____
_____
_____
_____
_____
_____

EXAMEN UNIDADES 15-16

1. ¿Qué palabra no pertenece al grupo?

1. Coliflor, pimiento, cebolla, uva. _____

2. Cocer, picar, ordenar, machacar. _____

3. Sello, sobre, postal, regla. _____

4. Ajo, fresa, naranja, manzana. _____

5. Aperitivo, comida, merienda, siesta. _____

2. Completa con indefinidos.

1. A. ¿Queda _____ botella de leche en la nevera?

   B. No, no queda _____.

2. El aula está vacía, no ha venido_____ hoy a clase.

3. ¿Hay _____ bombón en la caja?

4. ¿Quieres tomar _____?

3. Completa esta receta con los verbos del recuadro.

~~poner~~ – echar – servir – pelar – trocear – freír

(1) *Se pone* aceite a calentar en una olla. (2) _____ _____ la carne en el aceite caliente. Cuando ya está bastante hecha, (3) _____ las patatas y las zanahorias, (4) _____ y se añaden a la carne. (5) _____ un poco de salsa de tomate, un diente de ajo, perejil y sal, se cubre todo de agua, se tapa la olla y se deja cocer media hora. (6) _____ caliente.

4. Completa con el imperativo adecuado.

1. Juanito, _____ (ponerse) crema antes de tomar el sol.

2. Señora Vázquez, no _____ (salir) sin su abrigo.

3. Diana, no _____ (bañarse), el agua está muy fría.

4. Señor Huertas, _____me (dar) su dirección, por favor.

5. ¡No _____ (comer) tantos helados, Susana!

5. Escribe en forma negativa.

1. Quítate el abrigo. _____.

2. Levántese temprano. _____.

3. Bebe cerveza. _____.

4. Díselo a Pedro. _____.

5. Envíalo por fax. _____.

6. Ve al gimnasio. _____.

7. Escribe tu nombre. _____.

8. Préstamelas. _____.

6. Elige la forma correcta.

1. Me he vestido y he hecho las maletas. Ya *soy / estoy* lista para salir de viaje.

2. Este asiento *es / está* reservado.

3. Marta *es / está* despierta, enseguida encuentra una solución para todo.

4. Eduardo todavía *es / está* malo, por eso no ha salido hoy.

5. Pablo *es / está* muy limpio: siempre está fregando la casa y quitando el polvo a los muebles.

7. ¿Qué les dices a estas personas? Expresa tus buenos deseos ante estas situaciones.

1. A unos amigos tuyos que se han casado.

_____

2. A alguien que va a empezar a comer.

_____

3. A alguien que está enfermo en el hospital, para despedirte de él.

_____

4. A alguien que cumple los años.

_____

5. A alguien que se va de viaje.

_____

8. Escribe el verbo en subjuntivo.

1. Espero que _____ (encontrar, vosotros) piso enseguida.

2. Espero que _____ (ser, tú) bueno.

3. Espero que ella también _____ (ir) a la fiesta.

4. Espero que _____ (aprender, nosotros) mucho español.

5. Espero que _____ (vivir, usted) muchos años.

6. Espero que _____ (hacer, tú) los deberes.

7. Espero que _____ (leer, vosotros) muchos libros en vacaciones.

8. Espero que _____ (comer, tú) bien en ese restaurante, a mí me gusta mucho.

9. Completa los diálogos.

1.
   A. ¿El coche que has comprado es nuevo?

   B. No, es de _____, pero sólo tiene tres años.

2.
   (Por teléfono)
   A. Buenos días, ¿es _____ donde venden un frigorífico?

   B. Sí, sí, _____ es.

   A. Ah, muy bien. ¿Y _____ pide?

   B. 550 euros al _____ .

10. Escribe el adjetivo contrario.

1. Reservado _____

2. Nervioso _____

3. Lleno _____

4. Deprimido _____

5. Cansado _____

6. Limpio _____

7. Desierto _____

8. Enfermo _____

EXAMEN UNIDADES 17-18

1. Completa con la palabra correcta.

1. Arreglo coches: soy _____.

2. Enseño la ciudad a los extranjeros que vienen a visitarla: soy _____ _____.

3. Corto el pelo a la gente: soy _____.

4. Escribo artículos para un periódico: soy _____.

5. Hago la comida en un restaurante: soy _____.

2. Completa las frases según el modelo.

1. *Cuando estaba haciendo los deberes, llamaron por teléfono.*

2. Cuando estaba esperando el tren, _____ _____.

3. _____, se me paró el coche.

4. Cuando estaba comprando en el supermercado, ____ _____.

5. _____, llegaron unos amigos.

6. _____, me hice daño en un brazo.

3. Pon el verbo en pretérito indefinido o pretérito pluscuamperfecto.

1. Cuando _____ (llegar) la ambulancia, el hombre ya _____ (morir).

2. Mis hijos ya _____ (comer) cuando yo _____ (llegar) de trabajar.

3. Ayer no _____ (poder) comprar el pan porque _____ (cerrar) la panadería.

4. _____ (acostarse, nosotros) pronto porque _____ (trabajar) mucho aquel día.

4. Yo soy Isabel. Cuéntame el mensaje que Sandra dejó ayer para mí en el contestador.

> *Hola, Isabel, soy Sandra. Resulta que no puedo ir mañana al cine porque estoy fatal. Es que creo que he cogido la gripe, así que esta tarde voy a ir al médico, a ver qué me dice. Bueno, ya te llamaré. Hasta luego.*

Ayer te llamó Sandra. Dijo que (1)_____ no (2)_____ ir al cine porque (3)_____ fatal, y que (4)_____ que (5)_____ _____ la gripe. También dijo que (6)____ _____ (7)_____ al médico, a ver qué le (8)_____.

5. Has visto una oferta de trabajo en el periódico. Te has informado y crees que es interesante para un amigo tuyo. Escribe un e-mail a tu amigo. Cuéntale cómo es el trabajo, qué piden, cuántas horas son, cuánto pagan…

_____
_____
_____
_____
_____
_____
_____
_____
_____
_____.

6. Escribe frases según el modelo.

1. Gonzalo vive con Beatriz (5 años).
   Gonzalo lleva cinco años viviendo con Beatriz.
2. Juana conduce un taxi (10 años).
   _____.

3. Federico estudia Medicina (2 años).

   _____.

4. Mi hijo está duchándose (¡media hora!)

   _____.

5. Trabaja como voluntaria para una ONG (muchos años).

   _____.

6. El bebé está durmiendo (las cuatro).

   _____.

7. Escribe el verbo en pretérito perfecto o pretérito indefinido.

1. A. ¿Qué _____ (hacer, tú) esta semana?
   B. Pues el lunes, el martes y el miércoles _____ (estar) en la sierra, en el chalé de unos amigos. Ayer _____ (pasar) el día en la playa y hoy _____ (quedarse) en casa.

2. A. ¿Alguna vez _____ (ir, vosotros) a una entrevista de trabajo?
   B. Claro, precisamente el mes pasado _____ (ir, yo) a dos.
   C. Pues a mí nunca me _____ (llamar, ellos).

3. El sábado pasado compramos una aspiradora muy moderna, pero todavía no _____ (conseguir, nosotros) saber cómo funciona.

8. Completa con la palabra adecuada.

1. Una _____ es una mujer que se dedica a actuar en películas.

2. Para hacer una buena película se necesita escribir un buen _____.

3. Una película en la que se pasa mucho miedo es una película de _____.

4. Una película de indios y vaqueros es una película del _____.

5. Una película sobre fantasías del futuro es un film de _____.

9. Opina sobre estos comentarios.

1. El hambre y la pobreza son asunto de los gobiernos. Los ciudadanos no podemos hacer nada.

2. Los niños deben crecer libremente, no necesitan normas ni prohibiciones.

3. Me interesa mucho la política.

4. Me encanta el arte moderno.

5. Los españoles e hispanoamericanos se tocan constantemente cuando hablan, y esto a mí no me gusta.

10. Escribe 5 frases sobre tus planes para el año que viene. Usa *ir a* y *pensar + infinitivo*.

_____

_____

_____

_____

_____

11. Completa los diálogos según esta información.

	Hikari	Paulo	Vladimir
¿Te gusta el teatro?	Sí	Sí	No
¿Te interesa la literatura?	No	Sí	Sí
¿Crees que en España vivimos con demasiadas prisas?	No	Sí	No
¿Hablas bien español?	Sí	No	No

1. Hikari: Me encanta el teatro.
   Vladimir: _____.

2. Paulo: Me interesa la literatura.
   Vladimir: _____.

3. Vladimir: Yo creo que en España no se vive con demasiadas prisas.
   Hikari: _____.
   Paulo: Pues _____.

4. Paulo: No hablo muy bien español.
   Vladimir: _____.

Solucionario de los exámenes

Unidades 1-2

1. ¿Cómo te llamas? / 2. ¿De dónde eres? / 3. ¿Estás casada? / 4. ¿A qué te dedicas? / 5. ¿Dónde trabajas? / 6. ¿Eres colombiana (opcional)? / 7. ¿Cuántos idiomas hablas? / 8. ¿Tienes hijos? / 9. ¿Dónde vives? / 10. ¿Cuál es tu número de teléfono?

2. Mis padres viven en París. / Carlos vive con sus padres. / Elena no tiene hijos. / Raquel trabaja en el hospital. / Nosotros comemos en casa todos los días.

3. (1) es, (2) trabaja, (3) tiene, (4) Vive. / (5) viven, (6) Tienen, (7) es, (8) trabaja, (9) es.

4. Masculino: móvil, mapa, paraguas, reloj, sofá, coche. Femenino: gafas, madre, abuela, televisión.

5. 1. Soy francés y me llamo Antoine. 2. Jenny es profesora de inglés. 3. ¿Tus hijos viven en Granada? 4. La mochila está debajo de la silla. 5. ¿Tus padres son médicos? 6. Nosotras trabajamos en una oficina. 7. Mi hijo es enfermero. 8. Yo estudio informática e inglés. 9. ¿Vosotros sois de Buenos Aires? 10. Mis hermanos viven en la calle Goya.

6. 1. A. ¿De dónde son Roberto y Ana? B. Son de Guatemala y viven en Sevilla. 2. B. Encima de la mesa. 3. B. Son las doce y media. 4. B. Vive en Toledo, pero trabaja en Madrid.

7. 1. tío. 2. hermano. 3. marido. 4. nieto. 5. familia. 6. hora. 7. clase. 8. domingos. 9. gente. 10. horarios.

8. 2. cuarenta y ocho. 3. ochenta y siete. 4. ciento dos. 5. ciento veinticuatro. 6. ciento treinta y uno. 7. doscientos cuarenta y nueve. 8. seiscientos treinta y seis. 9. mil cuatrocientos diez. 10. dos mil quinientos.

9. 1. falso. 2. falso. 3. falso. 4. verdadero. 5. verdadero.

Unidades 3-4

1. (1) a, (2) de, (3) a, (4) en. (5) desde, (6) hasta. (7) a. (8) Por, (9) de, (10) a.

2. 1. A. vuelve. B. Vuelve. 2. A. empezáis. B. empiezo, empiezan. 3. A. vas, B. voy, A. vamos. 4. A. te acuestas. B. salgo.

3. Cocina: armario, lavavajillas, vitrocerámica, lavadora, horno. Salón-comedor: sofá, sillón, librería, televisión, mesita. Cuarto de baño: lavabo, armario, toalla, bañera, espejo.

4. 1. Encima-debajo. Delante-detrás. Dentro-fuera. Arriba-abajo. Cerca-lejos. 2. Ir-volver. Entrar-salir. Dormir-despertarse. Sentarse-levantarse. Empezar-terminar.

5. 1. está. 2. están. 3. Hay. 4. están. 5. hay. 6. tiene. 7. hay. 8. hay. 9. Tiene. 10. tienen.

6. 1. piso. 2. garaje. 3. metros. 4. doble. 5. patio. 6. vecinos. 7. reserva. 8. con tarjeta. 9. urbanizaciones. 10. bloques.

7. 1. verdadero. 2. falso. 3. verdadero. 4. falso. 5. falso. 6. verdadero.

Unidades 5-6

1. 1. carne con tomate. 2. taza. 3. ensalada. 4. tomate. 5. plátanos.

2. 1. Nadar una hora en la piscina. 2. Pintar un cuadro. 3. Montar en bicicleta una hora. 4. Ir al cine con Alicia. 5. Leer el libro de poesía.

3. 1. le gusta. 2. me gusta. 3. nos gusta. 4. me gustan. 5. les gusta. 6. les gustan. 7. nos gustan. 8. os gusta. 9. te gusta. 10. nos gusta.

4. 1. Cierra. 2. Venga. 3. Escucha. 4. Coma. 5. Termine. 6. Haz. 7. llama. 8. Siéntate. 9. Ayuda. 10. Pon.

5. 1. Enciende la luz, por favor. 2. Pon el abrigo en el perchero, por favor. 3. Escribe aquí tu nombre, por favor. 4. Avise al señor González, por favor. 5. Haz una tortilla de patatas para cenar.

6. 1. es. 2. está. 3. son. 4 están. 5. son. 6. está. 7. está. 8. es. 9. está. 10. es.

7. 1. El fútbol y el baloncesto. 2. Dos horas al día. 3. Para navegar por Internet o enviar correos electrónicos. 4. No, prefieren ir de compras. 5. En que los jóvenes de hoy utilizan las nuevas tecnologías.

8. Actividad libre.

9. (1) por favor. (2) plano. (3) estación. (4) línea. (5) billetes. (6) viajes. (7) barato. (8) Cuánto. (9) gracias. (10) amable.

Unidades 7-8

1. 1. Es rubia, joven, tiene el pelo largo. 2. Es moreno, tiene bigote, tiene 50 años. 3. Es rubio, tiene barba, es joven. 4. Es morena, tiene gafas, tiene 40 años y es guapa.

2. 1. callado. 2. alegre. 3. maleducado. 4. habladora. 5. serio. 6. amable.

3. 1. estanco. 2. farmacia. 3. mercado. 4. quiosco. 5. comisaría.

4. 1. Elena está desayunando. 2. Yo estoy afeitándome. 3. Carlos y Manuel están jugando a las cartas. 4. ¿Qué estás haciendo? 5. Estamos vistiéndonos para la fiesta. 6. Luis y su novia están discutiendo. 7.

Estamos hablando de política. 8. ¿Estáis estudiando español? 9. Los niños se están bañando en el mar. 10. Estás comiendo demasiado.

5. (1) me levanté. (2) desayuné. (3) fui. (4) tuvimos. (5) entré. (6) comí. (7) salió. (8) recibieron. (9) nos reunimos. (10) cenamos.

6. 1. En Galicia. 2. Supermercado, restaurante y piscina. 3. Está nublado y llueve todos los días. 4. Hizo mucho viento. 5. Que Pepa está incómoda y no pueden dormir por la noche.

7. Actividad libre.

8. (1) ¿Por qué no vienes? (2) Lo siento, no puedo. (3) ¿A qué hora quedamos? (4) ¿De acuerdo? (5) ¿Dónde quedamos?

Unidades 9-10

1. 1. falda. 2. camiseta. 3. corbata. 4. chaqueta. 5. camisa. 6. zapatillas. 7. vaqueros. 8. calcetines. 9. zapatos. 10. pantalón.

2. 1. Elena lleva camiseta oscura, falda corta y zapatos claros. 2. Gerardo lleva camiseta clara, jersey ancho, pantalón vaquero largo y ancho y deportivas claras. 3. Rosa lleva un vestido largo y oscuro, y zapatos oscuros. 4. Miguel lleva camisa blanca, corbata oscura y pantalón largo y oscuro, también lleva zapatos oscuros. 5. Luis lleva jersey largo y pantalón corto y ancho.

3. 1. mano. 2. pie. 3. ojos. 4. brazos. 5. orejas.

4. 1. la. 2. los. 3. lo. 4. las. 5. las.

5. 1. que. 2. tan. 3. tan, como. 4. mayor. 5. peores. 6. mejor. 7. menor. 8. más, que. 9. como. 10. mejor.

6. 1. Ahora trabajo en una oficina, antes trabajaba en un supermercado. 2. Ahora como verduras, antes comía carne. 3. Ahora sales con tu novia, antes salías con los amigos. 4. Ahora somos mayores, antes éramos jóvenes. 5. Ahora vais al cine, antes ibais al teatro.

7. 1. va a cantar. 2. va a hablar. 3. va a estar. 4. va a gustar. 5. va a cambiar. 6. vamos a buscar. 7. vamos a concentrar. 8. vas a cantar. 9. vais a oír. 10. vais a tener.

Unidades 11-12

1. 1. Qué. 2. Cuál. 3. Cuántas. 4. Qué. 5. Cuándo. 6. quién. 7. Cómo. 8. Cuánta.

2. 1. fui. 2. vinisteis. 3. dijiste. 4. estudié. 5. fuimos. 6. pudieron. 7. dio. 8. hizo. 9. estuvisteis. 10. salimos.

3. (1) Nació. (2) empezó. (3) se casó. (4) tuvo. (5) Actuó. (6) Hizo. (7) luchó. (8) Falleció.

4. 1. veintitrés de enero de mil novecientos setenta y ocho. 2. treinta de septiembre del dos mil cinco. 3. siete de julio de mil novecientos cuarenta y cinco. 4. veintiocho de marzo de mil setecientos ochenta y nueve. 5. quince mil alumnos. 6. quinientas noventa y seis mil personas. 7. dos millones trescientas treinta y cuatro mil setecientas veintidós estrellas. 8. ochocientos cincuenta y siete kilómetros.

5. 1. Ayer llegó mi novio de Estocolmo. 3. Estas chicas sí hablan español. 4 ¿Cómo estás hoy, abuela? 5. Se levantó a las 8:00. 6. ¿Qué te gusta hacer los fines de semana? 8. ¿Cuándo empezaste a jugar al golf?

6. 1. vuelto. 2. hecho. 3. estado. 4. muerto. 5. abierto. 6. escrito. 7. sido. 8. venido. 9. ido. 10. llegado.

7. (1) ha sido. (2) He tenido. (3) he salido. (4) se ha roto. (5) ha podido. (6) han empezado. (7) han ido. (8) hemos descansado.

8. (1) ha encontrado. (2) desapareció. (3) robaron. (4) dijo. (5) recuperado.

9. 1. hay que. 2. no hay que. 3. se puede, no se puede. 4. no se puede.

10. Actividad libre.

Unidades 13-14

1. 1. lavabo, inodoro. 2. microondas, lavadora. 3. sofá, librería. 4. mesita de noche, armario.

2. 1. Mañana vendrán mis tíos. 2. La próxima semana saldremos a cenar a un restaurante griego. 3. Dentro de un año mi hermana terminará los estudiar. 4. Esta tarde no podré acompañarte. 5. ¿Haréis algún viaje al extranjero el mes que viene?

3. 1. comes, estarás. 2. duermes, trabajarás. 3. evitas, vivirás. 4. sonríes, será. 5. te organizas, tendrás.

4. 1. Sí, ya se lo he dado. 2. Sí, ya te las he preparado. 3. Nos las han enviado nuestros hijos. 4. Se los ha cosido su mujer. 5. Sí, ya se la he mandado.

5. tocaba. 2. era. 3. había. 4. viajé. 5. encontramos. 6. íbamos.

6. 1. mayor. 2. tanto, mejor. 3. tan, menos. 4. más, del, menos.

7. 1. Pedro está enfrente de la casa. 2. Pedro está a la derecha. 3. Pedro está a la izquierda de la casa. 4. Pedro está detrás del árbol. 5. Pedro está detrás del árbol.

8. 1. semáforo. 2. piscina. 3. metro. 4. farmacia. 5. correos.

9. 1. Perdone, recto. 2. pónganos, comer. 3. dígame.

10. Actividad libre.

Unidades 15-16

1. 1. uva. 2. ordenar. 3. regla. 4. Ajo. 5. siesta.
2. 1. alguna, ninguna. 2. nadie. 3. algún. 4. algo.
3. (1) pone. (2) Se fríe. (3) se pelan. (4) Se echa. (5) Se sirve.
4. 1. ponte. 2. salga. 3. te bañes. 4. de-. 5. comas.
5. 1. No te quites el abrigo. 2. No se levante temprano. 3. No bebas cerveza. 4. No se lo digas a Pedro. 5. No lo envíes por fax. 6. No vayas al gimnasio. 7. No escribas tu nombre. 8. No me la prestes.
6. 1. estoy. 2. está. 3. es. 4. está. 5. es.
7. 1. ¡Que seáis muy felices! 2. ¡Que aproveche! 3. ¡Que te mejores! 4. ¡Que cumplas muchos! 5. ¡Que tengas buen viaje!
8. 1. encontréis. 2. seas. 3. vaya. 4. aprendamos. 5. viva. 6. hagas. 7. leáis. 8. comas.
9. Diálogo 1: B: segunda mando. Diálogo 2: A: ahí. B: aquí. A: cuánto. B: contado.
10. 1. Libre. 2. Tranquilo. 3. Vacío. 4. Animado, contento. 5. Descansado. 6. Sucio. 7. Dormido. 8. sano.

Unidades 17-18

1. 1. mecánico. 2. guía turístico. 3. peluquero. 4. periodista. 5. cocinero.
2. Actividad libre.
3. 1. llegó, había muerto. 2. habían comido, llegué. 3. pude, habían cerrado. 4. nos acostamos, habíamos trabajado.
4. (1) hoy. (2) podía. (3) estaba. (4) creía. (5) había cogido. (6) esta tarde. (7) iba a ir. (8) decía.
5. Actividad libre.
6. 1. Gonzalo lleva cinco años viviendo con Beatriz. 2. Juana lleva diez años conduciendo un taxi. 3. Federico lleva estudiando Medicina dos años. 4. Mi hijo lleva media hora duchándose. 5. Lleva muchos años trabajando con voluntaria para una ONG. 6. El bebé está durmiendo desde las cuatro.
7. 1. A. has hecho. B. estuve, pasé. 2. A. habéis ido. B. fui. C. han hecho. 3. hemos conseguido.
8. 1. actriz. 2. guión. 3. terror. 4. oeste. 5. ciencia-ficción.
9. Actividad libre.
10. Actividad libre.
11. 1. A mí no. 2. A mí también. 3. Hikari: Yo tampoco. Paulo: yo sí. 4. Yo tampoco.